ミサイル攻撃基地と化す琉球列島

――日米共同作戦下の南西シフト

小西誠 著

目次

＊脚注

・表紙カバーの第1列島線へのミサイル配備図は、ＣＳＢＡ（戦略予算評価センター）の「海洋プレッシャー戦略」下の「インサイド―アウト戦略」

・本文紹介の「海洋プレッシャー戦略」は、以下参照。英文　https://csbaonline.org/research/publications/implementing-a-strategy-of-maritime-pressure-in-the-western-pacific/publication/1

日本語版　https://note.com/makoto03/n/ne20995cdea40

・米海兵隊「フォース・デザイン２０３０」英文　https://www.marines.mil/Portals/1/Docs/2021%20Force%20Design%20Annual%20Update.pdf?ver=D8ZSD8j66Pci2kEsR4BYDw%3d%3d

日本語版　http://milterm.com/archives/1348

・米国防総省の「インド太平洋戦略報告」英文　https://media.defense.gov/2019/Jul/01/2002152311/-1/-1/1/DEPARTMENT-OF-DEFENSE-INDO-PACIFIC-STRATEGY-REPORT-2019.PDF

・アンドリュー・Ｆ・クレピネビッチ著　英文「Archipelagic Defense」（群島防衛）　Archipelagic Defense

・米海兵隊「水陸両用戦」（Amphibious Operations）　英文　https://irp.fas.org/doddir/dod/jp3_02.pdf

・日本語版「陸自教範 水陸両用作戦」（『自衛隊の島嶼戦争（ＰＡＲＴ２）：資料集・自衛隊の幹部用教範が定めるその作戦』社会批評社・キンドル版）

序章　煽られる「台湾有事」論

ミサイル軍拡競争が始まった琉球列島

２０２１年３月９日、米インド太平洋軍のデービッドソン司令官（当時）は、米上院軍事委員会で「今後６年以内に中国が台湾を侵攻する可能性がある」と証言。これを契機に日本のメディアは、一斉に「台湾有事」キャンペーンを始めた。メディアだけではない。名だたる識者や軍事評論家らも、この喧伝に飛びつき、唱和している。

だが、デービッドソンの上官、ミリー米統合参謀本部議長が、米上院歳出委員会で「中国には現時点で武力統一するという意図も動機もほとんどないし、理由もない」と証言（21年6月19日付朝日新聞）したのだが、ほとんどのメディアはこれを無視した。

また、同年7月5日、麻生副総理（当時）が都内の会合で「台湾海峡は石油に限らず日本の多くの輸出入物資が通る」とし、「台湾有事」を念頭に「日本にとって存立危機事態に関係」（同日付沖縄タイムス）と発言すると、メディアは一斉にこれに呼応し、さらに「台湾有事」を鼓吹するという状況である。

だが、この麻生発言は、完全なフェイクである。「台湾海峡は……日本の多くの輸出入物資が通る」と？　台湾海峡はどこだ！　中国大陸と台湾の間だ。この中国大陸に沿う海峡を通る、日本の船舶はほとんどない（「日本の海運 SHIPPINGNOW ２０２０—２０２１」日本船主協会作成）。

日本の実際の「シーレーン」は、台湾とフィリピンの間のルソン海峡、バシー海峡だ。台湾海峡という「危険地帯」を通過する必要は全くない。

こんな麻生のフェイクを真に受け「台湾有事が切迫」と、危機アジりに唱和してはならない。現在、いかなる危機が生じているのか？　この実態は、正確に見据えねばならない。

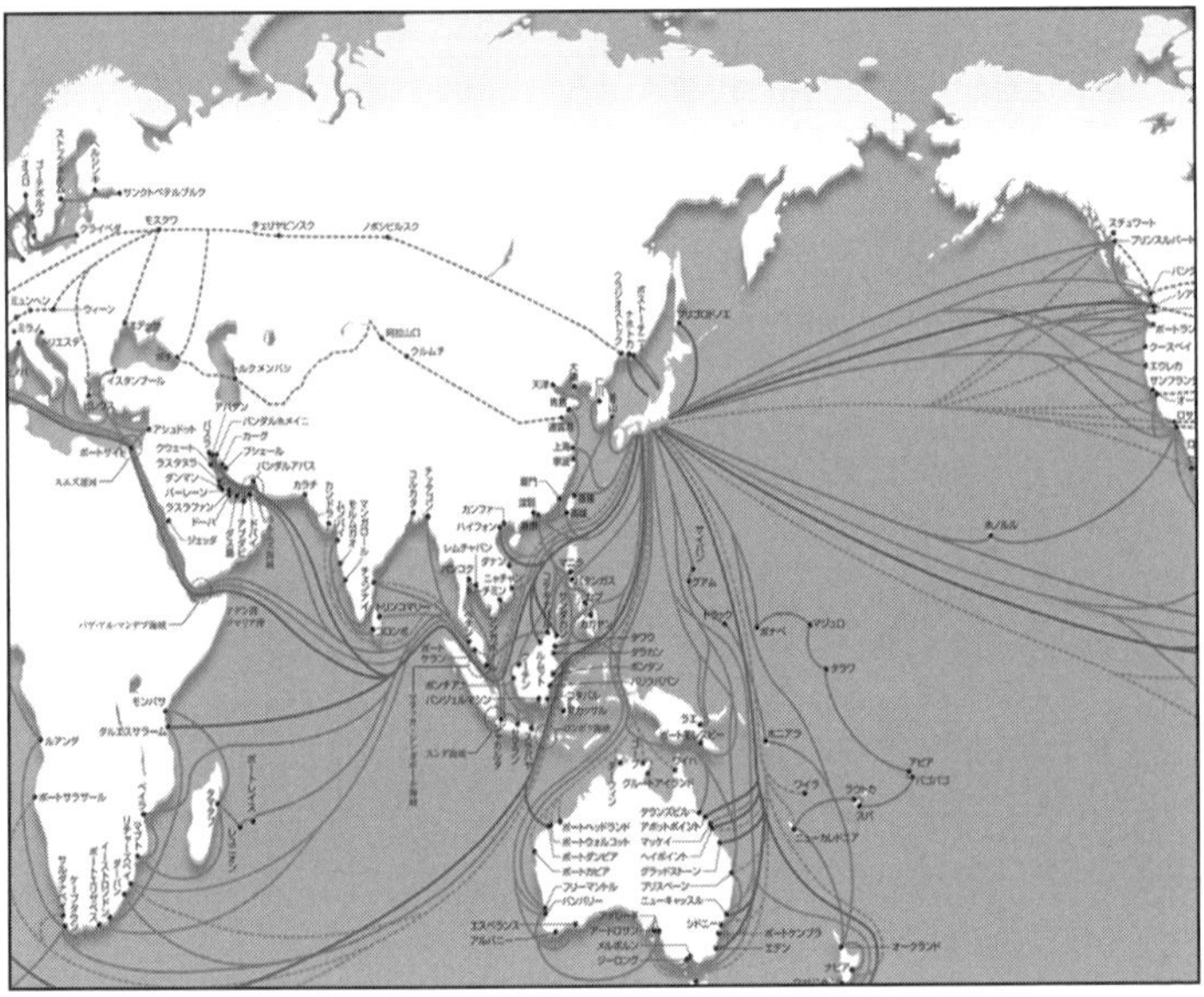

進行する琉球列島のミサイル基地化

現在、急ピッチで進んでいるのは、九州から与那国島に至る、琉球列島＝第1列島線に沿う、ミサイル部隊を軸とした大がかりな自衛隊の新配備計画だ。この事実をメディアは、ほとんど報じない。

これらの琉球列島の基地建設の中で、いち早く自衛隊が配備されたのは、日本の最西端・与那国島だ。台湾まで約110キロという距離にある同島と台湾との間の海峡は、頻繁に中国の軍民艦船が行き来する。

この与那国島の山頂に5基、異様な形で聳え、配備されているのが、陸自（陸上自衛隊、以下陸自・海自・空自という）沿岸監視隊160人の部隊だ（2016年3月配備）。沿岸監視レーダーは、与那国西水道を通過する中国軍艦を常時監視する。また、与那国駐屯地東側の一段と高い場所には、対空レーダーも設置。同島には、今後、空自移動警戒隊、陸自電子戦部隊も配備される予定だ（与那国と台湾間の海峡の公式名称はない。便宜的に筆者は「与那国西水道」とした）。

与那国島の東に位置する石垣島には、陸自の対艦・対空ミサイル部隊、警備部隊（普通科部隊）計約600人が配備される予定だ。この石垣島では、宮古島、奄美大島よりも遥かに遅れて、2019年3月、基地造成工事が始まった。そして現在は、コロナ禍でもほとんど休止することなく、本格的なミサイル基地造成工事が続いている。

しかし、石垣島でも、与那国島と同様、激しい基地建設への抵抗が起きている。基地建設の発表以来、予定地である平得大俣《ひらえおおまた》地区の農民らを中心にして、石垣市民の間にも根強く運動は広がっていく。平得大俣地区は、島への食糧を供給するもっとも豊かな農村地帯であり、戦後沖縄本島から移住してきた農民たちが、厳しい環境下で切り開いてきた開拓農地だ。しかもこの地帯は、沖縄においても最高峰を誇る於茂登岳《おもとだけ》から湧き出してきた豊かな水源地帯である。

この地にミサイル基地を造るという自衛隊の横暴に、農村の青年たちが起ち上がった。この運動は、基地建設の是非を問う、住民投票を求める闘いへと発展する。この住民投票署名は、わずか1カ月の期間に石垣市有権者の4割を超える、1万4844筆の署名を達成。しかし、この状況に驚いた石垣市長らは、この「市条例に基づく住民投票実施」を拒否するという暴挙に出たのだ。これに対し、住民投票の実施を求めて石垣市を訴えた裁判が、今なお続いている。

（注　市長に住民投票実施を義務付ける「義務付け訴訟」は、1審、2審、最高裁とも却下されたが、2021年10月、市民たちは「石垣市平得大俣地域への陸自配備計画の賛否を問う住民投票において投票することができる地位にあることの確認請求」という新たな訴訟を提起。）

石垣島とともに、今なおミサイル基地を阻む激しい運動が続いているのが宮古島だ。2019年3月、ここには陸自の警備部隊が配備。また地対艦・地対空ミサイル部隊も、1年遅れの

２０２０年３月に配備された（約８００人）。こうして宮古島には、ミサイル部隊が配備されたのだが、この部隊は未だ「ミサイルなし」（弾なし）の部隊（２０２１年11月10日現在）。同駐屯地には、対艦・対空ミサイル部隊の車両多数が配備されたが、これらの「ミサイル搭載車両」は、キャニスター（発射筒）だけを搭載したものだ。

　というのは、ミサイルを保管する弾薬庫は、21年４月に同島南東の保良《ぼら》地区にようやく一部開設したが、肝心のミサイル弾体が未だに搬入されていない（写真上、宮古島・保良ミサイル弾薬庫）。この理由は、保良の居住地区のすぐ側（２００メートル）に造られているミサイル弾薬庫に抗し、住民たちは２年以上にわたって工事現場に座り込み、弾薬庫反対の行動を続けているからである。そして、４月から現在まで、この住民の行動に、沖縄の海運業界が共鳴し、今なおミサイル弾薬の輸送を拒んでいるのだ。もちろん、この保良を始め宮古島では、千代田地区の宮古駐屯地に対しても、反対の闘いが粘り強く続けられていることは付言しておかねばならない。

南西シフトの機動展開基地となる奄美大島・馬毛島

奄美大島のミサイル基地開設は、宮古島と同じ２０１９年３月だ。奄美大島では、警備部隊と地対艦・地対空ミサイル部隊が、島の３カ所、計５５０人規模で配備された。さらに、今後、空自の移動警戒隊（大熊駐屯地内）・通信基地（湯湾岳）、陸自電子戦部隊が配備される予定だ。

奄美大島で驚くのは、これらの基地の規模である。奄美駐屯地（大熊地区）の敷地面積は、約51ヘクタール、瀬戸内《せとうち》分屯地（瀬戸内町）は、約48ヘクタール（石垣基地の約2倍・宮古基地の約２・5倍）。瀬戸内分屯地には、巨大弾薬庫（約31ヘクタール）が今なお建設中だ。山中にトンネル5本を掘るミサイル弾薬庫は、それぞれが約２５０メートルの長さの地中式弾薬庫である。弾薬庫は、現在2本目が完成しているが、情報公開文書によると全ての完成は２０２４年だ。

この奄美大島のミサイル弾薬庫には、作戦運用上の目的もある。奄美大島―馬毛島は、先島諸島有事への、兵站・機動展開・訓練拠点として位置付けられている。つまり、この瀬戸内弾薬庫は、南西諸島有事へのミサイル弾薬の兵站（補給）拠点である。問題は、これら奄美大島の基地建設について、本土のメディアが全く報道しないことだ。

種子島―馬毛島の基地化が、自衛隊の南西シフトの一環であることは、以前から防衛省サイトでは公開されている（「国を守る」）。

このサイトでは「他の地域から南西地域への展開訓練施設、大規模災害・島嶼部攻撃等に際しては、人員・装備の集結・展開拠点として活用、島嶼部への上陸・対処訓練施設」などを明記。

馬毛島基地（仮）について、ようやく用地買収のメドがたった２０１９年12月、防衛副大臣が種子島を訪れ「自衛隊馬毛島基地」（陸海空の統合基地）建設を市に要請。つまり、馬毛島は、自衛隊の南西シフトの兵站・機動展開・訓練拠点として公に位置付けられたのである。

これは、以前から筆者請求の情報公開文書でも裏付けられている。２０１２年、防衛省文書「奄美大島等の薩南諸島の防衛上の意義について」は、「南西地域における事態生起時、後方支援物資の南西地域への輸送所要は莫大になることが予想→薩南諸島は自衛隊運用上の重大な後方支援拠点」、また情報公開文書「自衛隊施設所要」（２０１２年統幕計画班）でも「統合運用上の馬毛島の価値」として、「南西諸島防衛の後方拠点（中継基地）」であること、「島嶼部侵攻対処を想定した訓練施設」であると明記。こうして、２本以上の滑走路建設予定の馬毛島は、自衛隊史上最大の航空基地、そして軍港（後述）として、まさに「要塞島」が造られるのだ。

沖縄本島の増強とミサイル要塞と化す琉球列島

以上の先島などと同時進行しているのが、沖縄本島での全自衛隊の大増強だ。すでに２０１０年、那覇の陸自第15混成団は旅団へ昇格、空自も２０１７年、南西航空混成団から南西航空方面隊に昇格。那覇基地のＦ15戦闘機は、２倍の40機へ増強された。

そして、沖縄本島の全自衛隊は、２０２０年には、約９０００人に増大（２０１０年約６３００人）、陸自・沖縄部隊は、最大勢力の約５１００人に増強された。

問題は、この中で沖縄本島へ地対艦ミサイル部隊の配備が決定されたことだ。新中期防衛力整備計画（２０１８年～）では、宮古島・石垣島を含む３個中隊の追加配備が決定されたが、このミサイル１個中隊の陸自・勝連《かつれん》分屯基地への２０２３年度の配備が通告された（21年８月21日）。

しかし、勝連への配備は、ミサイル中隊だけではなく、石垣島・宮古島、奄美大島の地対艦ミサイル部隊を隷下におく、地対艦ミサイル連隊本部の配備（約１８０人）と発表されている。この配備で琉球列島では、地対艦ミサイル１個連隊「４個中隊」が編成・完結される。

海自（空自）でも、「いずも」型護衛艦の空母への改修工事が完了しつつあり、すでに海自・空母と米強襲揚陸艦との共同運用が行われ始めている。

その他、南西シフト下で「島嶼奪回」部隊として、華々しく喧伝されているのが、佐世保市で編成された水陸機動団だ。これは現在、２個水陸機動連隊が編成され、新たに１個連隊が増強予定だ。この他、南西シフト下では、九州の空自増強と日米共同基地化が進行、新田原《にゅうたばる》基地では、２０２１年７月、Ｆ35Ｂ配備・基地化が通告された。

以上の宮古・奄美・沖縄本島などへの地対艦・地対空ミサイル配備を皮切りに急ピッチで進んでいるのが、さらなる琉球列島全体のミサイル要塞化計画だ。

２０１８年防衛大綱では、「島嶼防衛用高速滑空弾部隊・２個高速滑空弾大隊」の新設が発表された。高速滑空弾とは、現在、日米中露が激しい開発競争をしている新型のミサイルであり、迎撃不可能であるといわれる。チョークポイント・宮古海峡封鎖のための配備が推定される。

自衛隊は、この他、中国大陸まで射程に収める12式地対艦ミサイルの約９００キロの射程延伸を計画し、自衛隊初のトマホーク型巡航ミサイルの開発などを含む、凄まじいミサイル戦争態勢づくりを推し進めている。

そして、２０１９年８月２日、トランプ政権は、中距離核戦力（ＩＮＦ）全廃条約からの脱退を決定したが、この目的は米軍の琉球列島を中心としたミサイル軍拡を押し進めるためである。条約脱退発表の直後に米軍は、沖縄—九州などへの中距離弾道ミサイルの配備（非核戦力）を発表したのである。一部の御用評論家などは、米中の中距離ミサイルの戦力比が「米ゼロ対中国１２５０発」とフェイクを流し、中国の多数の中距離ミサイルに対抗するには、米軍の中距離ミサイルの日本配備が必要だと吹聴している。

しかし、米軍は、ＳＬＣＭ（潜水艦発射巡行ミサイル）を始め、すでに艦艇などに多数のトマホークなどの中距離ミサイルを配備している。ＳＬＣＭは、１隻に１５４発のトマホークを装備している（搭載潜水艦４隻保有）。明らかに、米軍が目論むのは、地上発射のトマホークや中距離弾道ミサイルの日本配備によって、ミサイル軍拡競争において中国に対し圧倒的優位に立つということだ。

さらに、急ピッチで進みつつある米海兵隊・陸軍の「第１列島線シフト」でも、地対艦・空ミサイル部隊の配備計画が明らかになっている。つまり、日米の双方による、琉球列島への凄まじいミサイル配備計画が押し進められており、対中国の激しいミサイル軍拡競争が、すでに始まっているということだ。

対中国の日米共同作戦

自衛隊の南西シフトの初めての策定は、２０１０年の新防衛大綱だ。この南西シフトは、米軍のエアーシーバトル（２０１０年ＱＤＲ）のもとで決定された。この具体的な運用計画が示されたのが「沖縄本島における恒常的な共同使用に係わる新たな陸上部隊の配置」（２０１２年統合幕僚監部）という文書である。

この文書では、驚いたことに在沖米軍基地—嘉手納・伊江島航空基地等を含む在沖全米軍基地の、自衛隊との共同使用、さらにこの後編成予定の陸自１個連隊のキャンプ・ハンセンへの配備

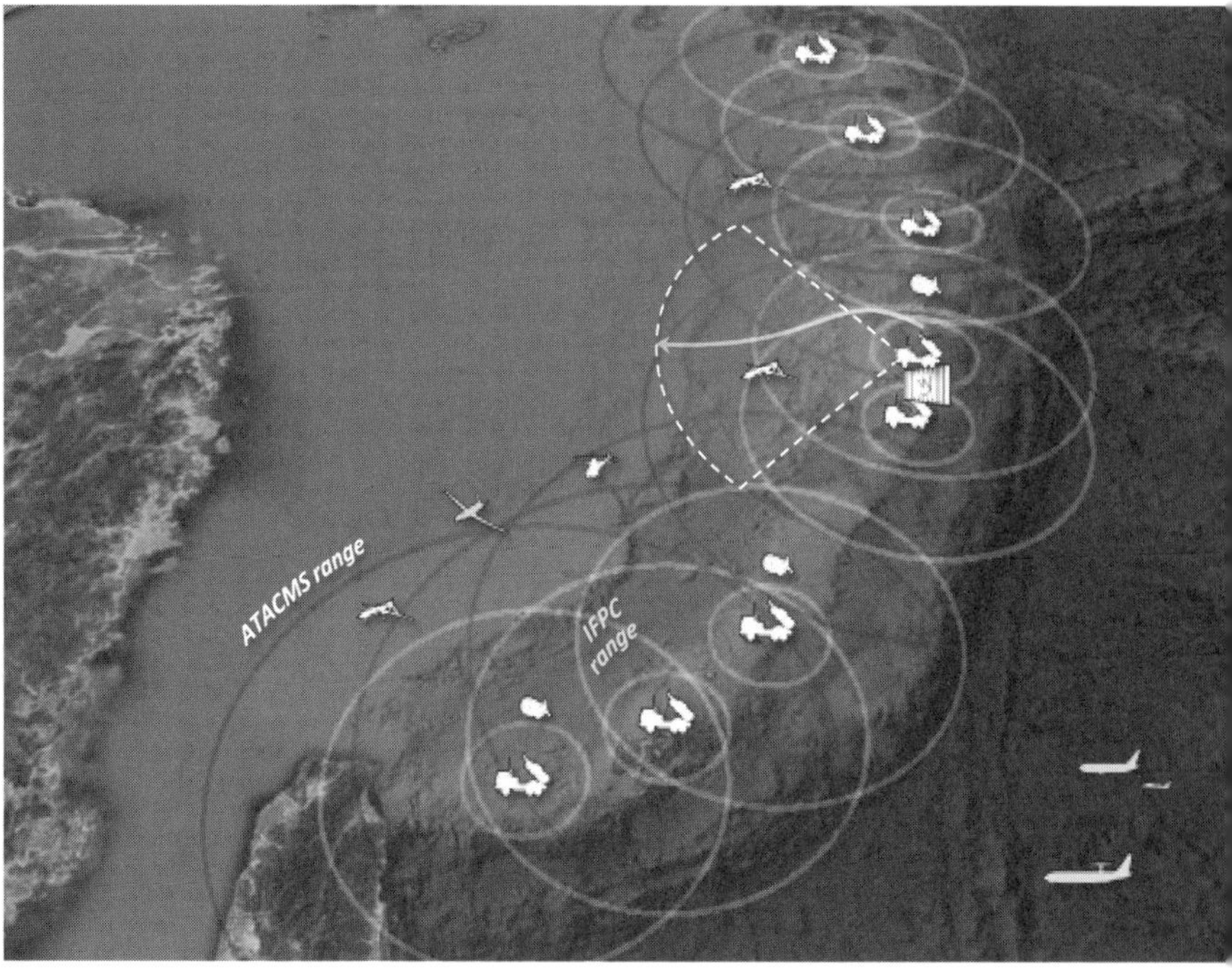

CSBA-2016

Surface Warfare (SUW) and Strike

も記されている。つまり、このハンセン配備予定の水陸機動団が、辺野古新基地をも使用し、日米共同基地にするということだ（21年1月28日付沖縄タイムスは、これを裏付ける辺野古新基地の水陸機動団との共同使用密約を報道）。

こうしてみると、自衛隊の南西シフトは、初めからエアーシーバトル下の日米共同作戦として決定されたといえる。

この作戦の特徴は、在沖・在日米軍は中国軍のミサイルの飽和攻撃を逃れ、あらかじめ空母機動部隊のグアム以遠への一時的撤退を予定していたことだ。そして、中国軍のミサイル飽和攻撃が終了した後、米空母機動部隊などは、第1列島線に参上し参戦する。

すなわち米軍は、対中戦略では自衛隊

の南西シフトに依拠する。つまり、第1列島線沿いに配備された、自衛隊の対艦・対空ミサイル部隊が、初期の対中戦闘の主力となる。米軍の初期構想では、これら琉球列島に配置されたミサイル部隊の任務は、中国軍を東シナ海に封じ込め、「琉球列島を万里の長城、天然の要塞」にするとしている。これはまた、中国の軍民艦船を東シナ海へ封鎖する態勢であり、中国の海外貿易を遮断する態勢づくりだ。

だが、このエアーシーバトルという戦略は、一時的であれ、米海軍の西太平洋の制海権を放棄する態勢である。これは米海軍においては「制海権放棄」という第2次大戦後の初めての事態となる。

こうして、これを全面的に修正する戦略が、「海洋プレッシャー戦略」として米軍に対して提言された（戦略予算評価センター「CABA」、2019年5月）。「海洋プレッシャー戦略」とは、端的にいうと、中国の初期ミサイル飽和攻撃に対処する「撤退戦略」を修正し、「対中・前方縦深防衛ライン」を構築し、戦争の初期から西太平洋の制海権を確保する戦略だ。

作戦の中心は、第1列島線沿いに分散配置された対艦巡航ミサイル、対空ミサイルなどを装備した地上部隊が、中国の水上艦艇を戦闘初期で無力化する。つまり、琉球列島に配備された自衛隊の対艦・対空ミサイルと、米軍の新たな対艦・対空ミサイルとの共同作戦である（前頁図参照）。

この戦略下、海兵隊も「フォース・デザイン2030」を提唱し、その構想が「紛争環境における沿海域作戦」（LOCE）、「遠征前方基地作戦」（EABO）としてすでに具体化している。

第1列島線上で海兵隊が、地対艦ミサイルなどで武装することが最大の核心だ。２０２７年までにそれを担う「沿岸連隊」を沖縄に配備するという方針である。

問題は、米海兵隊のミサイル部隊配備だけではない。この海兵隊に加えて、米陸軍もまた、マルチ・ドメイン・オペレーション（ＭＤＯ）という運用構想の中、第1列島線に地対艦ミサイル部隊などを配備することを決定しているのだ。詳細は本文で述べるが、実際は米海兵隊よりもこの陸軍のミサイル部隊配備が先行するという状況だ。

「台湾有事」論の実態

このような日米の南西シフト下の、対艦・対空ミサイル配備、そしてトマホークを始めとする中距離ミサイル配備計画が急ピッチに進行する中、東シナ海・南シナ海とも、軍事衝突の緊張が一段と高まっている。

しかし、冒頭に述べてきた「台湾有事」論の本当の狙いは、**米軍による第1列島線の完結・完成、つまり、台湾を対中戦略に動員し、台湾とフィリピンとの間の、ルソン――バシー海峡の封鎖態勢を完成させることである**（中国海軍―海南島に配備された原潜の太平洋への出口を遮断）。そして、「台湾有事」論のもう1つの重大な狙いは、**中距離ミサイルの日本配備のための、一大キャンペーン**でもあるのだ。

現在、これら日米中露のミサイル軍拡競争は、熾烈な段階に入りつつある。この事態を放置したとすれば、アジア太平洋は「キューバ危機」以上の危機に突入する。極超高速滑空弾、中距離弾道ミサイルは、中国におよそ10分前後で着弾する。

だが、迫りつつあるこの戦争の危機を、逆にアジア太平洋の軍縮に転化すること、日米の南西シフトを中止に追い込むこと、琉球列島へのミサイル基地建設を凍結し、基地の廃止に追い込むこと――これらが今緊急に必要である。私たちは、再び沖縄を最前線とするこの戦争態勢づくりに、黙してはならない。

（注「序章」については、雑誌『アジェダ』２０２１年9月号発表の論文に加筆。）

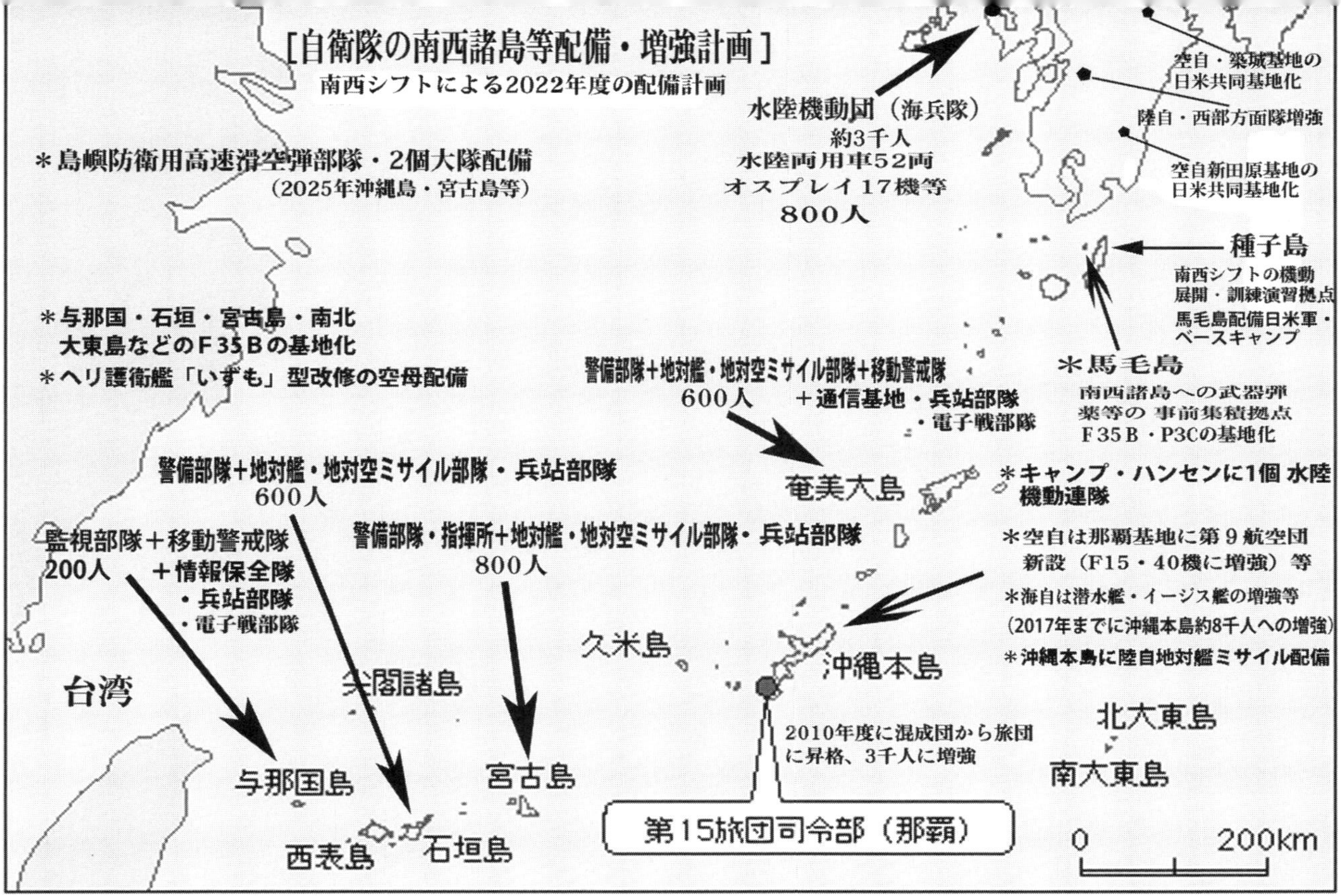
[自衛隊の南西諸島等配備・増強計画]
南西シフトによる2022年度の配備計画
水陸機動団（海兵隊）
約3千人
水陸両用車52両
オスプレイ17機等
800人
空自・築城基地の
日米共同基地化
陸自・西部方面隊増強
空自新田原基地の
日米共同基地化
＊島嶼防衛用高速滑空弾部隊・2個大隊配備
（2025年沖縄島・宮古島等）
種子島
南西シフトの機動
展開・訓練演習拠点
馬毛島配備日米軍・
ベースキャンプ
＊与那国・石垣・宮古島・南北
大東島などのF35Bの基地化
＊ヘリ護衛艦「いずも」型改修の空母配備
警備部隊＋地対艦・地対空ミサイル部隊＋移動警戒隊
600人
＋通信基地・兵站部隊
・電子戦部隊
＊馬毛島
南西諸島への武器弾
薬等の 事前集積拠点
F35B・P3Cの基地化
警備部隊＋地対艦・地対空ミサイル部隊・兵站部隊
600人
奄美大島
＊キャンプ・ハンセンに1個 水陸
機動連隊
監視部隊＋移動警戒隊
200人
＋情報保全隊
・兵站部隊
・電子戦部隊
警備部隊・指揮所＋地対艦・地対空ミサイル部隊・兵站部隊
800人
＊空自は那覇基地に第９航空団
新設（F15・40機に増強）等
＊海自は潜水艦・イージス艦の増強等
（2017年までに沖縄本島約8千人への増強）
＊沖縄本島に陸自地対艦ミサイル配備
久米島
沖縄本島
台湾
尖閣諸島
北大東島
2010年度に混成団から旅団
に昇格、3千人に増強
南大東島
与那国島
宮古島
第15旅団司令部（那覇）
西表島
石垣島
0
200km

第1章　アメリカの「島嶼戦争」論

クレピネビッチの「群島防衛」論

本書では、自衛隊の南西シフト、いわゆる自衛隊の「島嶼戦争」態勢については、第4章で詳述する。この自衛隊の南西シフトは、東西冷戦崩壊後の自衛隊の「生き残りを賭けた」戦略であり、一定の独自戦略でもある。しかし、自衛隊の南西シフトが具体的に策定されるのは、アメリカのイラク――アフガン戦争の一定の収束後の、２０１０年ＱＤＲ（4年ごとのアメリカの国防計画の見直し）策定を待たねばならなかった。

つまり、同年2月のアメリカ国防総省のＱＤＲ策定を経て、このアメリカの新戦略に沿い２０１０年12月、日本の「防衛計画の大綱」が策定され、自衛隊の南西シフトが正式に確定されるに至ったということだ。

ところで、自衛隊の南西シフト――「島嶼戦争」の策定に至る過程において、その戦略的根拠を与えたのが、ＣＳＢＡ所長（当時）・アンドリュー・Ｆ・クレピネビッチの「群島防衛」論であったのである。

クレピネビッチは、2017年『群島防衛』という長文の文書を著しているが、この最初の「群島防衛」論の提起は、すでに2015年、雑誌『フォーリン・アフェアーズ・リポート2015年』においてなされていた。この論文は、「中国をいかに抑止するのか――拒否的抑止と第1列島線」と題する論文である。

ここでクレピネビッチは、まず、「（米国は）米軍・同盟軍・パートナーの地上戦力を利用して、第1列島線に沿った防衛リンケージを確立することで、列島線防衛ラインを確立しなければならない」として、中国に対する「拒否的抑止」戦略を提唱する。

そして、この戦略は具体的には、「中国軍が、第1列島線に沿った国を孤立させるには、この地域での航空優勢と海上優勢を確立する必要がある」が、これに対し米軍が中国軍に対抗するには、「当然、中国の第1列島線の空と海の優勢を相殺しなければならず、そのためには同盟国の戦闘ネットワークを統合し、その能力を強化する必要がある」とする。そして、「これらの目的は地上軍で達成できる。既存の空海軍力を置き換えるのではなく、これを地上軍が補完することで実現できる」というのだ。

このクレピネビッチの提言する、「拒否的抑止」に基づく、第1列島線上への「地上軍の配備」――これは、言うまでもなく自衛隊と米軍の配備であるが、この路線が自衛隊の南西シフトに戦略的根拠を与え、南西シフトがあらかじめ、日米共同作戦として位置づけられていくことになったのである。

後述するように、２０１２年の統合幕僚監部による「日米の『動的防衛協力』について」の策定後、自衛隊の南西シフトは正式に動き出し始め、石垣島・宮古島・奄美大島などの琉球列島への地対艦・地対空ミサイル基地建設が始動するが、クレピネビッチによるこれらの「拒否的抑止」戦略＝「群島防衛」論は、これに戦略的根拠を与えたということができる。

また、アメリカ側からの「群島防衛」論の提起、つまり、米地上軍もまた、第1列島線に地上部隊を配備するという戦略の提言は、この段階での自衛隊の南西シフトを、戦略的にも、戦力的にも、補完するものとなったのである。

これは、南西シフト態勢による自衛隊の先行的進行状況からすれば、米軍による自衛隊の補完ということになるが、実際には統合幕僚監部の「日米の『動的防衛協力』について」（詳細は後述）に見るように、あらかじめ日米共同作戦態勢として、米軍もその主力が「南西シフト」――アジア太平洋重視の態勢へ移行し始めていたということだ。

さて、このクレピネビッチの「米軍の地上戦力・地上軍は、第1列島線上の防衛に貢献できる」という「群島防衛」論を、もっと具体的に検討してみよう。

クレピネビッチは、第1に「対空防衛」として、第1列島線諸国に「高度な稼働性をもつ短距離要撃ミサイルを装備した陸軍部隊を展開」することで、中国軍の巡航ミサイル、航空攻撃を破壊できるとする（陸自の03式中距離地対空ミサイルなど）。第2に「中国軍の海上優勢を否定するには、島嶼群の攻撃能力を強化する必要がある」とし、「第1列島線沿いに移動式発射装置と地対艦ミサイルを装備した地上軍を配備すべき」とする（陸自の12式地対艦ミサイルなど）。また、第1列島線沿いに「米陸軍が第2次大戦後に放棄した沿岸防衛のための砲兵部隊を復活させる」という米議会指導者たちの案も説得力がある、としている。

この「群島防衛」論は、第3に「アメリカと同盟国の地上軍が貢献できるもう1つのミッションが機雷戦」であるとし、伝統的に海軍が機雷を敷設することで海峡の航行を制限、除去・掃海してきたが、この機雷敷設についても陸軍がより大きな任務を果たすとし、「特に、東シナ海、南シナ海を外洋とつなぐ主要海峡近くに展開している陸軍部隊がその役目を果たす」としている。こうした陸軍は、「短距離ロケット、ヘリコプター、あるいは敷設船を用いて、陸上基地から機雷を敷設することができる」と。

クレピネビッチは、第1列島線沿いの主要なチョークポイントに機雷で封鎖した海域を作れば、中国海軍による作戦行動を困難にすることができるし、さらに沿岸近くに対艦ミサイルを配備しておけば、中国海軍も容易に掃海ができないとしている。

第4に、クレピネビッチは、地上軍による「対潜水艦作戦」という大胆な提言を行っている。第1列島線沿いの海中に音響センサーを設置して、中国の潜水艦のプレゼンスを探知する能力を地上軍が使うことができれば、米軍・同盟軍の対潜能力に大きく貢献できるし、さらに、沿岸部の砲兵部隊が、ロケットランチャーを用いて魚雷戦を遂行すれば、通峡阻止作戦に貢献できると中国の「第1列島線」と「第2列島線」

ともに、米海軍の主要任務を他に振り向けることができるとしている。

地上軍砲兵部隊の魚雷戦という作戦は、一見して荒唐無稽に見える。しかし、歴史的には陸上から魚雷攻撃を実施した「ガリポリの戦い」として知られている作戦だ。これは、第1次世界大戦下、連合国軍が同盟国軍のオスマン帝国の首都イスタンブール占領のために、ダーダネルス海峡の西側のガリポリ半島攻略を目指したのに対し、オスマン帝国側が、陸上からの魚雷戦を挑み、連合国軍に大きな損害を与えた戦闘として知られている。まさしく、陸上部隊が、魚雷戦を仕掛けて通峡阻止作戦を行ったという戦史に残る事件である。

クレピネビッチは、これらの米軍・同盟軍が、第1列島線沿いに地上軍を配備する意義について、「陸軍部隊は、最大規模の爆撃機や軍艦以上に多くの軍需物資を備蓄できるし、敵の攻撃に対する耐性をもつ、強度を高めた掩体壕《えんたいごう》に格納しておくことができる」として、陸軍部隊の「群島防衛」での兵站力、残存力を強調する。さらに、地上軍が第1列島線沿いの通峡阻止作戦を担当し貢献できれば、米軍・同盟軍の空軍と海軍は、長距離偵察や空爆といった自分たちの任務に特化できるとしている。

結論すれば、クレピネビッチの「群島防衛」論は、自衛隊とともに第1列島線沿いに、米海兵隊・米陸軍の地対艦・空ミサイル配備を始めとした通峡阻止作戦という新任務を提示し、この新任務による「拒否的抑止」によって、日米軍側からする対中国軍への、強力なA2／AD（接近阻止・領域拒否）態勢を作り出すということである。

「台湾問題」を全面化したクレピネビッチ論文

さて、このクレピネビッチの提言を補足するために、前述の2015年に続く、2017年8月、『群島防衛（Archipelagic Defense）――日米同盟と西太平洋の平和と安定の維持』と称する同氏論文の主張を検討しよう（笹川平和財団所蔵）。

同論文では、その「群島防衛」の基本的趣旨について「群島防衛では、日本と米国が、第1および第2列島線に沿った連合パートナーと協力して、前方の縦深防御態勢を構築すること」「米国の防衛態勢を、遠征態勢を中心としたものから、前方展開態勢へと移行させ」、「日本とフィリピンを中心としたＷＰＴＯにおいて、米地上軍を遠征型から前方展開型に移行することを求めている」として、アメリカの第1列島線への常駐した地上軍の派遣・展開を提言している。この内容は、基本的には２０１５年のクレピネビッチの「群島防衛」論の提言と同様だ（ＷＰＴＯとは西太平洋戦域作戦）。

この提言においてまた、クレピネビッチが新たに提示しているのは、「群島防衛」（島嶼防衛と同義語）のための、第1列島線を構成する諸国に対する、アメリカの動員態勢作りの問題だ。

まず、提言は、日本について、「日本は自国の防衛を主導する準備をしており、その定義上、第1列島線の北側の防衛も担っている。時間をかけて、クロスドメイン作戦を重視する米陸軍部隊を琉球の前方展開ローテーションに導入し、現在、同様の態勢と能力の開発に取り組んでいる陸上自衛隊の部隊を補完すべきである」として、米陸軍部隊がすでに、琉球列島の島嶼防衛体制において、自衛隊を補完する態勢に移行しつつあることを述べている。

そして、日本の「島嶼戦争」態勢に続き、「米国は、フィリピンの防衛と台湾への軍事支援を含め、第1列島線の南方地域に対する主要な責任を負うべきである。中国軍のＡ２／ＡＤ能力が拡大するのを遅らせるために、フィリピン、台湾、ベトナムに対して、現地でのＡ２／ＡＤ防衛態勢」を作るべきであるとしている。

言うまでもないが、日米の南西シフト態勢においては、第1列島線上の北側である日本列島から琉球列島（最南端の与那国島）の範囲が、主要には自衛隊の南西シフトの分担地域であるが（主要に自衛隊が琉球列島を担任するが、米軍のミサイル部隊配備も予定）、南側のフィリピンからベトナム、シンガポールについては、もっぱら米軍の分担地域である（表紙カバー、序章の図参照）。

このフィリピンの「群島防衛」態勢への組み込みについては、「あらかじめ予定できない」（2019年CSBA提言）としていたが、しかし、第1列島線の南側の要である、ルソン海峡――バシー海峡を封鎖する態勢を完成させなければ、日米の中国へのA2／AD戦略は完結しない、決定的に「穴」が開いてしまうのである（次頁図）。

したがって、この戦略においては、第1列島線の南側に位置する「台湾問題」が必然的に浮上する。その軍事的位置・意義について、同論文は以下のようにいう。

「台湾は、第1列島線の『リンチピン』（物事の要）であり、日本の南西部防衛の『アンカー』であることを考えると、台湾の防衛力を強化することにもっと力を注ぐべきである」

「日本は、第1列島線防衛の要であり、台湾は日本の琉球列島『南西の壁』防衛の南の錨である。中国の軍事専門家はこの状況をこう表現する……台湾のない中国は『第1列島線』から抜け出せず、太平洋への進出を拒否され、南東部の領土には安全がないほどだ」と。また、別の中国の軍事専門家は、「台湾問題が解決されれば、中国本土に太平洋への扉が開かれ、第1列島線が解消される」と。

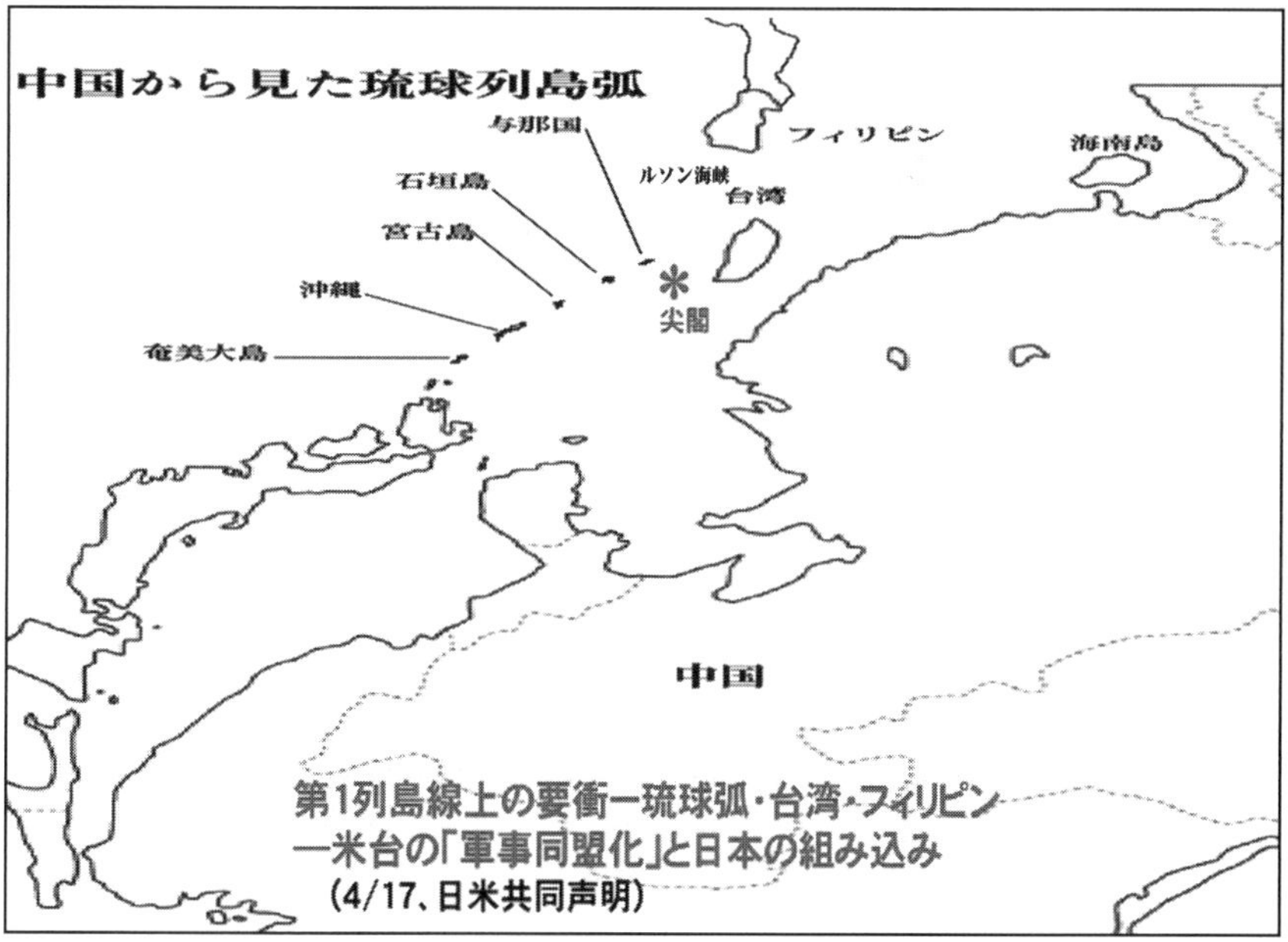

つまり、アメリカの「群島防衛」態勢、第1列島線防衛態勢においては、その完成のためには、台湾の南のルソン海峡・バシー海峡封鎖作戦を完結させねばならない。とりわけ、フィリピンの政治・軍事体制の不安定の中、台湾とフィリピンを挟むルソン海峡は、戦略的要衝を占めていると言って過言ではないということだ。そして、フィリピン側からの通峡阻止作戦の困難があるのであれば、台湾側からの通峡阻止作戦を遂行するということである。

詳細は後述するが、中国海空軍の太平洋進出において、ルソン海峡はその生存に関わる重要な戦略的位置を占めており、とりわけ、中国海軍の戦略原潜部隊においては、その軍事拠点である海南島から太平洋へ進出することができる、ほぼ唯一の海峡である。

このように、クレピネビッチが２０１７年の論文で強調する「台湾問題」が、今日、日米軍部やメディアで煽られる「台湾有事」論の本質であり、実態である。つまり、「台湾有事」論とは、日米軍による第1列島線防御のために、台湾を「島嶼戦争」「群島防衛」態勢に決定的に組み込むための、一大キャンペーンに他ならないということだ。台湾を事実上、日米軍事同盟下の「連合」態勢に組み入れ、第1列島線封鎖のための「共同作戦態勢」に参加させるということである。

そして、この「群島防衛」態勢は、台湾、フィリピンはもとより、第1列島線に沿った諸国も動員され、組み込まれようとしている。

同論文は、「韓国とベトナムは、第1列島線に沿った側面に位置している。特にベトナムが参加すれば、中国に対する連合の位置的優位性を大きく高めることができる。また、インドネシア、マレーシア、シンガポールは、連合との提携を選択した場合、大きな軍事力と位置的優位性を提供することができる。最後に、中国の主要なライバルであるインドは、その存在だけで（非常に飄々としているとはいえ）事実上の連合のメンバーとなることができる」という。

日米の第1列島線を中心とする「島嶼戦争」態勢は、このようにアジア諸国を全面的に巻き込む「西太平洋戦争」へと必然的に近づいている。

（注　Ａ２／ＡＤ（Anti-Access/Area Denial）とは、「アクセス阻止：作戦領域への侵入する敵軍の前進を妨げるために計画された通常長距離の行動、活動又は能力」。「エリア拒否：作戦領域内での敵軍の行動の自由を制限するために計画された通常短距離の行動、活動又は能力」（米国防省軍事用語辞典）。第１列島線は、九州・沖縄から台湾・フィリピン・ブルネイ・ベトナムの諸島群などを結ぶ線であり、また、第２列島線は、日本列島・グアム・パプアニューギニアに至る線。Ａ２／ＡＤという構想は、初期には中国軍の作戦概念であったが、現在は日米軍も対抗的に使用している構想・戦略）

トシ・ヨシハラらの「島嶼戦争」論

クレピネビッチと並び、アメリカで「島嶼戦争」論を一貫して提言しているのが、元米海軍大学教授のトシ・ヨシハラ、ジェームズ・Ｒ・ホームズである（ヨシハラの最新の著書は、『中国海軍 vs. 海上自衛隊』）。ヨシハラらは、早くも２０１２年「アメリカ流非対称戦争」（海幹校戦略研究２０１２年５月）という論文を発表、第１列島線をめぐる「島嶼戦争」について、興味深い提案を行っている。

まず彼らは、琉球列島の軍事的位置について、「この列島は、中国の黄海、東シナ海から太平洋の外洋に出るためのシーレーンを扼《やく》するように立ちはだかっている。中国海軍は、台湾の脆弱な東海岸に脅威を与え、かつ戦域に集中しようとする米軍に対処するためには、琉球列島間の狭隘な海峡を通り抜けざるを得ない」として、この琉球列島における「狭小な、外見は些細な日本固有の島嶼を巡る争いは、通峡阻止を巡る戦いでは、紛争の前哨戦として一気に重要になるのである。反対に、列島の戦略的な位置は、日米にとり、形勢を中国の不利に一変させる機会を与える」として、この琉球列島の島々を「天然の要塞」、「万里の長城」に例える。

つまり、「群島防衛戦争」「島嶼戦争」とは、戦略的・核心的に言えば、南西シフトにおける、琉球列島の海峡を巡る戦争であり、島々の海峡封鎖作戦、軍事的には通峡阻止作戦が決定的な意義を有する戦いである。とりわけ琉球列島では、例えば宮古海峡は、中国軍が太平洋に出て行く重要なチョークポイント（戦略的に重要な海上水路）となっている。また、第1列島線では、台湾とフィリピンの間のルソン海峡も、もう1つの重要なチョークポイントである。

ヨシハラは、「米国及び日本にとって、この列島の戦略的位置が中国政府との関係をひっくり返すチャンスとなる」として、「島嶼に固有のアクセス阻止、エリア拒否部隊を展開することにより、日米の防衛部隊は、中国の水上艦艇、潜水艦部隊及び航空部隊の太平洋公海への重要な出口を閉鎖できる」としている。

ここでいう「島嶼に固有の部隊」というのは、地対艦・地対空ミサイル部隊のことだ。ヨシハラによれば、「人民解放軍がこの誘導弾の脅威（先島諸島配備の）を排除しようとすれば、如何なる場合でも約６００マイル幅の戦線が必要」となり、もしもこの戦線で中国軍が「優勢を確保しようと空軍作戦、弾道弾・巡航ミサイル攻撃を実施」する場合、「中国軍の弾薬、機体、搭乗員の消費、損耗の加速が不可避となる」と。そして、仮に中国軍がこのチョークポイントを制圧しようとして島々への強襲上陸作戦を行おうとする場合、「これは島嶼防衛部隊撃退の最も確かな方策であるが、同時に最も危険な手段となる。なぜなら、日米の潜水艦部隊が上陸部隊に大きな被害を与えるからだ」という。

このような、クレピネビッチの「群島防衛」論やヨシハラらの「島嶼戦争」論を媒介としながら、また、急ピッチで進展する日本の南西シフトを見ながら、米軍は次第に、地上軍の第１列島線配備に向けた動きを加速し始めた。その重要な役割を担ったのが、ハリス太平洋司令官（当時）による、米陸軍の南西諸島投入の言明である。

ハリスは、２０１６年のＬＡＮＰＡＣ（太平洋地域の地上軍）シンポジウムのスピーチで、マルチドメイン戦闘構想について披露する中、「陸軍は、沿岸防衛等に復帰することを検討すべきで、陸軍は地上から他の領域に力を投射するとともに、シームレスに領域を横断して作戦を遂行する時代が来ている」と発言した。

もっとも、ハリスだけでなく、その前の２０１４年10月にも、ヘーゲル国防長官（当時）は、オバマ政権が進めていたアジア太平洋リバランスを踏まえ、アジア太平洋において陸軍が「長距離精密誘導ミサイル、ロケット、火砲、そして防空システムを活用して、その役割を拡大すること」を提案するなど、米陸軍の第1列島線への投入を表明している。

この過程で２０１４年、米陸軍が「陸軍作戦コンセプト」（ＡＯＣ）を提示、「陸軍の作戦は本質的にクロスドメイン作戦である」としたのである。この後２０１６年・２０１７年に至り、米陸軍は「マルチ・ドメイン・オペレーション」（ＭＤＯ）、「マルチ・ドメイン・バトル」（ＭＤＢ）などの新戦略を提示するのである（後述）。

対ソ抑止戦略下の「三海峡防衛論」と第1列島線防衛

南西シフトによる海峡防衛論、通峡阻止作戦、シーレーン防衛論などという言葉を聞くと、１９７０年代から自衛隊を批判してきた筆者は、自衛隊がまたぞろ古い証文を引っ張り出してきたのかと、うんざりする思いだ。

物事を忘れるばかりか、深くも考えないわが国の知識人やメディアなどは、80年代の鈴木政権や中曽根政権下に盛んに煽動された、極東ソ連軍の封じ込めのための「三海峡防衛論」や「日本列島不沈空母論」「シーレーン防衛論」、などは、すっかり忘れ去ったようだ。

この始まりは１９８１年、当時の鈴木首相が米国を訪問し、ナショナル・プレス・クラブの演説で、「千海里のシーレーン防衛構想」を発表したことからである（78年の日米ガイドラインの制定後）。この構想は、東京――グアム、および大阪――フィリピンを結ぶ２本のシーレーン（海上交通路）の確立（約千海里）が日本にとって重要と喧伝され、このシーレーン防衛論を機にその後の中曽根政権では「日本列島不沈空母論」、「三海峡防衛論」（宗谷・津軽・対馬の三海峡＋千島海峡）が唱えられた。そして、これを口実にした80年代における、日米共同作戦を軸にした自衛隊の増強・大軍拡が始まったのである（下図は、シーレーン防衛論・三海峡防衛論の図）。

多くの人は、千海里のシーレーン防衛論――東京からグアム、大阪からフィリピン間のわずか千海里という「シーレーン防衛」を聞いて、これに何の意味があるのか、その先はどうするのか、という当然の疑問が湧いてくると思う。なぜなら、貿易立国・日本の「シーレーン」が、わずか千海里で良いはずはなく、太平洋、インド洋を始め、日本経済の生命線とも言える海上輸送路は世界中に広がっているからだ。

しかし、情けないことに、当時のメディアや内閣、自民党の政治家、防衛当局者の誰も、こんな疑問を抱かないのである。「エ

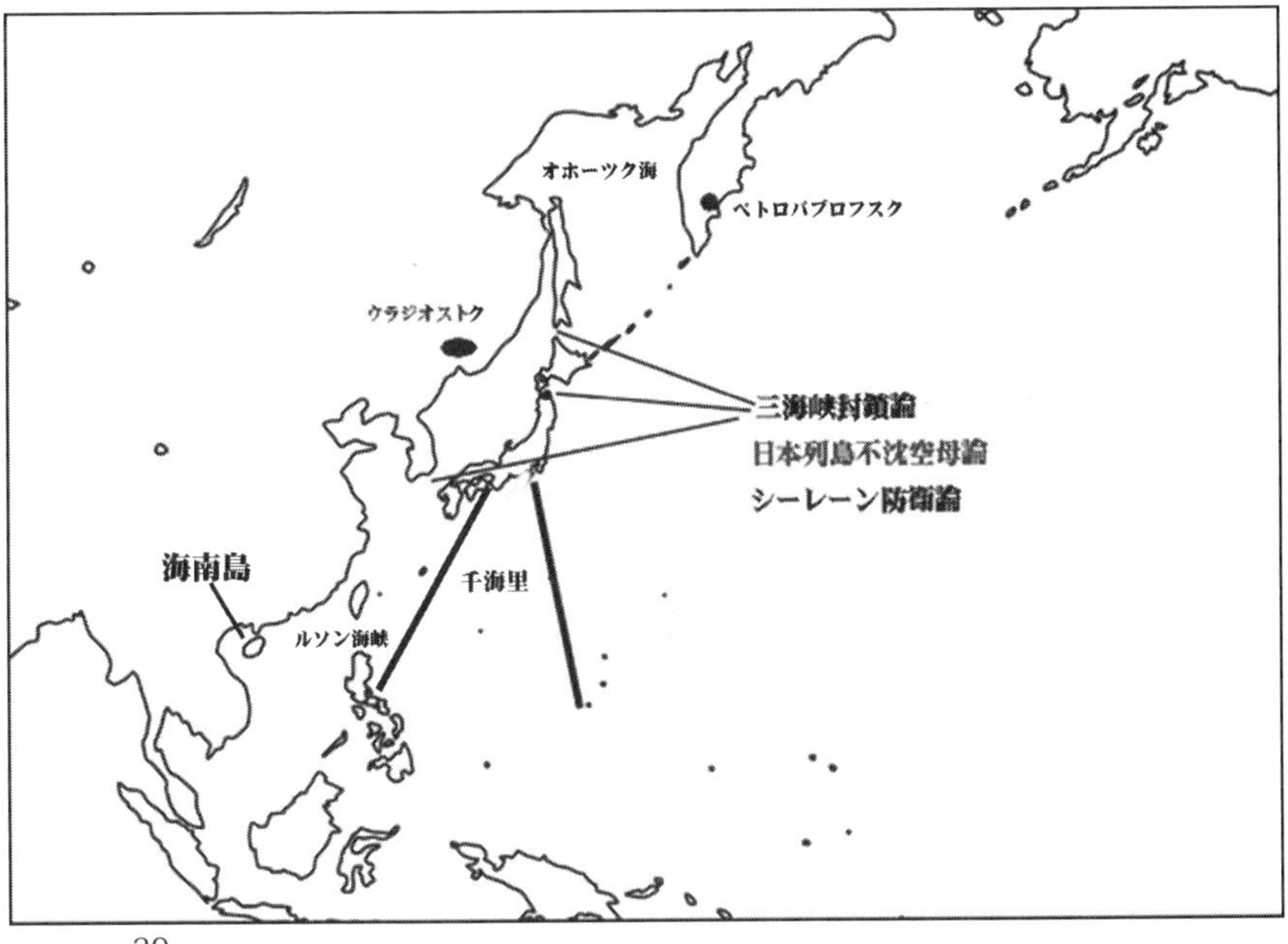

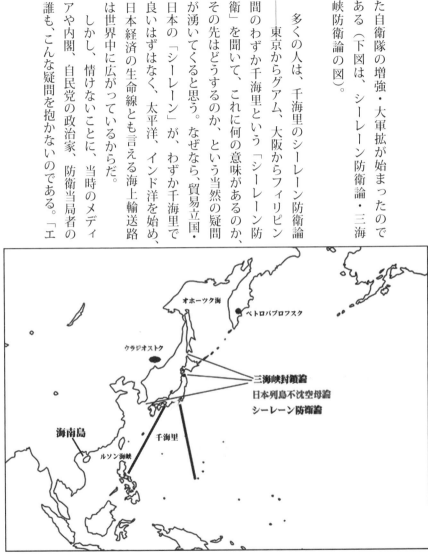

ネルギーのルートを守れ」と言えば、「石油の一滴は血の一滴」とばかりに、経済主義者の日本人は、誰も疑問を抱かないというわけだ（米国の東アジア専門家・マイケル・グリーンの指摘）。

ところが、この「シーレーン防衛論」の内実は、当時の極東ソ連艦隊、とりわけ核搭載の原子力潜水艦隊の拠点であるペトロパブロフスク——オホーツク海にその原潜艦隊を「封じ込める」ことに目的があったのである。つまり、南の2本のシーレーン千海里を守るだけの海自の「対潜部隊」の実力があれば、旧ソ連軍の原潜艦隊をオホーツク海に十分に封じ込めることができるというわけだ。

この実態は、まさしく「ソ連脅威論」に基づく、対ソ封じ込め戦略の一環、アメリカの東西冷戦下の世界戦略の一環として、日米共同作戦態勢下に、旧ソ連原潜艦隊の太平洋への出口を実力封鎖する態勢づくりとしてあった。そのためには自衛隊を、北方シフト（「北方前方防衛戦略」ともいう）へ動員するとともに、三海峡を中心とする日本列島の封鎖態勢（不沈空母）を、完成させることであった。

これは、当時の自衛隊制服組を除く一部の軍事専門家の間では、当然の認識であった。だが、日本政府は、首相を含めて完全にアメリカ側に騙されたというわけだ。

問題は、日本の政府・防衛官僚だけでなく、驚くことに、当時の海上幕僚監部防衛課長（防衛戦略・政策立案の責任者）であり、その後、統合幕僚会議議長（当時の名称）を歴任した佐久間一もまた、この状況を認識していなかったというのだ。

佐久間は、「自分たちの関心は緊急時にどれくらいの石油を確保する必要があるかであった。千カイリだと北緯15度ライン、パラオ付近である。これを日本が確保し、それ以遠は米国が確保ということになる」（『佐久間一元統合幕僚会議議長のオーラル・ヒストリー』近代日本史料研究会、２００７年）。

こうして、１９８０年代において「シーレーン防衛論」、「三海峡防衛論」が、対ソ封じ込め戦略のために徹底的にキャンペーンされ、自衛隊の本格的強化のために利用されてきたことは、その後の歴史が明らかにしている。

これは、１９７８年の日米ガイドラインの初めての策定に基づく、日米軍隊の一体化（軍事同盟化）の始まりであり、アメリカによる自衛隊の対ソ戦略への補完的動員の本格化であった。この米軍との共同作戦態勢の進展に伴い、80年代の当初から自衛隊、とりわけ海自は、第7艦隊の補完戦力として再編されることになった。

海自は、例えば対潜哨戒機Ｐ３Ｃ・１００機を装備するという、極めて変則的・跛行的な海軍戦力を形成することになった（この海自のＰ３Ｃ保有数は、世界的にも異常な数だ。世界では、当時米海軍でさえ２００機しか保有していない）。

また、アメリカによる自衛隊の対ソ戦略への本格的・全面的動員は、必然的に１９８０年代の自衛隊の大規模な増強・強化となって表れた。当時の、公然として唱えられた、アメリカの「対日軍事力増強要求」に基づく軍拡は、遂に日本の軍事費のＧＤＰ１％枠を突破し、「世界第２位の軍事費大国」と言われるようになったのだ。

海峡防衛論＝島嶼防衛論の虚構

見てきたように、南西シフト——南西重視戦略による、琉球列島・第1列島線の防衛論（宮古海峡・大隅海峡など海峡防衛論）は、「三海峡防衛論」「シーレーン防衛論」の、焼き直し以外の何ものでもない。つまり、北方シフト態勢下の「三海峡防衛」を、琉球列島・宮古海峡などの「海峡防衛論」に焼き直ししただけのものである。率直に言えば、その始まりは、東西冷戦の終結——「ソ連脅威論」の崩壊後の、新たな敵、新たな脅威を求めての、焼き直し＝捏造でしかないということだ。

ただ、この焼き直しであった「陸自のリストラ対策論」を、南西シフトの始まりから現在まで一貫して主張し、南西シフトによる自衛隊増強を軽視している軍事ジャーナリストらの主張（元東京新聞記者の半田滋氏ら）は、百害あって一利なしだ。もはや、この南西シフトは、陸自のリストラ対策を遥かに超えて、日米共同の対中戦略——新冷戦にまで至っているのである。

南西シフトによる第1列島線防衛論は、宮古海峡などの通峡阻止作戦（A2／AD）を軸に作戦化されているが、これもまた、北方シフトの海峡戦争論——オホーツク海への封じ込め態勢を踏襲したものだ。とりわけ、この第1列島線防衛の要（チョークポイント）は、宮古海峡ととももに台湾南のルソン海峡である。このルソン海峡封鎖態勢の完結は、中国海軍の南海艦隊、特に海南島を拠点とする中国の戦略原子力潜水艦艦隊の封じ込め態勢づくりである。

つまり、旧ソ連原潜艦隊のペトロパブロフスク、ウラジオストク――オホーツク海の封鎖態勢と全く同様の作戦だ。

（注　自衛隊の北方シフトは、「北方前方防衛戦略」と言われているが、これに対抗する旧ソ連の戦略は、「海洋要塞戦略」と言われている。現在、アメリカの対ソ競争戦略下で、ロシアもまた、オホーツク海の原潜基地防衛のために、千島列島の軍事化――千島の島々への地対艦ミサイルの配備を押し進めている。つまり、南西シフトによる対中戦略の逆バージョンだ）。

「台湾有事」論による中国南海艦隊の封じ込め

海南島を基地とする中国の戦略原潜は、アメリカの対中・核戦争の「第一撃」から生き残るために、事前に太平洋に進出し、アメリカ本土への核攻撃を行う戦力として想定されている。この中国原潜に搭載されたＳＬＢＭ（潜水艦発射弾道ミサイル）は、一旦太平洋に進出して攻撃任務につくことがその射程距離からして必須とされている。したがって、日米軍の第1列島線封鎖、海峡封鎖作戦の最大の狙いが、この中国原潜部隊の、南シナ海への封じ込め態勢作りにあるのだ（ここに「台湾有事」キャンペーンの最大目的がある）。

そしてまた、シーレーン防衛論も、しかりだ。麻生大臣（当時）の「台湾海峡は日本の重要なシーレーン」という虚言については、序章で厳しく批判してきたが、80年代のシーレーン防衛論が、南西シフト態勢下で、またぞろ息を吹き返し始めている。

だが、「南西諸島が海上交通の戦略上の要衝」（２００４年「『防衛力の在り方の検討会議』のまとめ」）というフェイクは、もはや通用しない。２０１５年安保法国会で、当時の安倍首相も答弁したように、日本の場合は琉球列島——先島諸島を回避する海上交通路が存在する。日本の船舶は、ルソン海峡を通過せずとも、フィリピン東への回避ルートが可能なのだ。

それにしてもあえて繰り返すが、日本政府といい、自衛隊制服組といい、何と愚かしいことだろうか。貿易立国・日本のシーレーン（海上交通路・貿易ルート）は世界大である。これをどのように守るというのか。

かつて、アジア太平洋戦争において、当時の狭い、限定された「大東亜共栄圏」のシーレーンでさえ守りきれず、およそ1千万トンの軍民船舶が撃沈された教訓にさえ、彼らは何も学んでいないのか。貿易国家・日本の生存は、シーレーンを軍事力で守ることではない。世界の全ての「海洋の平和」を「平和的手段で守る」ことであり、まさしく世界平和なしに世界貿易は成立しないのだ。

（注　笹川平和財団海洋政策研究所が、２０１３年に実施した「自由で開かれたインド太平洋戦略」の中の「シーレーン防衛考察」では、以下の２つの代替ルートについてその経済的損失を定量分析したという。

①第1列島線の中国側は危険だが、第2列島線と第1列島線の間は通航できる場合：マラッカ・シンガポール海峡を避けてインドネシア群島水域のロンボク海峡に向かい、マカッサル海峡を通って西太平洋に出て日本に向け北上するルート。

②第2列島線と第1列島線の間の海域も危険な状態となった場合：インド洋からオーストラリア南岸を通って西太平洋に出て、第2列島線の以東を日本に向け北上するルート。

①のロンボク・マカッサル海峡を通って西太平洋を北上するルートの場合：平時所要量を確保でき、且つ、経済的損失も軽微との試算を得た。

②のオーストラリア南岸に迂回し、第2列島線の以東を北上するルートの場合：日本向けＶＬＣＣ（大型タンカー）隻数を大幅に確保する必要があり、多大な経済的損失を被る。また、ＶＬＣＣの必要隻数の確保も世界のタンカー市場からして難しく、原油輸入量は大幅に減少し、それにより極めて大きな経済的混乱が生じるとの結果となった。

つまり、台湾海峡が日本のシーレーンというフェイクばかりか、南シナ海が日本のシーレーンという生命線論も根拠がない。）

海峡防衛をめぐる（対）着上陸作戦

ところで、前述の「ソ連封じ込め」戦略――「北方前方防衛」戦略は、当時の陸自の作戦としては、どのように想定されたのか。

日米の三海峡封鎖作戦に対して、オホーツク海——三海峡に封じ込められた旧ソ連軍は、太平洋に進出するためには、いずれかの海峡を突破しなければならない。そして、その海峡の一部（例えば北海道）に、「橋頭堡《きょうとうほ》」を築くために、侵攻し、占領することが想定された（ソ連の北海道侵略は虚構！）。

つまり、海峡を実力突破するための、ソ連の着上陸戦闘による海峡一帯の陸地の確保であるが、この軍事目標を確保するには、海峡周辺に配置された、陸自の対艦・対空ミサイルを始めとした対艦攻撃陣地の破壊、対潜バリアの破壊が不可欠とされた。対して自衛隊は、その海峡部・沿岸部での対着上陸戦闘（ミサイル戦・機甲戦）を想定した部隊配備態勢を採ってきた（写真下は、北海道北北西「天塩訓練海面」。対上

陸バリアが張り巡らされている。陸自幌別駐屯地サイトから。）

まさに、この対ソ戦略下の「三海峡防衛論」＝対着上陸作戦を、対中封じ込め戦略下での「海峡防衛論＝島嶼防衛論」として策定しているのが、現在の南西シフト戦略の核心であり、実態である。

結論すれば、第１列島線を実力で封鎖し、対中国艦隊への攻撃態勢を採る自衛隊・米軍に対して、中国軍がその封鎖を突破するためには、先島諸島の海峡周辺に「橋頭堡」を築く着上陸戦闘を行うことが想定され、自衛隊は、これに対して対着上陸戦闘――着上陸戦闘（水陸機動団による奪回作戦）を行うというのが、想定されている作戦だ。

繰り返すが、この南西重視戦略――「島嶼戦争」とは、ソ連封じ込め戦略下の三海峡防衛論の、単純な当てはめでしかなく、「出がらし」でしかない。その証拠に、恥ずかしいのか、自衛隊内のどの研究雑誌にも、この対ソ戦略下の三海峡防衛論との関連は、見当たらない。あのアジア太平洋戦争下の、ガダルカナル、サイパン、沖縄戦などの古びた「島嶼防衛研究」は、多数掲載されているのに、である。

チョークポイント・宮古海峡の要塞化

さて、「島嶼戦争」下の海峡封鎖作戦を見る場合、北方シフト下の海峡戦争の様相をもう少し検討して認識しておくべきだ。というのは、現在進行する宮古海峡などでの通峡阻止作戦——海峡戦争の様相は、航空戦闘、水上戦闘、潜水艦戦、機雷戦、そしてミサイル戦などを含め、地上戦闘を含む多様な、激しい戦闘様相となるからである。

自衛隊は、北方シフトによる海峡封鎖作戦をどのように想定していたのか。これに関する文献は少ないが、『海峡防衛』(日本戦略研究センター・金丸信監修)では、以下のように説明する。

「通峡阻止の作戦は海峡の外域に哨戒機や潜水艦を配備し、また海峡内に固定探知機を設置した監視所、水上艦艇及びヘリコプター等を配備しておき、海峡に近接する敵艦艇を探知攻撃する態勢を整備し、海峡の外域から内域に至る海域で縦深性のある通峡阻止を行う……海域の特性に応じ、機雷を併用することが多い」とし、「探知した適性艦艇を撃破できる有効な攻撃手段が必要だが、それには「通常は艦艇、航空機に搭載した砲、ミサイル、魚雷等が使用されるが、これらの武器を海峡の沿岸に配備し、海峡に設置した固定機器と連携して攻撃」することができると。

そしてまた、同書は「近代的な要塞システムの構築と築城の準備」として、「有事に際して海峡防衛の核心となる要地に堅固な地下施設、すなわち要塞を平時から組織的に構築し、それに所用の部隊隊員を配備して侵略阻止の体制を整備」しておく必要があるとし、この要塞には「対空、対海上、対水中、対地ミサイル、火砲、爆雷、機雷等の火力機能と、水中、水際等の障害を備え、さらに砲爆撃、ミサイル攻撃に十分堪え得る防護力を持った施設」が造られねばならないとしている。

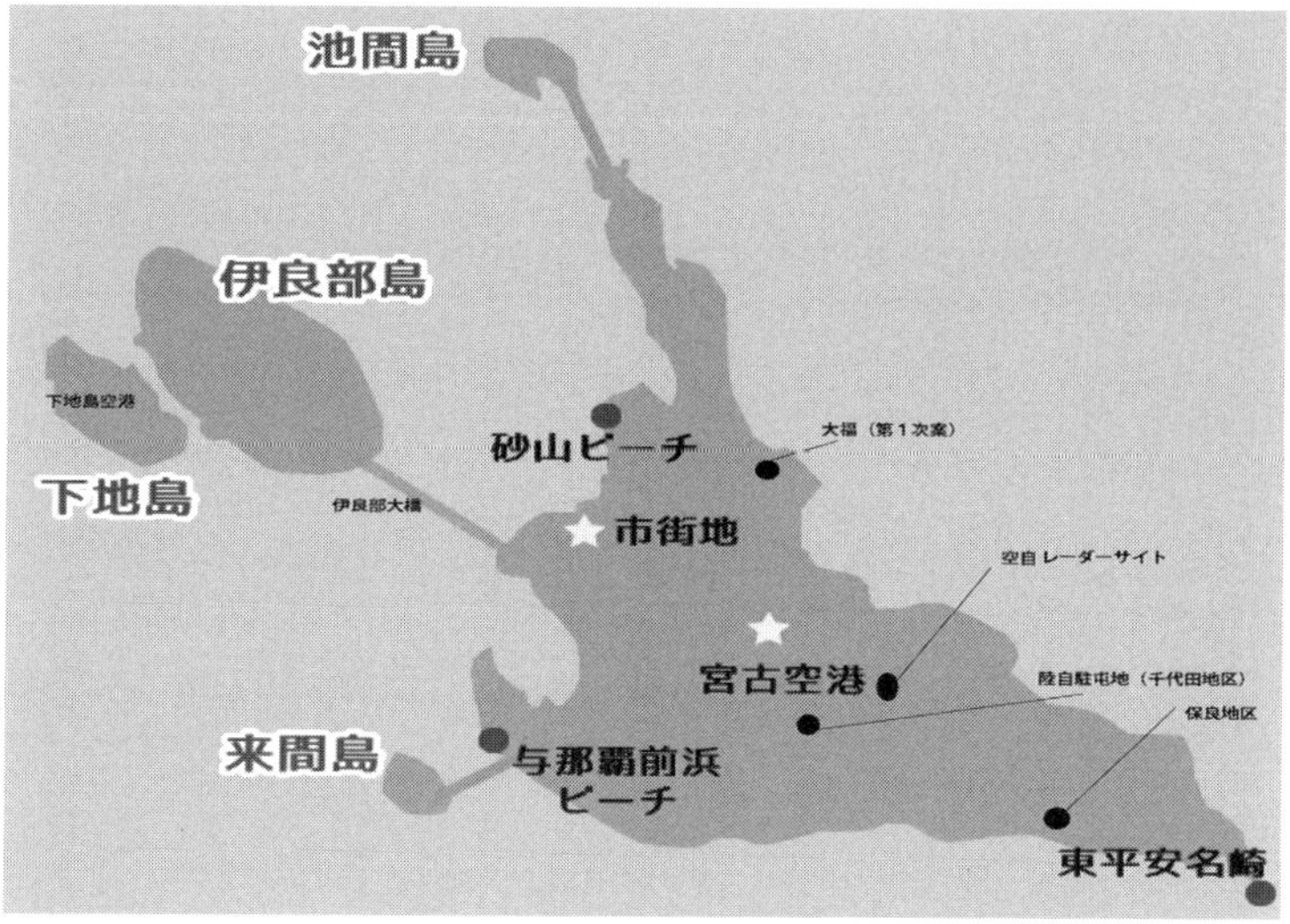

以上のように、海峡戦争——通峡阻止作戦というのは海空の戦闘、潜水艦戦などだけでなく、想定される戦闘は、海峡そのものをめぐる激しい地上戦も伴うということだ。つまり、見てきたように「海峡」、海峡周辺自体が要塞化されるのである。

この問題は、自衛隊の南西シフトにおける海峡戦争においても、同様に想定される。つまり、南西シフトにおいては、宮古海峡などのチョークポイントにあたる海峡の要塞化が、不可避となるということだ（上図は宮古島）。

例えば、地対艦ミサイル部隊が配備されつつある宮古島では、沖縄本島と接する宮古海峡が要塞化の拠点と想定される。現在、この宮古海峡に接する地域（保良地区）には、地対艦・地対空ミサイル部隊のミサイル弾薬庫、訓練場、射撃場などが建設されつつあるが、この保良地域は、地対艦・地対空ミサイル部隊の庁舎施設がある千代田地区

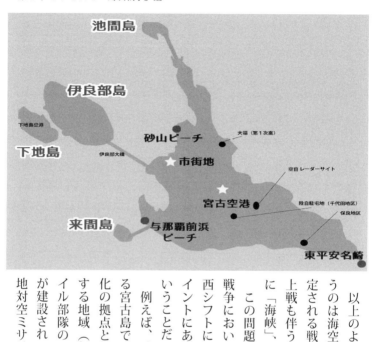

と異なり、文字通り要塞地帯とされる可能性があるのだ。

とすれば、宮古海峡を望む保良地区には、「海峡防衛」のためと称して、堅固な地下施設、監視所、演習場など、一連の要塞システムが構築されることになる。

同書は、さらに「この要塞と連携して、国有地、公用地を中心に所用の地域を防衛演習場として確保し、事態切迫時に迅速に防衛諸施設を構築できるよう、平時から備えておくことも必要である」とし、「海峡防衛においては、海峡周辺の住民の避難・保護をはじめ、陣地の構築のための土地の使用、建築物の利用、民間の船舶、航空機、車両の統制」などの「有事法制の整備」を促進する必要があるとしている。

この海峡防衛＝「島嶼戦争」を最大の目的として、２０２１年制定の「重要土地等調査法」は、作られたというべきである。この法律の目的・対象には、自衛隊施設だけでなく、原発・電力施設とさまざまな施設が上げられているが、その最大の目的は、ミサイル要塞――ミサイル列島と化している、先島と沖縄・奄美の島々の「要塞地帯」化である。そしてこれは、戦前の要塞地帯法と同様、対象地域の住民らをあらかじめ排除、避難させ、一帯を無人地帯と化し、「侵入」する市民らを監視、処罰するという法律である。

琉球列島にミサイル基地を作るということは、まさしくこのような事態になるのである。

第2章　エアーシーバトルから海洋プレッシャー戦略へ

エアーシーバトルの限界

自衛隊の南西シフトは、すでに見てきたように、琉球列島――第1列島線上への地対艦・地対空ミサイル部隊の配備として実戦態勢に入りつつあるが、この自衛隊の戦略が、アメリカの2010年エアーシーバトル構想、そして、2012年のオフショア・コントロール戦略に基づき、策定されてきたことは明らかだ。これは、自衛隊版のA2／AD（接近阻止・領域拒否）戦略と言われ、「拒否的抑止戦略」（DBD）とも言われてきた。

このエアーシーバトル構想――オフショア・コントロールの限界克服の戦略が、2019年アメリカ政府の有力なシンクタンクCSBA（戦略予算評価センター）から提案された「海洋プレッシャー戦略」である。このCSBA提言の新戦略の検討を始める前に、そもそもエアーシーバトル、オフショア・コントロールとはどういう戦略であったのか、またその限界、問題点とは何であったのかを検討しておきたい（この概要については拙著『オキナワ島嶼戦争』2016年刊に詳述しているのでそれを参考に叙述）。

さて、エアーシーバトルなどの米軍の戦略構想の前提となる、アメリカの安全保障政策の枠組みについて少し説明しておこう。

アメリカの安全保障政策については、20年先までを視野に入れたQDR（4年ごとの国防計画見直し）がよく知られている。これは、国防総省が、将来の安全保障計画を構築するために行う国防計画の見直しであり、国防戦略・兵力構成・予算計画などについて包括的に検討し、議会に報告書が提出される。QDRは、大統領が毎年発表する「国家安全保障戦略」や、国防長官の「国家防衛戦略」、統合参謀本部議長の「国家軍事戦略」とは異なり、4年ごとに発表されている。

この中で、2006年発表のQDRは、基調は「対テロの長期戦争論＝非対称戦争論」であったが、「戦力投射能力に対する混乱型の脅威の対処」（中国脅威論）として、アジア・太平洋シフトへの米軍再編——空母群・潜水艦戦力の60％を太平洋に配備することもまた謳われていた。そして、「中国は、軍事力、特に国境を越えてパワープロジェクション能力の向上に資する戦略兵器に重点的に投資」し、第7艦隊の空母打撃群はもとより「沖縄米軍基地も無力化」という危機感も吐露されていた。

だが、この2006年のQDRは、長引く対テロ戦争を反映して、この段階では未だ本格的に対中戦略には踏み切っていない。

しかし、米軍の対テロ戦争の主戦場であった、イラクからの撤退の見通しがたった2009〜10年ころから、アメリカの対中戦略は、再始動していくことになる。2009年には、国防総省の毎年度の報告『中国の軍事力』が発表され、ここで初めて中国の「接近阻止・領域拒否」戦略（アクセス阻止（Anti-access Ａ２）及び領域拒否（Area-denial）ＡＤ）、いわゆるＡ２／ＡＤ能力が問題にされる。分かりやすい言葉では、中国の「第1列島線・第2列島線の防衛論」である。

この経過の中、２０１０年のＱＤＲが発表され、対中戦略が本格的に発動されることになった。２０１０年ＱＤＲは、それを以下のように言う。

「中国は長期的で包括的な軍近代化の一環として、大量の新型中距離弾道ミサイルと巡航ミサイル、進歩した兵器を備えた新型の攻撃型潜水艦、能力を向上させた長距離防空システム、電子戦とコンピューターネットワーク攻撃能力、新型戦闘機、及び対宇宙システムを開発し配備……米国の戦力投入部隊は他の領域においても増大する脅威に直面している。近年、多数の国が海上作戦に脅威を及ぼす精巧な対艦巡航ミサイル、静かな潜水艦、新型機雷、その他のシステムを取得」

このような情勢に対して、同ＱＤＲは「統合空海戦闘構想の開発」として「空軍と海軍は、接近阻止と航空拒否の精巧な能力を持つ相手を含む軍事作戦の全範囲において相手を打破するために、共同して新しい統合空海戦闘構想を開発」「この構想は、米国の行動の自由に対する増大する挑戦に対抗して、全ての作戦領域――空、海、宇宙、及びサイバースペース――を通じて、空軍と海軍が能力をいかに一体化するかに取り組む」（傍点筆者）と米軍の新しい戦略を発表した。

これが、２０１０年ＱＤＲでうち出されたところの、米軍の「**統合エアーシーバトル構想**」(Joint Air Sea Battle Concept : JASBC）である。

中国本土攻撃を想定するエアーシーバトル

このエアーシーバトルの構想の核心的内容は、言い換えると「米国の行動の自由」(アジア太平洋地域の覇権)に挑戦する中国の「アクセス阻止・エリア拒否戦略」に対抗して、陸・空・海・宇宙・サイバー空間の全ての作戦領域における統合作戦を遂行するということである。

これはまた、中国のA2/AD能力、つまり、中国の海空戦力・対艦・対地ミサイルによる第1列島線・第2列島線への接近拒否に対抗する、アメリカの「対抗的中国封じ込め戦略」(2012年「米国国防指針」)である。しかし、これは単なる第1列島線への封じ込めには留まらない。

エアーシーバトル構想は、また「ネットワーク化され、統合された部隊による縦深攻撃で、敵部隊を混乱、破壊、打倒すること」(2013年「エアーシーバトル室」から)でもあり、この「縦深攻撃」とは、中国本土への攻撃のことであり、中国の戦略軍司令部の破壊まで想定しているのである。

ところで、アメリカの民間のシンクタンクで、米国防総省に影響力を持つというアーロン・フリードバーグ(『アメリカの対中軍事戦略』芙蓉書房刊)は、「統合エアーシーバトル構想」の想定する作戦について、具体的に次のように分析している。

エアーシーバトル構想では、まず初期の作戦として中国軍の初動の攻撃に耐え、対処能力・抗堪性《こうたんせい》を強化することがポイントである。すなわち、警戒監視の強化、航空機の分散配置、基地

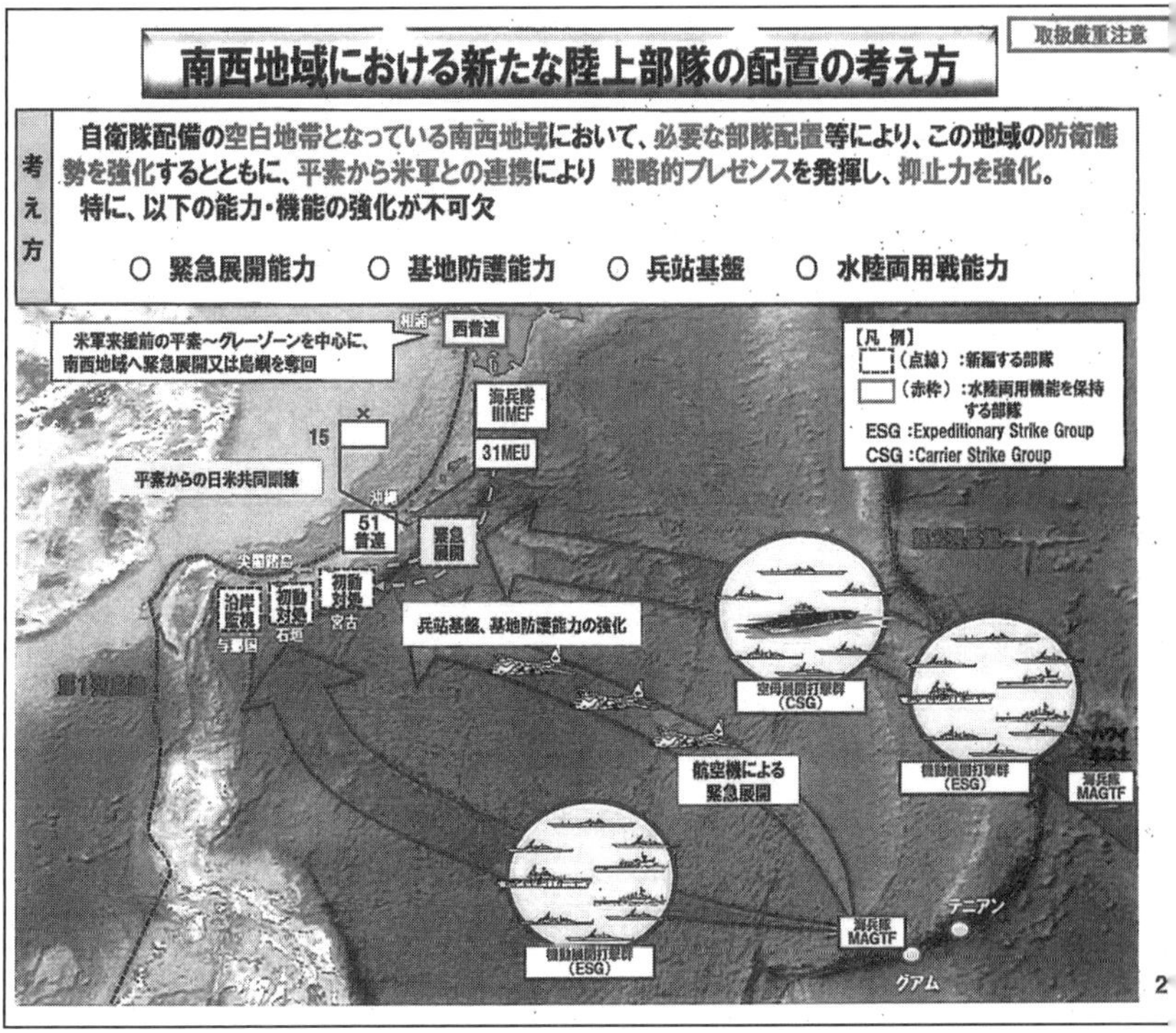

防空の強化などによるミサイル攻撃の被害を局限化する（上図。この初期の被害を抑えるために、第7艦隊空母打撃群のグアム以遠への後退も想定「2012年「統合幕僚監部「動的防衛力」」）。

そして、第1段階の作戦として、ミサイル攻撃の効果を低減するための中国の情報・通信などの戦闘ネットワークに対する攻撃作戦、長距離攻撃システム（ＯＴＨレーダーや通信中継プラットホームなど）に対する制圧作戦、中国の宇宙システムへのサイバー攻撃などを実施し、さらに「日本の防空・ミサイル防衛網を強化、東シナ海から琉球列島線まで航空優勢を確保」「人民解放軍の東・南シナ海へのアクセスを拒否するため主として米国・同盟国の航空戦力により対水上戦闘を実行」「対潜水艦バリア作戦（ASW）を継続」するとしている。

さらに、第2段階の作戦では、「人民解放軍の対潜水艦戦脅威が損耗するまで輸送船団護衛任務などを継続」「後方地域に展開された人民解放軍を無力化」「中国の海上輸送を中断するため遠方封鎖を実行」するという。

一見して明らかなように、エアーシーバトルによる作戦構想は、中国本土の戦闘ネットワーク・長距離ミサイル基地・航空基地などのプラットフォームへの攻撃破壊作戦、つまり、通常兵器による中国本土の指揮中枢・主要基地の攻撃を行う大規模戦争を想定している。そしてまた、後述するように、「中国の海上輸送の遠方封鎖」という、海洋戦争まで想定するのであるから、エアーシーバトル構想は、米中を中心にした通常兵器による全面戦争であり、不可避的にこれは核戦争に発展する。

ところが、アメリカのエアーシーバトルの発表後、自衛隊制服組もこの新しい戦略の研究に必死になって取り組み、エアーシーバトルに合わせた日本の役割――日米共同作戦態勢づくりに着手した。これについて、自衛隊内の研究資料では「米軍のエアーシーバトルを分析し、自衛隊が動的防衛力をもって、共同作戦を実施することを明らかにすることは、将来のエアーシーバトル作戦における日米共同作戦構想を策定し、それを踏まえた日本の防衛態勢を構築、エアーシーバトルに対応する我が国の防衛力整備を行う」とし、エアーシーバトルに合わせた日本の防衛力整備が、うち出されているのである（この「動的防衛力」とは、後述する２０１０年策定の防衛大綱で策定された防衛政策）。

まさしく、２０１０年以後、本格的に始動した南西シフト態勢――琉球列島への自衛隊ミサイル部隊配備計画は、この米軍のエアーシーバトルに合わせた対中戦略の本格的発動態勢づくりであり、そのための防衛力整備計画であった。

しかし、見てのとおり、エアーシーバトル構想は、中国本土奥深くの司令部などの縦深攻撃を想定しており、あらかじめ中国との通常型全面戦争を予定するというものであった。こうした、中国との通常型の全面戦争が、核戦争に発展しないという保証はどこにもない。米中は核大国であり（戦略核保有の比較においては米軍が圧倒的）、通常型の戦争で敗北に陥りそうな両国のいずれかが、最後の手段として核戦争に踏み切らないという保証はないのである。これは、朝鮮戦争、ベトナム戦争などの過去の歴史から見ても明らかである。

この破局的な危機に発展する可能性の大きいエアーシーバトルに対して、アメリカの内部からその修正の提案が出された。その１つはトマス・X・ハメスの提案した「オフショア・コントロール」（ハメスは元海兵隊大佐で米国防大学上級研究員）という戦略構想であり、ラウル・ハインリッヒ（オーストラリア国立大学）が示した「海洋拒否戦略」などである。

オフショア・コントロールと「海洋拒否戦略」

オフショア・コントロールとは、陸地を離れた沖から海岸に向かってコントロールすること、つまり、中国沿岸を東シナ海の沖合からコントロールするという意味合いだ。

この構想は、エアーシーバトルという構想が、中国本土の奥深くまで戦争を拡大し、核戦争にまでエスカレートしかねないという危惧から、この想定される対中戦争を限定・制限しよう、という要求から出てきたものだ。

ハメスは、オフショア・コントロール戦略について、その目標は「（エアーシーバトルと違い）中国との戦いで決定的勝利を願うのではなく、中国本土のインフラに限定的なダメージしか与えない経済的消耗戦を仕掛けつつ、膠着状態をつくって紛争を終了させようとするもの」であり、「紛争は長期戦になるが、核戦争にエスカレートする可能性を最小限に抑える方法を選ぶ」としている（『戦略研究』戦略研究学会・２０１３年）。

この立場からオフショア・コントロール戦略は、「第１列島線の内側を中国に使わせないように『拒否』し、第１列島線の海と空域を『防御』し、その列島線の外側の空域と海域を『圧倒』する」という戦略構想である。

この「拒否」戦略では、第１列島線内に排他的水域を確保できるようになり、米軍の「圧倒的潜水艦、機雷、そして一定数の航空兵力を使ってこの海域の支配を強化する」という。また、「防御」

戦略では、「海軍の洋上艦と空軍を中国本土から離れた位置に移動させて戦うことにより、中国に長距離を越えて戦うことを強要しつつ、アメリカと同盟国が自分たちの領土の空海域の防御を一体化した形で行うことを可能にする」という。そして、「圧倒」戦略は、「インドネシア列島などのチョークポイントで中国の船舶を阻止」し、中国軍事力の射程範囲の外で戦うことで達成する、すなわち、中国に対しての経済的・軍事的「海上封鎖」態勢である。

この封鎖態勢において米軍は、遠距離封鎖（マラッカ海峡・スンダ海峡・ロンボク海峡など）の実現に向けて動き、第1列島線内に「進入禁止区域」を作り、第1列島線の外側の海域を支配し、中国への全面的封鎖態勢を強化するという。

ハメスの提案する、このようなオフショア・コントロール戦略は、米軍の潜水艦や機雷戦、強力な空・陸・海上防空、ミサイル防衛システムなどの、第1列島線内での「海上拒否」を行うことのできる軍事的優位性によって成り立つとしている。

繰り返すと、オフショア・コントロール戦略が強調するのは、エアーシーバトルが想定する中国本土を戦場としないことであり、核戦争へのエスカレートを必ず避けるということであり、対中戦争において相互に核保有国である米中は、「限定的な手段」「制限された方法」以外の戦い方はあり得ないとしていることだ。

こうしたハメスの提唱するオフショア・コントロール戦略は、確かに米中の紛争をエスカレートさせない戦略として、具体的である。おそらく、自衛隊の当初の南西シフト態勢は、このオフショア・コントロールを背景として策定されたと思われる。それが「拒否的抑止戦略」と言われている。

この米中の紛争をエスカレートさせない、核戦争へ至らない程度に紛争を収めるというオフショア・コントロール戦略に対して、これをより具体化し、より強化発展させたのが、ハインリッヒなどが提唱する「海洋拒否戦略」だ。この「海洋拒否戦略」についてのまとまった内容としては、アーロン・フリードバーグ（プリンストン大教授）の『アメリカの対中軍事戦略』（芙蓉書房出版）が詳細に記している。

それによれば、「海洋拒否戦略」は、米軍と同盟国軍による海洋遠隔地のコントロール＝遠距離海上封鎖作戦で始まり（マラッカ海峡など）、遠隔地のいくつかのチョークポイントを通過する中国の原油タンカーを統制・封鎖するという。そして次には、中国近海全域で中国海軍艦艇・商船を撃沈し攻勢に出るとされる。

「小型・高速かつ対艦巡航ミサイルで武装した水上艦は、第1列島線に沿って設置された沿岸陣地から発射されたミサイルとともに、中国沿岸部への主要アプローチをいくつか封鎖」する。第1列島線内では、この作戦の大半は、限定的航空戦・潜水艦・機雷・水中無人艇で行われる。

また、この「海洋拒否戦略」の目標は、第1列島線内に海洋の無人地帯を作り出すことにおかれ、「琉球列島の小さな島々、フィリピン群島の一部、さらには韓国沿岸に配備された対艦ミサイルと水中監視システムを組み合わせることにより、攻勢的な対潜水艦戦は、中国海軍の水上艦艇ならびに潜水艦が第1列島線を突破し、西太平洋の広大な海域に打って出ることを、きわめて困難にする」という。

この「海洋拒否戦略」による海上封鎖体制は、戦略の根幹をなしており、より具体的に作戦化されている。それは、まず第1段階として、米国と同盟国の共同の航空力・海軍力を使用して、中国の石油・天然ガス・貿易などの海上輸送を遮断し、中国商船の同国の港への出入を阻止・封鎖する。このためには、「中国の沿岸部直近から始まる海上封鎖」と「第1列島線に沿っての海上封鎖」——近距離海上封鎖が、戦略上のポイントとされる。そして、この海上封鎖は、遠距離海上封鎖——マラッカ海峡——ロンボク海峡（インドネシア群島）——スンダ海峡での中国船の停船・拿捕などの海上封鎖まで広げられている。

これらの海上封鎖によって、中国の世界貿易のほとんどを占める輸出入も封鎖され、中国の海上交通・海上貿易が完全に遮断されるという。これは例えば、中国は国内総生産の50％を輸出入に依存し、石油輸入量の78％、海外貿易の85％が海上経由としているが、これらの全てを遮断するという。

もっとも、「海洋拒否戦略」は、中国が遠洋での戦闘能力（渡洋能力）を保有していないことが前提になっている。現実の中国は、この渡洋能力の開発に必死になっており、中国海軍の空母の導入による渡洋能力の確保や、南沙諸島の軍事化によるシーレーンの確保なども、その対抗策として採られている。

あまり知られていないが、実はこのアメリカの「海洋拒否戦略」の実際の発動態勢が、すでに2013年、シンガポール・チャンギ海軍基地に配備された「沿海域戦闘艦ＬＣＳ」２隻である（2020年までに4隻配備）。「海洋拒否戦略」の提案者によると、中国軍の現段階の戦力に対しては、米海軍の沿海域戦闘艦（約千トン）16隻程度で、中国の世界貿易の大半は封鎖できるとしている（ただし、こういう海洋拒否戦略に対抗して、中国海軍は現在、空母を現在2隻保有し、2025年までに3隻の保有）。

エアーシーバトルでは、海上封鎖について「中国の海上輸送の遠方封鎖」が、作戦の後半に予定されていたが、オフショア・コントロール、海洋拒否戦略では、これは「米軍と同盟国軍による海洋遠隔地のコントロール」として、作戦の初期に予定されている。

いずれにしても、これらの戦略構想は、作戦の目標として「第1列島線内に無人地帯」を作り出し、中国のＡ２／ＡＤ能力を無力化することが共通する。

これらの戦略構想においては、先に見たように第1列島線――琉球列島は、まさに天然の障壁であり、対中国への「万里の長城」と位置づけられている。

しかし、東シナ海において、中国を経済的・政治的・軍事的に全面

的封鎖し、封じ込めるというこれらのエアーシーバトルに替わる戦略は、「島嶼戦争」、「海洋限定戦争」と称しているが、これが通常型の西太平洋戦争に、さらには日米中の通常型の全面戦争から、核戦争にエスカレートしないという保証はない。

（注 ２０１５年1月8日、米国防省は、エアーシー・バトル構想の名称を変更すると発表した。新たな名称は「国際公共財におけるアクセスと機動のための統合構想（Joint Concept for Access and Maneuver in the Global Commons: ＪＡＭ―ＧＣ」（２０１６年統合参謀本部）であり、通称はジャム・ジーシー（Jam, Gee-Cee）と呼ばれている。同年中にその構想が正式に示されるとされていたが、その内容は未公表となった。ＪＡＭ―ＧＣの目的は、グローバル・コモンズでのアクセスと機動を保持し、戦力を投射することでＡ２／ＡＤ能力を駆使し、米軍の行動の自由を奪おうとする敵を打倒することとされる。また、エアーシーバトルとの重要な違いは、同構想が敵のＡ２／ＡＤ能力の完全な撃破・破壊を目指していたのに対し、ＪＡＭ―ＧＣでは、その破壊ではなく、敵の計画と意図を打ち砕くことを目的としたことである、とされている）

「制限海洋」作戦による「海洋限定戦争」論

これらの危惧について、先に紹介したトシ・ヨシハラらは、「制限海洋作戦が中国に対しては効果的である」とし、「制限戦争は島国大国に対して、あるいは海洋により隔てられた大国にのみ恒久的に可能であり、離隔した目標を孤立させるだけでなく、本国に対する侵攻を阻止し得る制海権保持能力がある場合のみ可能」とする提言を行っている（海自『海幹校戦略研究』第2巻第1号増刊）。

そして、彼らの提言では、核戦争へのエスカレートを防ぐために、「戦闘行為の範囲と持続期間を十分に低くするということ、中国政府が目的遂行のため、最後の審判の日の武器を使用することに賛成しない程度に、十分に抑制的である」とすべきとし、したがって、「米政府にとっては、展開兵力の種別や量について、核の閾値《いきち》以下に留めることが肝要となる」としている（核の閾値以下とは、核戦争に発展しない水準）。

彼らはまた、米国の戦略策定者は、作戦目標について同盟国支援のため、中国人民解放軍に多大な出血を強要するような部隊の派遣ではなく「海軍力により孤立化させ得る、敵領域の明確な一部への影響力使用また確保のための限定作戦」とすべきであるとし、「海洋限定戦争」を提唱する。恐らく、こうした「海洋限定戦争」論――「拒否的抑止」戦略に基づいて策定されてたのが、初期の自衛隊の「島嶼防衛作戦」であり、先島諸島などへの配備である。

さて、見てきたように、これらのエアーシーバトル、オフショア・コントロール、海洋拒否戦略の、ともに共通する基本的問題が「中国軍の初動のミサイル飽和攻撃に耐える、対処能力・抗堪性《こうたんせい》」であり、「警戒監視の強化、航空機の分散配置、基地防空の強化などによるミサイル攻撃の被害の局限化」である。特に、中国軍の初期ミサイルの飽和攻撃の被害を抑えるためには、米軍は「第

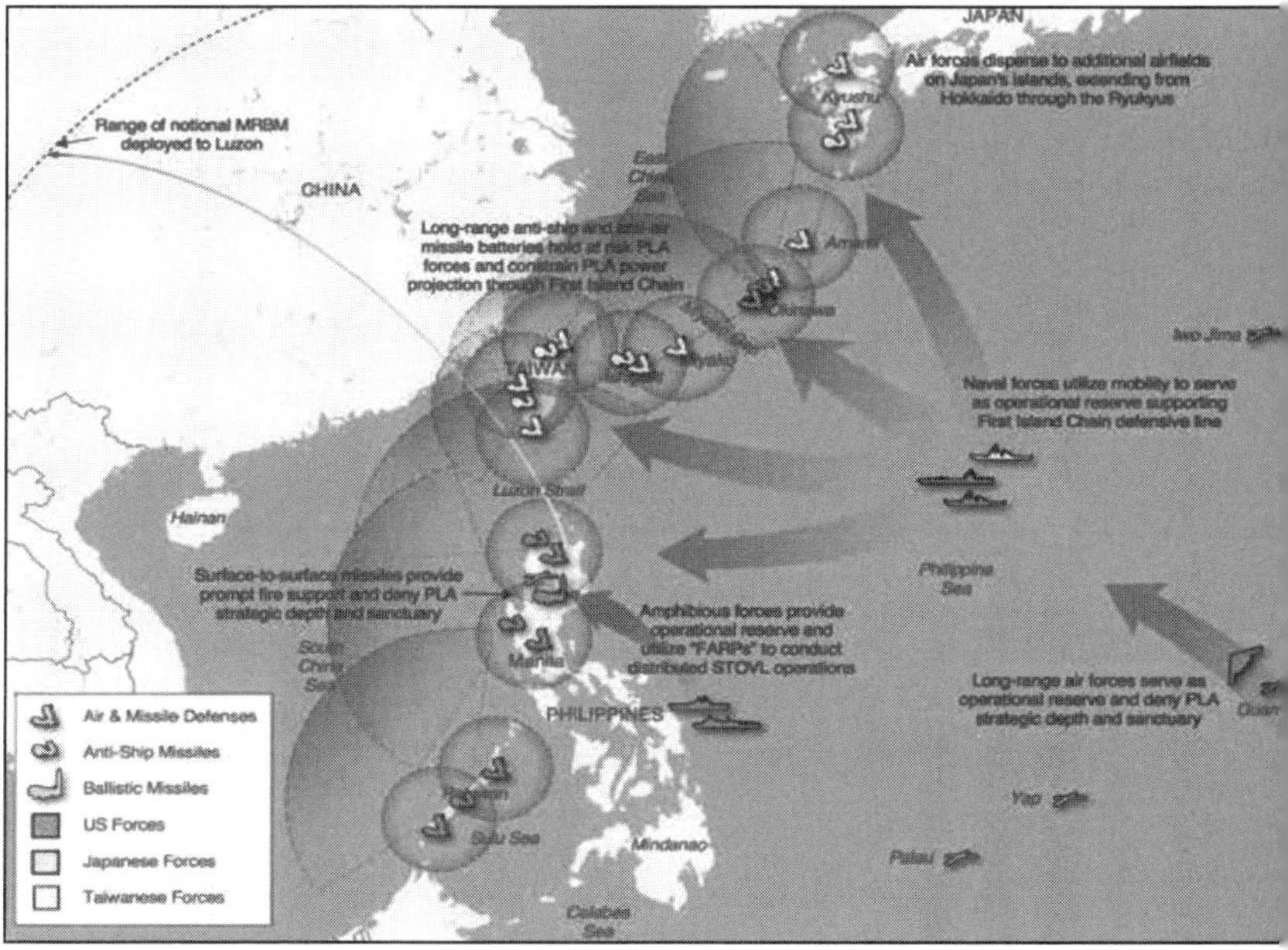

7艦隊空母打撃群のグアム以遠への後退」も想定しなければならなくなっている。

つまり、沖縄—本土などに前方配置された米軍は、初期戦闘における中国による圧倒的なミサイル飽和攻撃を逃れるために、空母機動部隊がグアム以遠に撤退するだけでなく、在沖米軍航空基地をはじめとする戦闘機などもまた、日本全国ないし本土以遠に「分散配置」し、撤退するということだ。

言うまでもなくこの事態は、米軍が戦争の初期から、あらかじめ西太平洋の「制海権・制空権」を手放す、放棄するという歴史的事態である。第2次世界大戦以来初めての事態が出現する、と言ってもいい。同時に、この戦争の初期段階では、南西シフト態勢をとる自衛隊だけが、単独で戦争の全面に立たされ、琉球列島——第1列島線上での孤立した戦いを強いられるという戦闘様相を呈する。

こうした状況の中、アンドリュー・F・クレピネビッチが、２０１７年に提言した「群島防衛」(Archipelagic Defense 前頁図参照）および、このクレピネビッチ提言を補強し発展させた、ＣＳＢＡの２０１９年の「海洋プレッシャー戦略」が、現在、最新のアメリカの戦略として検討され、実施されつつある。

この内容は結論から言うと、すでに検討してきた「海洋拒否戦略」の深化であり、その補強・強化である。ここでは、２０１９年のＣＳＢＡ提言を詳細に検討してみよう。

海洋プレッシャー戦略とは

さて、「海洋プレッシャー戦略」（ＭＰＳ:Maritime Pressure Strategy）は、ＣＳＢＡが２０１９年５月に「西太平洋における海上プレッシャーの戦略の実施」として発表した全文74頁の報告書である。

この戦略の核心を結論から言うと、米軍のエアーシーバトルなどによる対中国の「撤退戦略」を大きく転換し、米軍が対中戦争の初期作戦から西太平洋の「シーコントロール」（制海権ＳＣ）確保を目指すとしたことである。これは具体的には、中国の日米軍事基地への初期ミサイル飽和攻撃に対処する、米軍の沖縄等からの「撤退戦略」を基本的に修正し、戦争の初期から第１列島線内に「インサイド部隊」が防衛バリアを確立、このインサイド部隊を第2列島線内に配置された「アウトサイド部隊」がバックアップして、「縦深防衛ライン」を確立するということであり、これらの「インサイド・アウト防衛」部隊によって、戦争の初期から米軍による西太平洋の「シーコントロール」を確保する、というものだ。

新たに提案された、この「海洋プレッシャー戦略」の根幹にあるのが、「インサイド・アウト防衛」という作戦構想である。

この作戦構想の実戦的運用指針は、「第1列島線に沿って、精密な攻撃ネットワーク、特に陸上の対艦・対空能力を配備し、生命、財産などという多大なコストを払わずに、迅速に侵略によって利益を得る中国の能力に対抗すること」と同報告書は提示する。

「インサイド・アウト防衛」は、戦略構想としては、米軍版のＡ２／ＡＤ（接近阻止・領域拒否）戦略を根幹にしている。ここでいうＡ２／ＡＤ戦略については後述するが、第1列島線（インサイド）・第2列島線（アウトサイド）に沿って、米インド太平洋軍は制海権を確保し、航空優勢を確保するというものだ。

報告書は、冒頭で米海兵隊司令官ロバート・ネラー大将の「我々は戦場に達するための戦いをしなければならない」という言葉を引用し、米軍は西太平洋で「距離と時間の専制」という難問を抱えていることを指摘する。つまり、緊急時・有事に米インド太平洋軍（ハワイに司令部）が東シナ海に到達する間に、中国の「既成事実」という島嶼などの占領が行われることを抑止しなければならないと強調する。

しかし、この中国の「既成事実化」というアメリカ（日本）の念仏のごとくの主張は、弁明的口実にすぎない。本音は、エアーシーバトルから始まる、従来の米軍の対中戦略――初期撤退戦略が、同盟国（日本）などに不信を与えてきたことが、この戦略転換の主要な要因である。

「中国は軍事力全般、特にA2／AD能力を利用して、米国の同盟国やパートナーが米国の安全保障に対する信頼を損なうようにしてきた。中国は、同盟国の領土に駐留し脆弱性を増している前方配置部隊への米国の依存度を利用してきた。中国の軍事的増強は、米軍を受け入れるための米国の同盟国のコストを引き上げると同時に、米国の防衛能力に対する同盟国の信頼を低下させた」（同第2章）と、本音を語る。


さて、「海洋プレッシャー戦略」の全体的概要について、もっと詳細に見ておこう。

同報告書は、第1章の冒頭で「戦略の概要」として「陸軍と海兵隊が地上戦を開始することを含む海洋プレッシャー戦略」と銘打っている。ここに海洋プレッシャー戦略の実戦的指針がある。

つまり、従来の自衛隊による第1列島線配備である南西シフトを、米軍の陸軍・海兵隊が、共同作戦として担うということであり、この戦略内容は、米海兵隊、米陸軍の第1列島線への配備態勢であるということだ（クレピネビッチ提言の具体化）。

「中国の攻撃作戦に対抗するために陸上部隊を使用することで、米陸軍の艦船や航空機は、中国の監視・維持システムの重要な結節点を攻撃するなど、より優先度の高い任務を遂行することができるようになる。また、それらは第１列島線を越えた脅威の少ない周辺地域で活動することができる。艦船と航空機は、前方の防衛のギャップを埋め、陸上の攻撃ネットワークによって生み出される機会を利用することができる。適切に調整された統合軍は、戦闘力をいくつかの大規模な基地に集中させるのではなく、多くの小規模な作戦地点に分散させることで、集中の脆弱性を排除した大量戦力の美徳を達成する」（同第１章）

この米海兵隊・陸軍の島嶼への動員について、報告書は、空軍と海軍は「戦略的・作戦的機動力の優位性」を持っているが、陸上部隊と水陸両用部隊は「生存の優位性」を持っており、これらの部隊は、身を固め、隠蔽と分散のために地形を利用することができ、敵に攻撃を成功させるために多くの弾薬を消費させることができるという。

また、この戦略概要では、具体的には第１列島線に沿って、生存性の高い精密攻撃ネットワークを構築すること、海軍、航空、電子戦、その他の能力を背景に、米国と同盟国は海上の目標に対して「**地上配備の対艦ミサイル**」を発射する態勢を作ること、「**地上配備ミサイルの数**」を増やすことを求めている。

そして、これら精密攻撃ネットワークは、作戦上、西太平洋の島嶼に沿って「地理的に分散配置」され、これは中国軍の**Ａ２／ＡＤ脅威の範囲内から中国軍を攻撃する**ための「インサイド」部隊として機能し、さらに遠く離れた場所からも戦闘に参加する「アウトサイド」の空軍と海軍の支援を受けることになるとしている。

そして、「前方配置された航空部隊」は、新しい基地構想の下、「遠征用飛行場に分散」する。海軍は、第1列島線の背後の位置する場所に出撃するか、あるいは海岸線に沿って出撃して、危険度を減らすという。

これを報告書は、フットボールに例えるならば、生存可能な内部の攻撃網が防御ラインとして機能し、機動力のある外部の空軍と海軍がラインバッカーとして機能することになるという（ラインバッカーとは、ディフェンスラインとディフェンスバックの間、守備陣の真ん中に位置する選手）。

「インサイド・アウト防衛」部隊の運用構想

すでに述べてきたように、「インサイド・アウト防衛」構想は、米軍版のA2／AD（接近阻止・領域拒否）戦略であるが、もう少しその具体的に運用構想を見れば、作戦の概要が分かる（左頁図）。

平時に、西太平洋前方である第1列島線に配置されたインサイド部隊は、米国のコミットメントと決意を示すだけでなく、有事の前方防御態勢を敷くことになる。そして、紛争が発生した場合、インサイド部隊は、この地域の海洋地形を利用して、第1列島線に沿って、また第1列島線内に分散した弾力性のある態勢を迅速に構築し、中国の軍事作戦に即座に対抗できる初期の防御

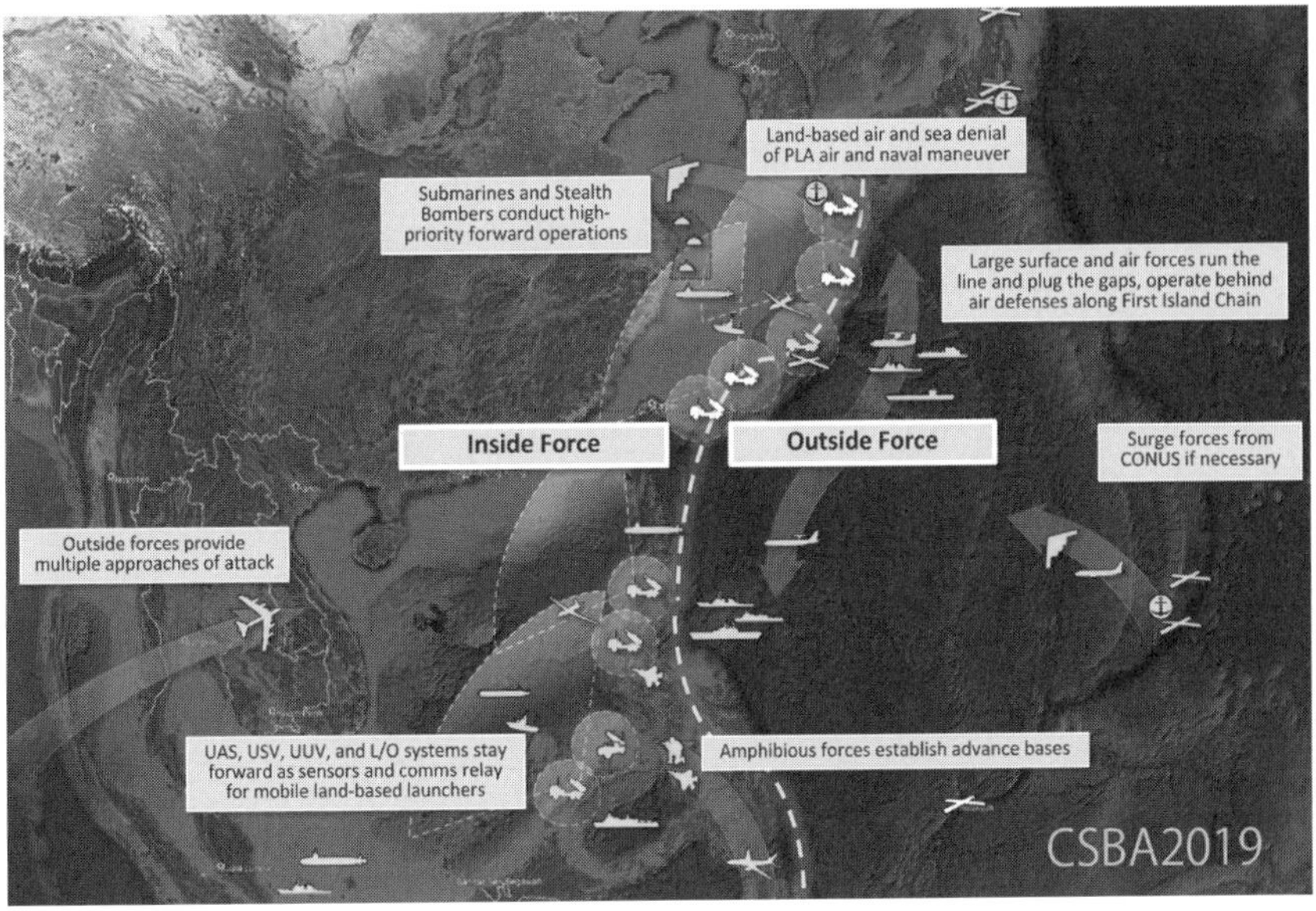

バリアを形成する。

そして、このようなインサイド部隊は、有事の際には、3つの主要な役割を果たすという。

第1に、中国軍が軍事作戦を成功させるために必要な前提条件としている軍事教義——航空優性、制海権、情報優位性を争い確保することだ。

第2に、インサイド部隊は、中国の戦力投射部隊を攻撃して、中国が第1列島線を越えて部隊を投じるのを阻止し、同盟国の領土を占領するという目的を拒否する。

第3に、中国の主要システムを劣化させ、中国のA2／ADネットワークに隙間を作り、外部勢力がそれを利用できるようにすることであるという。

機動力のある分散した地上部隊と、水陸両

用部隊は、これらのインサイド部隊の要となる。海兵隊と陸軍がインサイド部隊の中核であり、移動式で、発見が困難な地上部隊は、その固有の生存能力を活用して、迷彩、隠蔽、欺瞞などの対探知能力を強化することで、第1列島線の島嶼を地上発射ミサイルなどの多領域の能力を備えた防衛拠点へと変貌させる（海兵隊が遂行する「遠征前方基地作戦」［EABO］）。

これらのインサイド部隊の編成は、例えば高機動砲ロケットシステム(HIMARS)を搭載したロケット砲兵隊、または陸上攻撃・対艦ミサイルを発射できるロケット砲兵隊、長距離・短距離の地対空ミサイル、電子攻撃と防衛の両方の能力を持つ電子戦部隊などのマルチ・ドメイン部隊である。

CSBAの提言書は、このインサイド部隊の中核が、在沖米軍の第3海兵遠征軍（3MEF）と明記している。

そして、平時には、アウトサイド部隊は、西太平洋における米軍のプレゼンスを高めることでインサイド勢力を増強する。紛争が発生した場合、アウトサイド部隊は、第1列島線に沿ってインサイド部隊によって確立された防衛網をバックアップし、第2列島線において徹底的な防御を提供する。

このアウトサイド部隊は、主に「空軍と海軍の水上部隊」で構成され、第1列島線に沿って配置されたインサイド部隊を支援する。米軍の圧倒的な戦闘力は、このアウトサイド戦力に属することになる。アウトサイド部隊は、インサイドの部隊よりも離れた環境で拠点を構え、活動することになるが、この部隊もまた中国軍の長距離精密攻撃システムの射程内に入ることになるから、回復力のある分散型の運用態勢をとる必要があるとしている。

このような「インサイド・アウト防衛」の作戦は、４つの主要な作戦ラインで構成されている。①海上拒否作戦、②航空拒否作戦、③情報拒否作戦、④陸上攻撃作戦である。

海上拒否作戦とは、第１列島線内で中国軍との制海権を争い、中国海軍を撃破するための作戦であるが、中国の海上部隊が同盟国領土に上陸する前に、これを撃破し、海上封鎖を迅速に解除し、中国軍がその近辺を越えて海上パワーを展開するのを妨げるのが任務である。

第１列島線に沿って分散した位置から、対艦巡航ミサイル（ＡＳＣＭ）や対艦弾道ミサイル（ＡＳＢＭ）を発射可能なランチャーを装備した地上部隊は、中国の水上戦艦全般、特に長距離ミサイルを装備した、先進的な中国海軍を攻撃することが可能であるという。

航空拒否作戦とは、中国の航空優勢に対抗し、中国の航空宇宙戦力の投射部隊を撃破するための作戦であるが、これは第１列島線内での中国との航空優勢を争うものであり、中国軍の突撃部隊を乗せた空中輸送機が部隊を降ろす前に無力化し、中国空軍の長距離攻撃機が第１列島線を越えて戦力を投射し、味方の基地や部隊、その他の目標を攻撃することを拒否するという。

第２列島線に位置する米軍は、空軍基地からの「運用距離」が長いことを考えると、紛争地域で継続的に航空優勢を争うために十分な出撃を行うことも、第１列島線に沿った防衛的な対空境界線を維持することもできない。これを補うのが、第１列島線の島々に沿って配置された陸上統合防空・ミサイル防衛（ＩＡＭＤ）であるとされる。

情報拒否作戦とは、中国軍の通信ネットワークを混乱させ、最終的には中国の中央集権的な意思決定を麻痺させることに重点をおくものである。インサイド・アウトサイド部隊は、陸上攻撃、対艦、対空兵器で中国のセンサーなどを攻撃し、中国のＣ４ＩＳＲ（指揮・統制・通信・コンピューター・情報・監視・偵察）ネットワークを混乱させ、能力を低下させるとする。

陸上攻撃作戦とは、中国本土の陸上のＡ２／ＡＤシステム（センサー、長距離ミサイル発射装置、地上の航空機、ＳＡＭを含む）の能力を低下させ、外部勢力が利用できる隙を作りだすという。これは、中国軍が、仮に東・南シナ海などの紛争地域で、水陸両用または空中攻撃に成功した場合、第１列島線に沿って配置されたシステムとの組み合わせにより、陸上部隊を混乱させ、萎縮させるための攻撃であるとされる。

ＣＳＢＡ提言書は、この陸上攻撃作戦について、「第１列島線内のすべての目標や中国本土の目標を陸上システムで攻撃するためには、現行のミサイル弾体の射程延長版か、新たな発射台を必要とする可能性の高い新弾体が必要となる」と言い、ＩＮＦ条約廃棄後の米軍の中距離ミサイル配備について言及している。そして、その配備先は、「この種の移動式システムは、ルソン島、ミンダナオ島、パラワン島、沖縄、九州などの大きな島々に設置することができ、より簡単に隠すことができる」として、第１列島線上の沖縄・九州配備を提言するのである。

海洋プレッシャー戦略が想定する戦場

最後になったが、海洋プレッシャー戦略が想定する有事とは、どのようなものか、想定される戦場はどこか。２０２１年４月の日米首脳会談以後、日本では、「台湾有事」キャンペーンが異様に強調されているのだが、果たして「台湾有事」はあり得るのか。

海洋プレッシャー戦略では、この有事について「地理的設定・西太平洋」として、「アメリカと同盟国のアナリストは、西太平洋における中国との衝突は、台湾、南シナ海、東シナ海のいずれかで起こると想像している」として、それぞれの可能性について詳述している。

まず台湾だが、「中国が台湾を攻撃した場合、米国は戦争に巻き込まれる可能性があり、米国の指導者たちは、中国が軍事力によって現状を変えようとしないようにとの長年にわたる公然とした警告を行っている」とし、中国軍の作戦計画の多くが、「主な戦略的方向」として台湾を指定していることに言及する。しかし、提言書はいう。

「中国が主目的から注意をそらすために戦域内でフェイントをかけた場合、複数の場所で紛争が発生する可能性がある。米国と中国の間の将来の紛争は、特に中国の利益とそれをパワープロジェクションによって保護する中国軍の能力が高まるにつれて、北朝鮮や西太平洋の向こう側でも起こるかもしれない。そのような場合でも、中国海軍は中国沿岸の基地から第１列島線を経由して出撃する必要がある。また、遠方での軍事行動を行う際には、中国本土を攻撃から守らなければならない。したがって、第1列島線における紛争シナリオを理解することは、そこでの戦争であれ、遠くでの戦争であれ、必要不可欠である」と（傍点筆者）。

そして、提言書は具体的に「南シナ海」では、「中国の南シナ海の軍事化が進行しているため、米軍を巻き込んだ紛争が発生する可能性がある」とし、「南シナ海における中国の軍事化は、意図的な攻撃以外にも、不用意な衝突を引き起こす危険性がある。中国軍と航行の自由作戦を実施している米艦船を含む他国の軍隊との間で対立を引き起こす可能性がある」としている。

また「東シナ海」では、「中国が日本と東シナ海の領有権問題で好戦的な態度を続ければ、日本との相互防衛条約に揺るぎないコミットメントを持つ米国を巻き込んだ戦争に発展する可能性がある」とし、「軍事力が互いに近接して影を落とす中で、艦長やパイロットの1つのミスが各国を軍国主義的な危機へと突き動かす可能性がある」としている。

だが、CSBAの「海洋プレッシャー戦略」が想定する「有事論」は、この東シナ海の「尖閣有事」論を見ても明らかだが、荒唐無稽である。自衛隊が押し進めている「尖閣有事」は、あくまでナショナリズムの鼓吹のためであり、実際の有事は想定されていない。また、「海洋プレッシャー戦略」の想定する「台湾有事」論も、現実の国際的関係――経済的政治的関係を深く認識して提出されたものではない。この詳細は後述しよう。

第１列島線構成国によるＡ２／ＡＤの完結

さて、ＣＳＢＡ報告書は、最後に、「インサイド・アウト防衛」構想は、単なる米国の作戦構想ではなく、米軍と同盟国の共同作戦構想として機能するとしている。そして、「インサイド・アウト防衛」で果たす西太平洋の同盟国——日本、台湾、フィリピン、オーストラリアの役割について、つまり、アメリカのＡ２／ＡＤ（接近阻止・領域拒否）戦略に基づく第１列島線防衛の完結について言及している。

まず日本についてでは、「日本は中国に近い前線国家であり、非常に有能な軍事力を持っているため、インド太平洋の同盟国やパートナーとしては特異な存在である。インサイド・アウト防衛構想の一環として、日本の自衛隊は、内外の部隊の一員として米軍と一緒に活動することができる」として、「米国主導の海洋プレッシャー戦略に健全に貢献できるような多くの能力を投入している。あるいは投入する計画を立てている」と評価する。

さらに、「日本は米軍にとって重要な拠点とアクセスを提供しているが、日本国内の米軍のプレゼンスは非常に集中しており、中国のＡ２／ＡＤの範囲内ではますます脆弱になっている。在日米軍の約75％は沖縄に駐留しており、中国の精密攻撃体制の範囲内で最も密集した地域に位置している。米国は日本と協力して、有事の際に航空機が沖縄の基地から離れ、日本領土内でより分散した態勢で活動できるような協定を結ぶべきである。これには、本島全域のより広範な基地から活動する空軍と、琉球の弧に沿って活動する地上軍の両方が含まれる」と、「インサイド・アウト防衛」における日本列島全体の空軍基地としての活用、そして、琉球列島全体、つまり、沖縄本島以外の琉球列島の各島の米地上軍の有事における分散配備を提言する。要するに、「海洋プレッシャー戦略」下の「インサイド・アウト防衛」では、琉球列島全体が、米軍基地となり、軍事化されるということだ。

　フィリピンについては、米比相互防衛条約によってアメリカとは同盟関係を締結しているが、１９９２年以後、駐留米軍の基地協定は期限が延長されず、在比米軍のクラーク基地などからの全面撤退が行われた。以後、１９９８年には「訪問米軍に関する地位協定」が締結、２０１４年には「防衛協力強化協定」（フィリピン基地使用協定）が締結されている。しかし、フィリピンにおいては、米軍の前方配備の常時の駐留部隊は存在していない。

　この状況の中、「インサイド・アウト防衛」において、第1列島線上（その南側のルソン海峡・バシー海峡）の主要国をなすフィリピンについて報告書は、「米国は今後も同盟を強化し、フィリピンの領土へのより大きなアクセスを追求し続けるべきであるが、これらの課題に照らすと、フィリピンへのアクセスに基づいて成否を決定する戦略を採用すべきではない。そのために、米国は、紛争時にフィリピンへのアクセスができなくなる可能性を軽減する方法を検討すべきである」としている。

　では、米軍が、フィリピンへのアクセスができない場合はどうするのか？　答えは1つしかないのだ。ルソン海峡の北に位置する、台湾の第１列島線防衛への組み込みであり、台湾側からアメリカのA２／AD戦略を実施する以外にはない。つまり、台湾への地対艦・地対空ミサイル部隊などの配備である。しかし、CSBA報告書は「台湾や東南アジアの米国のパートナーを含むその他の地域アクターもまた、この構想に貢献するであろう」と、一言しか言及していない（この問題については後述）。

オーストラリアについては「海洋プレッシャー戦略の南側のアンカーとしての役割を果たすことができる。紛争が発生した場合、豪州の高い能力を持つ空軍と海兵隊は、米国のアウトサイド部隊を補強することができ、成長する潜水艦部隊が、インサイド部隊の一部として活動することが可能である」と同国が第１次大戦以来、ともに戦ってきた主要な同盟国であることを強調している。

報告書は、最後に「西太平洋の同盟軍は、中国との潜在的な対立に備えて準備態勢を改善してきた。日本とオーストラリアがその先頭に立っている」とし、「日本の２０１８年防衛ガイドラインでは、統合多領域作戦、持続的ISR、スタンドオフ火力、航空・ミサイル防衛など、海洋プレッシャー戦略に関連したいくつかのテーマが承認されている」として大きく評価しているのである。

また、「インサイド・アウト防衛」に貢献するために、「オーストラリアの２０１６年国防白書は、野心的な近代化プログラムを約束した。この白書では、GDPの２％以上を国防に費やし、潜水艦の兵力を6隻から12隻に倍増させることが約束されている」と同国の貢献を称えている。

ＣＳＢＡ報告書が、「結論」として強調しているのが、第1列島線に配置されるミサイル部隊に関するものである。

報告書は、「機動力のある陸上の長距離ミサイル能力の実戦配備を加速する」として、「第1列島線に沿った海上阻止、航空阻止、および陸上攻撃作戦への陸上部隊の貢献には、より鋭く、より長い射程が必要である。陸軍と海兵隊による、より長射程の陸上配備型の対艦・対地攻撃兵器の開発と実戦に向けた現在の努力は、ＩＮＦ条約の最終的な解消を待って、加速されるべきであり、５００キロを超える射程距離を持つ兵器を組み込むべきである」としている。

２０１９年のアメリカによる一方的なＩＮＦ条約の廃棄は、まさしく米軍による第1列島線への地上発射型の長距離ミサイル――中距離ミサイルの配備を目的として強行されたのであり、この配備先については、記述したようにフィリピンと沖縄・九州が、具体的対象になっているということである。

第3章　米海兵隊・陸軍の第1列島線へのミサイル配備

海兵隊作戦コンセプト（２０１６年）

先行する自衛隊の南西シフトに合わせて、現在、急ピッチで進むのが、米軍の第1列島線への兵力投入、常駐配備を軸とする態勢作りだ。この米軍の配備は、海軍・海兵隊とともに、陸軍も押し進めているが、まずは海兵隊の配備から検討しよう。

海兵隊の第1列島線投入、配備については、最新では２０２０年3月の、デイヴィッド・バーガー海兵隊司令官による、「フォース・デザイン２０３０」という新しい構想が知られているが、海兵隊ではそれ以前から大再編が始まっているので、その過程を検討しよう。

米海軍・海兵隊は、中国のＡ２／ＡＤ態勢の強化のなかで、２０１０年代半ばから従来の作戦・運用体制を見直すさまざまな構想が出され、組織の再編成が始まっている。その始まりの1つが、２０１５年「21世紀の海軍力のための協力戦略」である。これは２００７年版の改訂であり、前回同様、海軍作戦部長、海兵隊総司令官、沿岸警備隊長官の連名で発表された。

この「協力戦略」は冒頭、「海軍はこれまで、抑止力、制海権、パワー・プロジェクション、海洋安全保障という4つの重要な機能を果たしてきた」が、新たに5つめの「陸海空、宇宙、サイバー空間、電磁スペクトルなどの「全領域アクセス」という機能を導入するとした。しかし、これらの機能の中では、特にインド・アジア・太平洋地域の重要性が高まっている状況において、「グローバルな海洋アクセスに挑戦するA2／AD能力の継続的な開発と実戦化」という問題が生じており、米海軍部隊は、「制海によって局地的な海上優越を達成」し、「制海を獲得するため多層的な能力を駆使し、敵の海軍部隊の破壊、敵の海上通商の抑圧、死活的に重要なシーレーンの防護を行う」ことが重要であるとした。

これはまた、「陸上に対する戦力投射を通じて沿岸域の陸側にある脅威を無力化し、又は地形の制圧が必要」で、「同時に、陸上に対して持続的に戦力を投射するためには、周辺の海域及び空域を制する必要がある」という構想である。

この「協力戦略」の新構想は、オバマ政権から引き継がれた、アメリカのアジア太平洋重視戦略の一環として、同地域に海軍力60％を配備する、いわゆるリバランスの一環ではあったが、この「協力戦略」が強調しているのは、米海軍がA2／AD環境の中で失われつつある「シーコントロール」を再確保しようとする、新たな構想として注目されたのである（このシーコントロール「SC」の概念は、一般的には「制海権」とされる）。

このような、アジア太平洋をめぐる新たな状況において、海軍とともに米海兵隊もまた、新たな戦略構想を打ち出し始めるが、これが2016年9月、「海兵隊作戦コンセプト」（Marine

Corps Operating Concept: MOC）として発表された。

この内容は、前述の「協力戦略」に沿い、「機動戦を通じた制海における海兵隊の役割」ということで、「海兵隊は、中国のＡ２／ＡＤ網の内側の陸上にＦ35Ｂの作戦拠点を開設し、分散短距離離陸・垂直着陸作戦を開発」、「遠征飛行場、戦術着陸地域、弾薬、燃料の前方補給点からなる動的ネットワークを構築し、敵のＡ２／ＡＤ網に潜入したＦ35Ｂの作戦継続性を高める」というものだ。

これら「海兵隊作戦コンセプト」の詳細については、ＣＳＢＡが２０１６年11月に「将来の海兵隊の水陸両用作戦に関する提言――ビーチを超えて前進：精密兵器時代の水陸両用作戦」を発表しているので、この中から海兵隊の作戦構想の内容を分析してみよう。

提言は、海兵隊によるＡ２／ＡＤ環境下の「水陸両用戦」への独自強化策を提案し、「制海における海兵隊の役割」を詳しく説明するが、その特徴は、「海軍と統合した海兵隊の水陸両用作戦の強化を、「拒否的、懲罰的抑止力を強化する新たなアプローチ」として戦略的に位置付けていることである。

具体的には、米海軍部隊は――、

①敵部隊及び作戦目標に対して十分に近接した態勢をとる（Stand-in Forces）。

②敵の艦艇、航空機、地上目標に対し、より多くの火力を指向。

③これら持続できるコンセプトと能力を整備する必要があると指摘。

これは、従来の戦闘が開始された後に海兵隊戦力を投入するのではなく、「制海を獲得する海軍部隊をあらかじめ、前方に配置することの重要性を主張」する。つまり、海兵隊を第1列島線の「**前方展開配置戦略**」**部隊へと転換**する、重大な作戦運用を提言するものであった。

これらの作戦内容をもう少し具体的に示すと、新しい構想は「海兵隊の機動戦を通じた制海、即戦力投入の構想」であり、「水陸両用襲撃については、小規模部隊が敵の沿岸から４００海里（約７４０キロ）離れた海上の揚陸艦から発進する、オスプレイ（ＭＶ22）によって、Ｆ35Ｂによる援護を受けながら敵の弱点に対して迅速に機動、同時に複数地域において敵のミサイル、センサー等を減殺又は破壊」し、「作戦領域間の火力発揮については、海軍水上部隊の火力と連携して、海兵隊の高機動ロケット砲システム（HIMARS）等を複数のＥＡＢから発揮する」としている（ＥＡＢとは、後述する「遠征前進基地」）。

後に詳しく述べる、海兵隊の「フォース・デザイン２０３０」の「遠征前方基地作戦」（ＥＡＢＯ）の作戦が、ここにすでに示されている。つまり、中国のＡ２／ＡＤ環境の中では、従来の海兵隊による「強襲上陸作戦」は時代遅れとなり、この中で、海兵隊が新たな「生き残り策」を賭けた大転換を始めつつあるということだ。

「紛争環境における沿海域作戦」（ＬＯＣＥ）構想の策定

米海軍・米海兵隊の新たな「紛争環境における沿海域作戦」（ＬＯＣＥ）とは、第１列島線―南シナ海海域において、米海軍と米海兵隊は、米陸軍の長射程の火力支援を得て「沿岸作戦のコンセプト」を提示――沿岸を占拠し、制海権を確保するという構想である。

これは、すでに述べてきたように、２０１５年の海軍文書『21世紀の海軍力のための協力戦略』で示された、Ａ２／ＡＤ環境下において、全アクセス確保を実現することを目標に、２０１７年10月、海軍と協同で発表された作戦構想だ。

このＬＯＣＥ構想の特徴は、第１に海と陸を含む沿海域を「一体の統合された戦場空間」として位置付けていることであり、第２に同「協力戦略」が強調してきた、海軍と海兵隊の連携、制海と戦力投射の相互関係を取りこみ、第３には、戦力投射を実施する海兵隊が制海に貢献するという内容と合わせて、Ａ２／ＡＤ下で海軍と海兵隊が持久して作戦を行い、沿海域に持続的な海上拒否能力を確立する、ということであり、第４に、海兵隊が新たに開発する「遠征前方基地作戦」（ＥＡＢＯ）の遂行である。

そして、「遠征前方基地作戦」（ＥＡＢＯ）は、海軍、特に水上部隊を中心に運用される「分散型戦闘力」（ＤＬ:Distributed Lethality）が、ＬＯＣＥ構想を支える下位の作戦構想として位置付けられた。「分散型戦闘力」という概念については、米海軍の新戦略「分散型海上作戦」（ＤＭ

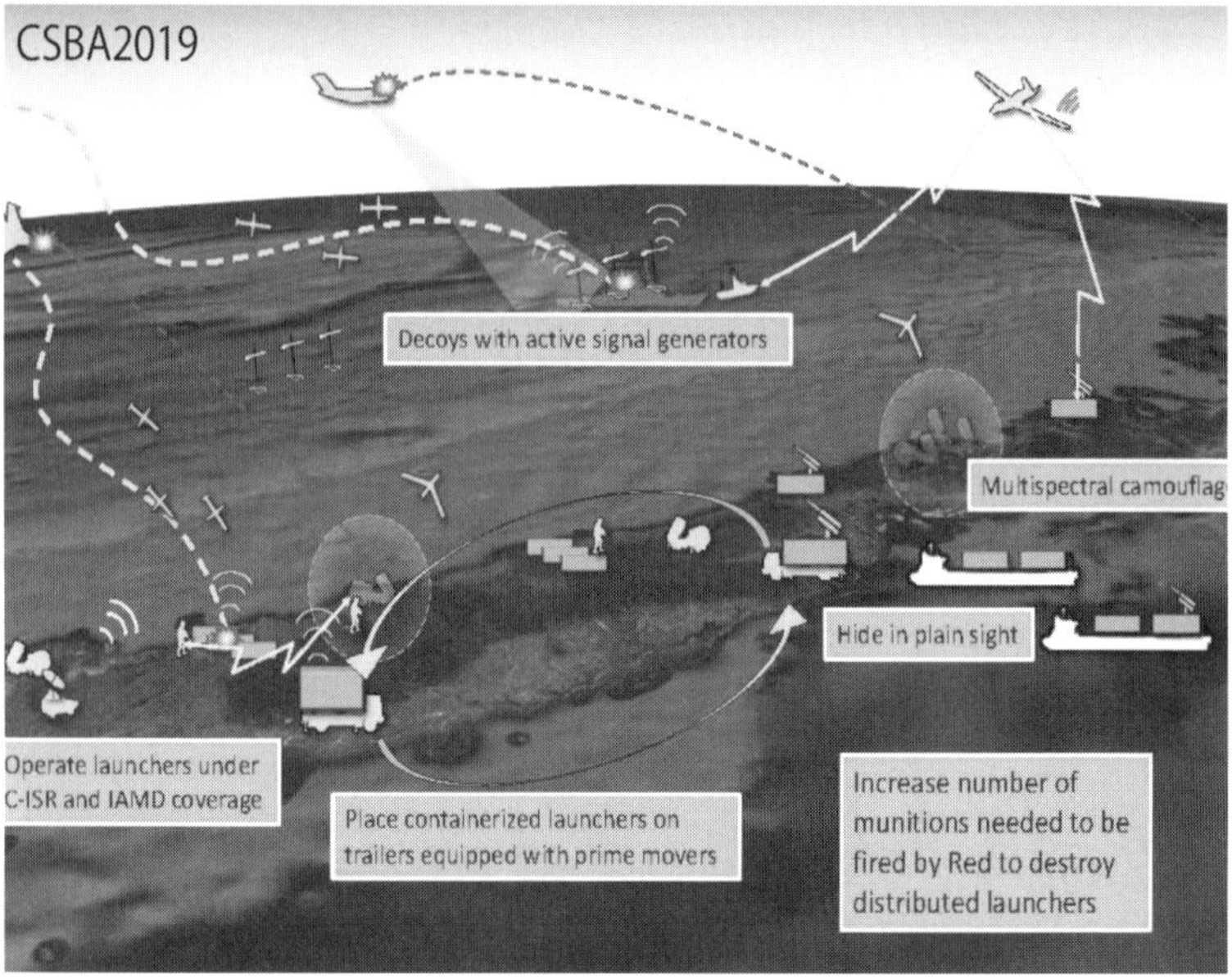

O）として提案されているが、これについては別章で叙述する。

ＬＯＣＥ構想を支える「遠征前方基地作戦」（ＥＡＢＯ）については、２０１８年６月に公開され、２０１９年２月には、海軍作戦部長と海兵隊総司令官の署名を得て、正式の作戦構想となった（上図）。

ところで、ＥＡＢＯの具体的運用としては、分散された小規模の部隊（約１００人）で、要衝となる地点（島嶼）を一時的に占拠し、対艦ミサイルなどを配備し、戦闘機の出撃拠点や給油拠点を確保し、敵の海洋進出を阻止、米軍の制海権を確保するというものだ。この作戦では、海兵隊は固定基地ではなく「分散され柔軟な形の兵力配備」を重視し、敵の反撃を避けるため、部隊は遠隔操縦できる新世代の水陸両用艇を駆使し、48～72時間ごとに島から島へと移動するとして、次の能力が必要とされるとする。

①制海を支援する攻撃行動のためにＥＡＢ（遠征前方基地）を運用する能力
②海上拒否のための前哨としてのＥＡＢを各種火力により防御する能力
③ＥＡＢを後続部隊にとっての一時的、即時的な兵站ネットワークのハブとして活用する能力

また、この段階でのＥＡＢＯでは、遠征前方基地（ＥＡＢ）からＩＳＲ（情報・警戒監視・偵察）アセット、沿岸防衛巡航ミサイル、防空ミサイル、前方での補給・給油地点、航空機の運用拠点、艦艇・潜水艦の弾薬補給チームを展開することなどが重視されている（アセットとは、装備や設備等から軍人や部隊まで軍を構成するもの全てをひっくるめる概念）。

また、特に強化する能力として、地対艦を含む長射程火力、高機動ロケット砲システム(HIMARS）又は沿岸防御用巡航ミサイルの改良、水陸両用襲撃能力が挙げられている。

さて、米海兵隊の「紛争環境における沿海域作戦」（ＬＯＣＥ）、「遠征前方基地作戦」（ＥＡＢＯ）という新構想のもとでは、ここ数年前からアメリカを含むアジアの諸島や沖縄・伊江島など、各地において、その実戦化のためのテスト、演習が行われている。

「米海兵隊教育訓練コマンド戦闘クラブは、ＬＯＣＥ／ＥＡＢＯついて、フィリピンのパラワン島などの主要地点に展開する海兵隊大隊の周辺に陸海空マルチドメイン任務部隊（MD-

MAGTF）が構築する海上拒否シミュレーションを何度か実施。シミュレートされたMD-MAGTFは、陸上配備対艦ミサイル、無人航空機システム（ＵＳＡ）、水上無人機（ＵＳＶ）を駆使し太平洋艦隊の前方展開部隊によってレイテ湾の水平線の彼方からも支援を受け、このシミュレーションでMD-MAGTFは友軍の損失を最小限に抑え、中国海軍及び航空部隊に対して戦術的にも後方の側面からも行動を制約」（「海洋安全保障情報旬報」２０１９年7月21日、笹川財団）

さらに、沖縄本島では、２０２０年10月6日～15日にかけて、沖縄やオーストラリアに駐留、展開する米海兵隊第３遠征軍と、米海軍の第7艦隊が、日本周辺で大規模な共同演習「ノーブル・フューリー（高潔な憤怒）」を実施した。この演習では、ＥＡＢＯ関連の演習が集中的に実施されたが、これには、オスプレイによって伊江島に展開した海兵隊が敵を駆逐するために、島に海兵隊の「高機動ロケット砲システム（HIMARS）」を米空軍の輸送機によって運び込み、攻撃を実施したあと、再び輸送機で素早く別の島に移動するという訓練を実施した。

そして、２０２１年3月には、沖縄とハワイの基地に所属する米海兵隊が提携・協力して「遠征前方基地作戦」を実施。これは沿海域作戦の5つの離島を跨いで実践された連携作戦構想であるが、日本で実施された「キャストアウェイ21・1」演習とハワイで実施された「スパルタン・フューリー21・1」演習は、統合部隊と連携し、主要な離島の土地を占拠・防御することを目的として、高度に構築された遠征基地からの海洋作戦を支援することで、遠距離からの精密射撃を実現する海兵隊の能力を実証したとされている。

この演習は、ハワイでの演習と同時に、沖縄・伊江島では、高機動砲ロケットシステムの高速潜入の演習が行われるとともに、第12海兵連隊第３大隊が歩兵部隊を動員し、高速艇で迅速に海上の標的を攻撃する演習を実施したという。

こうして、「紛争環境における沿海域作戦」（ＬＯＣＥ）および、「遠征前方基地作戦」（ＥＡＢＯ）は、米海軍・米海兵隊のＡ２／ＡＤ環境下でのシーコントロールを確保した作戦として強化され、実戦化されつつある。

「フォース・デザイン２０３０」による米海兵隊の大再編

周知のように、２０２０年３月、米海兵隊のデイヴィッド・バーガー司令官は、『フォース・デザイン２０３０』という海兵隊の新しい構想を発表した。そして、これに続く1年後の２０２1年4月、同司令官は、「フォース・デザイン２０３０：年次改訂版」を発表。これは前年公表文書の改編版であり、海兵隊の将来像をより具体化したものである。

さて、これら海兵隊の新構想の背景にあるのが、同文が冒頭に述べるように、２０１８年のアメリカの「国家安全保障戦略（ＮＳＳ）」であり、続く国防総省の「国家防衛戦略（ＮＤＳ）」である。これらは、今後の米軍の任務の焦点を、「中東の暴力的な過激派に対抗することから、インド太平洋に特に重点をおいて、強大国との対等なレベルの競争」、すなわち中国（ロシアを含む）との対抗におくとしたのである。

また、アフガン・イラク戦争後のここ十数年、米軍内、特に米海兵隊や陸軍内部でその将来像をめぐるさまざまな議論がおきたが、それをとりまとめるたものがこの文書でもある。その核心は、米海兵隊は、かつての「強襲上陸作戦」に見られる伝統的戦略を大幅に変更し、対艦ミサイルを含む分散型拠点を、一時的に敵対勢力の影響下にある海域内の島嶼や沿岸部に前方配備するというものだ。これらの海兵隊の新任務によって、米海軍は、エアーシーバトルの提案以来、失いつつあった西太平洋の制海権を確保するという。

この具体的内容が、すでに述べてきた「紛争環境における沿海域作戦」（ＬＯＣＥ）と「遠征前方基地作戦」（ＥＡＢＯ）、「分散型海上作戦」（ＤＭＯ）であり、この海兵隊の新任務によって、米海軍の制海権確保を支援するというものだ。

さて、「フォース・デザイン」を発表したバーガーは、同報告書の冒頭に、「われわれの現在の戦力デザインは、大規模な水陸両用の強制進入と上陸地での維持作戦のために最適化されており、1950年代以来、本質的なインスピレーションは永続的で変わっていない」と強弁する。しかし、「現在の戦力は、規模（size）、能力容量（capacity）、および特定の能力（specific capability）が将来の要件には適していないと私は評価するものである」とその弱点を認め、「強大な国家間競争への、われわれの主な焦点のシフトとインド太平洋地域への新たな焦点のシフトにより、現在の戦力は、新たな統合、米海軍および米海兵隊の作戦コンセプトを支援するために必要な能力に不足を抱えている」と、米海兵隊の具体的弱点を指摘する。

その弱点とは、「不足しているものは、遠征の長距離精密火力、中距離から長距離の防空システム、短距離（局地）防空システム、インテリジェンス・監視・偵察（ＩＳＲ）、電子戦、および致命的な打撃能力を備えた、高度耐久性の長距離の無人システム、海洋のグレーゾーン戦略を追求する行為主体による悪質な活動に対抗するのに適した破壊的でより致命的でない能力」と多様な戦力を羅列している。

また、このような大幅に不足している米海兵隊の能力の反面、「過剰に投資していると私が評価するいくつかの能力がある。部分的なリストには、重装甲地上戦闘システム（戦車）、牽引式カノン砲、致命的な影響を与えることができない短距離、低耐久性の無人航空システム：ＵＡＳ）が含まれる」とする。

バーガーは、このような海兵隊が将来、どのように戦うか、という「作戦構想」について、「これらの中核となるのは、米海軍の『分散した海上作戦』(Distributed Maritime Operations：ＤＭＯ）とそれに関連する米海兵隊および米海軍の『紛争環境における沿海域作戦』と『遠征前方基地作戦』のコンセプト」であるとして、すでに２０１６年「海兵隊作戦コンセプト」で提案され、訓練・演習を行っている構想を踏襲し報告している。

ところで、この海兵隊の「フォース・デザイン」の報告書の記述の大半は、海兵隊部隊の具体的な大再編であり、それらの部隊の例示だ（全部隊の削減・増加は、図表参照）。

まず、全体の海兵隊の「目標とする戦力」として、「全艦隊海兵部隊の構造」を２０３０年までに、海兵全体の７％に当たる１万２千人を削減するとしている。

特徴としては、下図表にあるように歩兵大隊の削減（現役３個）、榴弾砲中隊の削減（16個）、戦車中隊の削減（全廃）、強襲水陸中隊の削減（２個）、オスプレイなどのヘリ部隊の削減が目立つ。一方、ロケット中隊については、７個から21個へと大幅な増強となっている。

これは、すでに述べてきたように、米海兵隊の従来の強襲上陸作戦を中心とした運用が時代遅れになってしまった、ということである。戦

「戦力デザイン２０３０」の構想

	現有	新構想	
兵員数	186,300人	174,300人	−12,000人
歩兵連隊本部	８個	７個	−１
歩兵大隊（現役）	２４個	２１個	−３
歩兵大隊（予備）	８個	６個	−２
榴弾砲中隊	２１個	５個	−１６
ロケット砲中隊	７個	２１個	＋１４
戦車中隊	７個	０個	−７
軽装甲偵察中隊	９個	１２個	＋３
強襲水陸両用中隊	６個	４個	−２
戦闘機攻撃飛行隊	１８個	１８個	０
ティルトローター飛行体	１７個	１４個	−３
重ヘリコプター飛行隊	８個	５個	−３
軽攻撃ヘリコプター飛行隊	７個	５個	−２
偵察ドローン飛行隊	３個	６個	＋３

車部隊の全廃は、それらを象徴するが、海兵隊のお家芸とも言える強襲水陸両用中隊の削減が、それをもっとも表しているのである。

この他にも、「戦闘機攻撃飛行隊」は、飛行隊数自体は減らさないが、最新鋭戦闘機であるF35BとF35C飛行隊は、１部隊当たりの機体数を16から10に減らすとして、大幅な削減となっている。

この「フォース・デザイン」の結論としては、「最初のステップとして、最初に単一の海兵沿岸連隊（MLR）形成を作成する」としているが、この部隊が、第3海兵遠征軍（3MEF、うるま市のキャンプコートニー）に編成される「海兵沿岸連隊」として、すでに発表されている。

補足すると、海兵沿岸連隊は、既述してきたEABOを実現するために特化された部隊である。これらは、現部隊である3個海兵連隊を改編し、ハワイ、沖縄およびグアムに配備するものとみられている。これらの海兵沿岸連隊は、歩兵大隊、対艦ミサイル中隊を基幹とする沿岸戦闘団、沿岸防空大隊、兵站大隊から編成される予定である。そしてこの部隊は、２０２２年までに仮編成され、その後沖縄などへ配備されるという。

海兵沿岸連隊へのトマホーク配備

海兵隊の「フォース・デザイン」による第1列島線へのミサイル配備が、地対艦・空ミサイル、とりわけ、島嶼から艦艇を攻撃する地対艦ミサイルの配備を主としていることは見てきたとおりだが、海兵隊はこのほか、「地対艦トマホーク」をも配備しようとしていることが明らかになっている。海兵隊は、２０２１年国防予算要求で、トマホーク48発の取得費用を要求（トマホークVaで対艦攻撃能力を保有）している。

このトマホークは、従来の水上・潜水艦発射型のトマホークではなく、地上発射型のトマホークである。つまり、ＩＮＦ条約の廃棄によって、アメリカはこのような地上発射型のトマホークを取得・配備できるようになったということだ。

そして、ＩＮＦ条約破棄後の早くも２０１９年9月、米国防省はこのトマホークの発射実験を行っており、地上設置・牽引式のマーク41垂直発射装置（キャニスター）からトマホークを発射し、５００キロ以上の飛翔実験を行ったという。

すでに米軍は、１９８０年代から海軍のイージス艦などにトマホークを搭載しており（海上発射巡航ミサイル［ＳＬＣＭ］１隻あたりのトマホーク搭載は平均20〜30発）、また、巡航ミサイル搭載潜水艦（ＳＳＧＮ）には、最大１５４発のトマホークを搭載しているが、今後、第1列島線配備用に開発されるのは、地上発射型トマホークである。

このトマホークについて、米軍は「海洋・空中発射と比較し弾薬の補給・装填の兵站が容易」であり、弾道ミサイルと比べて命中精度が高く（トマホーク・ブロックⅣは、射程１６００キロでＣＥＰ10メートル）、また、弾道ミサイルと比較して、地上発射巡航ミサイルは、多方位・同期・飽和攻撃ができ、全方位から攻撃可能であると利点を挙げている。しかし、欠点は飛翔速度が遅く（マッハ０・７〜０・９）、破壊力が小さいことを挙げている（ＣＥＰとは、半数必中界のことであり、核ミサイルなどの命中精度を表す用語。発射されたミサイルの半分が到達する可能性のある円の半径）。

しかし、海兵隊が開発中のトマホークVaは、射程が大幅に延伸され、ＧＰＳ航法などで洋上移動の艦艇を攻撃する能力を得て1〜2年以内には初期運用能力を持つとされている。先に叙述してきたＣＳＢＡのプランによると、地上発射トマホークの射程は、およそ１６００キロが予定されているようだ。

海兵隊司令官バーガーは、２０２０年3月、上院軍事員会公聴会において、２０２１会計年度予算要求に対艦攻撃型のトマホーク巡航ミサイルの取得を計上したことを認めて、これによって海兵隊による制海・海上拒否に対する貢献が可能になる、と言明したのである。

見てきたように、海兵隊の「フォース・デザイン２０３０」による大再編においては、琉球列島――第1列島線に米海兵隊の多数の地対艦・地対空ミサイル部隊のみならず、地上発射型トマホークも多数の配備が予定されている。「海兵隊作戦コンセプト」、「海洋プレッシャー戦略」においても、この海兵隊の新たな再編と第1列島線へのミサイル部隊投入プランは、具体的であり、必至の状況だ（次頁図は、ＣＳＢＡが提言するトマホークなどの配備プラン）。

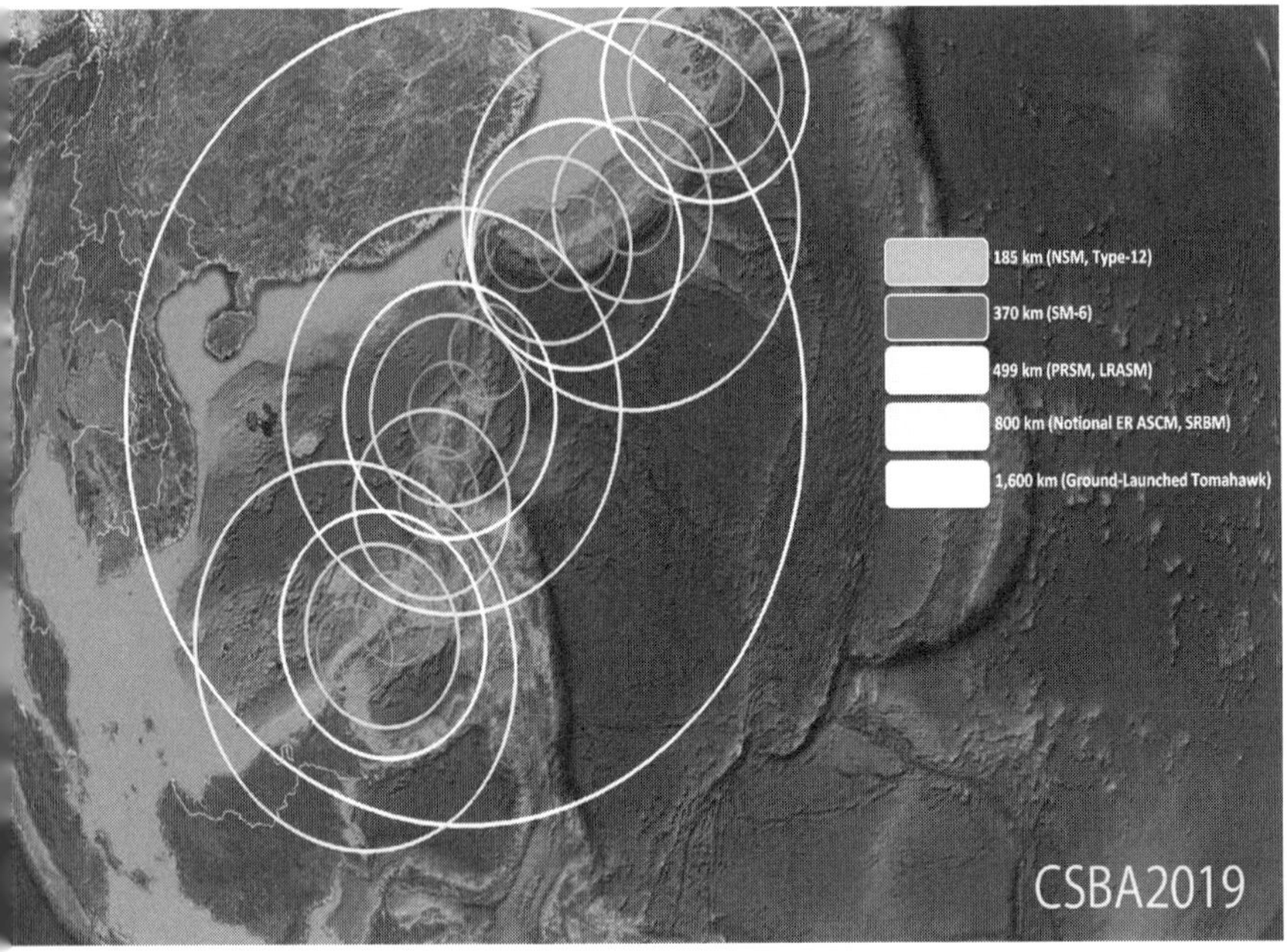

しかも、この海兵隊のミサイル部隊投入の中心は、在沖縄駐留の海兵隊を軸に行うものであり（海兵沿岸連隊）、この沖縄本島駐留の海兵隊の新たな強化を媒介に、琉球列島全体にわたって米軍のミサイル部隊配備が計画されているのである。

だが、沖縄の海兵隊については、１９９６年の「沖縄における特別行動委員会」（ＳＡＣＯ）に基づく、「再編実施のためのロードマップ」（２００６年）によって、在沖海兵隊要員約８千人とその家族９千人は、グアムに移転する予定であった。この在沖駐留海兵隊のグアム移転問題は、その後の情勢下では、不可避的に進むものと思われ、実際に日本政府の移転費用の分担も含め、米海兵隊のグアム移転は、今現在も進行しているのである。

ところが、ここ数年、「フォース・デザイン２０３０」を含め、米海兵隊の新たな戦略構想として打ち出された琉球列島――第１列島線への地対艦・地対空ミサイル部隊などの配備は、見てきたように、この間のＳＡＣＯやロードマップを無視するばかりか、在沖米軍・在沖海兵隊の大幅な増強までも打ち出している。そして、この海兵隊の大再編は、Ａ２／ＡＤ対処という口実を持ち出しているが、その内実は「海兵隊のリストラ対策」と言わねばならない。海兵隊司令官バーガーも言明しているように、強襲上陸作戦を中心に編成されてきた海兵隊は、もはや古びた、使いようのない部隊でしかないということだ。

戦後、米海兵隊は、多数の強襲上陸作戦を行ってきたのは事実だが、それらの作戦の全ては、非対称的な小国を相手にした戦闘に他ならない。海兵隊が戦後行ってきた本格的な強襲上陸作戦は、あの朝鮮戦争下の仁川作戦が最後である。アフガン戦争、イラク戦争などの大規模戦争において**海兵隊が行った作戦は、米陸軍と同様の大規模部隊の上陸であり、戦闘**であったのだ。つまり、海兵隊は、単なる地上軍・陸軍としての存在でしかなかったのだ。

いわば、中国などの大国の軍事力を相手にしての（Ａ２／ＡＤ環境下）、海兵隊の強襲上陸作戦などは、もはや全滅行為に他ならない。実際、海兵隊の新たな作戦である「遠征前方基地作戦」においては、強襲上陸については、上陸地点から約４００海里（約７４０キロ）の沖合での海兵隊部隊の「発進」が予定されているが、この距離においてさえ、海兵隊の安全は保証されないのだ（陸自の12式地対艦ミサイルの射程は、現在約200キロであるが、陸自はすでにこのミサイルの射程距離を約400キロに改良する開発を決定、さらに900キロの射程にする改良計画を表明）。

米海兵隊のリストラは、アメリカ本国でも、たびたび政治問題になっているが、対中脅威論キャンペーン下の南西シフトが、このような米海兵隊の第1列島線配備という新たな強化策――生き残り策となっていることを認識しなければならない。

米陸軍ミサイル部隊の第1列島線配備

米海兵隊の第1列島線配備については、叙述してきたように日本でも問題になってきたが、米陸軍の第1列島線配備については、日本でも認識がほとんどなされていないかも知れない、しかし、米陸軍の第1列島線配備は、おそらく、米海兵隊のそれよりも先行して行われる可能性がある。

すでに筆者は、クレピネビッチ提言による、米陸軍の第1列島線配備問題を取り上げてきたが（海洋プレッシャー戦略ほか）、それは「米軍の地上戦力・地上軍は、第1列島線上の防衛に貢献できる」として、「米陸軍は第1列島線上に地対艦ミサイルを配備」するとともに、「島嶼戦争で海峡封鎖の機雷戦・魚雷戦に貢献」できるというものであった。

だが、米陸軍は、この提言以前から独自の第1列島線配備についての戦略を打ち出してきた。

その始まりが、２０１４年版「陸軍作戦コンセプト」（ＡＯＣ）の提示である。ここでは、「陸軍の作戦は、本質的にクロスドメイン作戦である」とした上で、米陸軍が「陸上から海洋、航空、宇宙、サイバードメインに対して戦力投射を行うことを通じて、統合戦力の移動と行動の自由を支援」することが強調されている。

この「陸軍作戦コンセプト」以後、２０１７年には、米陸軍・海兵隊の共同構想として「マルチドメイン・バトル」（ＭＤＢ）が発表されている。しかし、このＭＤＢは、２０１８年からは陸軍だけの構想「マルチドメイン・オペレーション」（ＭＤＯ）へと発展している。米海兵隊についてはは見てきたとおりだ。

ＭＤＯは、マルチドメイン——多領域・全領域で、同時進行での作戦遂行を想定——陸上、海上、航空等の物理的な環境だけでなく電子戦やサイバー攻撃、情報作戦と、作戦領域は宇宙にまで広がる。つまり、軍の垣根を越える、多様な作戦領域の能力を統合し、同時進行できる作戦能力を形成するとしている。

このＭＤＯ構想下で編成されるのが、マルチドメイン・タスクフォース「多領域任務部隊」（ＭＤＴＦ）であり、これらは、特別部隊として、「電子戦やサイバー攻撃、情報作戦、およびミサイル能力を有する部隊」として運用され、長距離精密兵器、極超音速ミサイル、精密ストライク・ミサイルなどの装備を保有するとしている。

また米陸軍は、「米陸軍マルチドメイン戦闘団」を最小限２個新設する計画があり、新設される1個隊は、欧州、もう1個隊は太平洋地域に配置されるとしており、アメリカ陸軍のライアン・マッカーシー長官は、この戦闘団は２０２２年に起ち上げるとしている。だが、その詳細はまだ明らかになっていない（日本・沖縄配備の可能性あり）。

さて、米陸軍の第1列島線配備が、米海兵隊よりもいち早く進んでいる証左が、米陸軍と陸自との「マルチ・ドメイン・オペレーション（ＭＤＯ）」による共同演習である。この演習が最初に注目されたのが、２０１８年6月から8月にかけて行われたリムパック（環太平洋合同演習）だ。

ハワイのカウアイ島の太平洋ミサイル射場、オアフ島のスコフィールドバラックス基地で行われたこの演習に参加したのは、陸自西部方面隊・第5地対艦ミサイル連隊などの約１００名で、12式地対艦ミサイルが派遣され、米陸軍との共同の対艦ミサイル実射演習を実施した。米陸軍は、ノルウェー製の対艦ミサイルであるナーバス・ストライク・ミサイル（ＮＳＭ）を装備した陸軍第17砲兵旅団等から約１００人が参加した。これは、新編の「多領域任務部隊」（ＭＤＴＦ）との共同訓練でもあった。

実際の射撃演習は、オアフ島沖の約90キロに「浮遊」する米軍戦車揚陸艦をミサイル攻撃し、陸自は1発が命中し、1発が外れた。ここで重要なのは、米陸軍と陸自という2つの部隊が、「マルチ・ドメイン・オペレーション」（ＭＤＯ）という作戦演習に参加するだけでなく、相互に地対艦ミサイルの実射演習を行ったという事実である。つまり、米陸軍の第1列島線配備態勢が、

実戦段階に入りつつあるということだ（上の写真は、リムパックで発射された米陸軍のナーヴァル・ストライク・ミサイル［ＮＳＭ］）。

このリムパック以前から、陸自は毎年のように米陸軍との実戦的な共同演習を行っている。その１つが、日米共同実動訓練「オリエント・シールド19」（２０１９年9月17日）である。この演習は、熊本県の大矢野原演習場で、「地上から艦艇を攻撃する戦闘訓練」として行われた。

米陸軍は、陸から艦艇を狙うミサイルを扱う部隊が参加し、高機動ロケット砲システム「ハイマース」（HIMARS）を、日本国内での共同訓練で初めて展開した。日本側は、西部方面特科隊などの「12式地対艦ミサイル」（ＳＳＭ）の部隊が参加した。この演習では、演習場を離島に見立て、攻めてくる艦艇から陸地を守る戦闘訓練を共同で実施したという（ハイマースは、対艦ミサイルに転用可能で、２０１６年から沖縄キャンプ・ハンセンの第12海兵連隊にも配備)。

陸自・西部方面隊は、同演習について次のように発表している(西部方面隊サイト)。

「本訓練の特色は、領域横断作戦に必要な能力の獲得・強化を目的とした初の試みであり、米陸軍ＭＤＴＦとの共同作戦における連携要領等を、指揮機関訓練及び実動訓練を通じて演練・検証しました。訓練を通じて、日米の編成・装備を駆使した『領域横断作戦』と『マルチドメイン・オペレーション』に基づく共同対処の一手順を具体化しました」

このように、米陸軍は、最近自衛隊との協力を重視しており、また、西太平地域の島嶼での作戦や沿岸部からの対艦戦闘能力の向上に重点をおき始めている。

２０２１年７月に行われた「オリエント・シールド21」では、米陸軍はパトリオット対空ミサイルを奄美大島に展開し、「ハイマース」を米本土から北海道の矢臼別演習場に展開、陸自の多連装ロケットシステムと共同の実弾射撃を行ったのである。


さて、米陸軍の第1列島線へのミサイル配備でもう1つ重要な問題が、ＩＮＦ条約廃棄後に急速に開発されつつある中距離ミサイルの配備だ。琉球新報などの報道では、この中距離ミサイルの配備は、沖縄島から九州・北海道にかけて行われる可能性があるという。

おそらく米軍の中距離ミサイル配備については、米陸軍部隊の担当となるだろう。マルチドメイン・タスクフォースの編成では、「長距離精密兵器、極超音速ミサイル、精密ストライク・ミサイルなどの装備」としている。ここには、中距離ミサイルはもとより、米中日露で開発競争を進めている「極超高速滑空弾」の配備も予定されている（中距離ミサイル問題は別章で叙述）。

第4章　自衛隊の南西シフトの始動と態勢

南西シフトの始動

創設以来、一貫して「ソ連脅威論」によって戦力を見積もり、増強してきた自衛隊は、1989〜91年の東西冷戦の終了の中で、仮想敵を喪失してしまった。この状況の中、アメリカを中心とした世界は、「平和の配当」を求める人々によって、大幅な軍縮を迫られることになる（米軍は軍事費25％の削減）。しかし、日本では、軍縮の声はほとんどどこからも聞こえず、それどころか、軍事費の増額さえ行われた。

軍隊は、いずれの時代も自らの存続のため、「新たな脅威」を見いだす。その典型が東西冷戦終焉後の、1990年代初頭のアメリカによる「地域紛争論」だ。

確かに、このアメリカの「地域紛争論」を利するような紛争が勃発した。1991年のイラクのクウェート侵攻——湾岸戦争である。まさしく、この戦争を奇貨として、米軍は息を吹き返したが、自衛隊もまた、「天佑到来」とばかりに軍事力の強化に突き進み始めた。

93〜94年の「朝鮮半島危機」、96年の「台湾海峡危機」は、このような冷戦後に軍縮を強いられつつあった軍部勢力の「演出」であったと言っても過言ではない。

それまで、戦後一貫して「北方シフト」態勢を敷いてきた自衛隊は、この東西冷戦後、「西方シフト」に転換し始めたが、その西方シフト——朝鮮半島危機への対処は、なし崩し的に「変容・頓挫」していった。要するに朝鮮半島危機というのは、仮にその事態が生じたとしても、自衛隊の任務は、米軍の「後方支援」以上の仕事はないということであり、対ソ戦略で作られた強大な戦力を維持し、強化するには、朝鮮民主主義人民共和国（以下、朝鮮ないしＤＰＲＫと称する）の軍事力は、あまりにも非対称的戦力であった(後述の１９９７年改訂日米ガイドラインでの、「朝鮮危機」対処で具体化した自衛隊の新任務は、「武装難民に偽装した武装ゲリラ対処」という荒唐無稽のものであった)。

この状況の中、当時、日本の支配層に広がったのが「日米安保体制の漂流」である。日米安保体制が対象とした「ソ連の崩壊」という状況は、いわゆる「仮想敵」を消失してしまったのであるから、当然、その存在意義は失われる。

この安保体制の危機の中で、１９９６年、クリントン大統領と橋本首相（当時）の日米首脳会談で「日米安保再定義」が行われた。この「再定義」での大きな変化は、従来の日米安保の適用対象・範囲を「極東」から「アジア太平洋地域」へと拡大することにあった。つまり、戦後日米安保の最大の対象であったソ連が崩壊したことで、「極東」地域への安保適用は意味を喪失し、変わってその対象が「アジア太平洋」地域へと変質・拡大したということだ。このことは、以後、日米安保が世界大へ広がる大きな転機となったのである。

こうした「日米安保再定義」に基づき、翌1997年「日米防衛協力のための指針」（日米ガイドライン）の改定が行われた。ガイドラインの改定は、1978年以来の出来事である。

また、日米安保再定義に基づく新ガイドライン態勢下では、新たに「周辺事態対処」（アジア太平洋）を目的とする「周辺事態法」が制定された。この周辺事態法を始めとして、政府・自衛隊は、武力攻撃事態対処法などの有事3法を次々と成立させ（2003年）、以後、国民保護法・米軍行動円滑化法・捕虜取扱法などの有事関連7法を成立（2004年）させていくのである。

つまり、東西冷戦の終焉という事態――ソ連脅威の消失という事態（本質的には、朝鮮半島を含む東アジアでの脅威の喪失）を、アメリカは新たな「地域紛争の脅威」という「演出」で乗り切ろうとしてきたのだ（この周辺事態―地域紛争対処に、中国は対象化されていない。中国は、1970年代の日中・米中国交回復以後、アメリカにとっては「対ソ准軍事同盟」として位置づけられていた）。

ところで、2000年代初頭のこの情勢下、自衛隊が初めて「島嶼防衛」について公にしたのは、2004年に発行した陸自幕僚監部の『陸上自衛隊の改革の方向』と題する文書である。

「改革の方向」は、東西冷戦後の自衛隊のあり方として、「部隊配置を見直し」し、「配備の地理的重点正面を北から南、東から西へと変更します。特に、北海道に所在する部隊の勢力を適正な規模にするとともに、日本海側及び南西諸島正面の配備を強化して、今まで相対的に配備の薄かった地域の部隊を充実します」と述べている（傍点筆者）。

つまり、自衛隊全体が、北方重視戦略から西方重視戦略→南西重視戦略へと全面的に転換することを言明している。この文書には、「南西諸島正面の配備を強化」という以外の記述はないが、同年公開された「『防衛力の在り方検討会議』のまとめ」（04年11月。2004年「防衛計画の大綱」の原案）という文書には、もう少し詳しい記述がある。

「従来陸上防衛力の希薄であった地域（南西諸島・日本海側）の態勢強化」について、「沖縄本島は九州から約500㎞離れ、沖縄本島から最南西端の与那国島では約500㎞に渡り多数の島嶼が広がっている。また、南西諸島は近傍に重要な海上交通路や海洋資源が所在する戦略上の要衝となっている。海上交通路を確保するためには、南西諸島の防衛態勢を強化し、島嶼部への侵略等の多様な事態に的確に対処できる体制を構築することが必要」と（傍点筆者）。

以上の「南西諸島配備」について記述されているのは、いずれも当時の防衛庁「内部文書」であるが、防衛庁・自衛隊が、初めて公に「南西諸島配備」に触れたのが、2004年の「防衛計画の大綱」である。大綱はその冒頭のところで、「我が国に対する本格的な侵略事態生起の可能性は低下する」が、「新たな脅威や多様な事態に対応」することが求められているとして、この新たな脅威として、「弾道ミサイルへの対応」「ゲリラや特殊部隊による攻撃への対応」「島嶼部に対する侵略への対応」などを挙げている。そして、「島嶼部に対する侵略への対応としては、部隊を機動的に輸送・展開し、迅速に対応するものとし、実効的な対処能力を備えた体制を保持する」と、ここで初めて公に南西シフトを表明している。だが、この段階での島嶼部への対処方針は、部隊の常駐ではなく「機動的に輸送・展開」である（傍点筆者）。

そして、このような「南西諸島防衛論」の全面化の背景説明として、いよいよ「中国脅威論」が唱えられ始められていく。「この地域の安全保障に大きな影響力を有する中国は、核・ミサイル戦力や海・空軍力の近代化を推進するとともに海洋における活動範囲の拡大などを図っており、このような動向には今後も注目していく必要がある」と。

さらに、この新防衛大綱と連動して発表された、２００５年の日米合意文書「日米同盟未来のための変革と再編」（沖縄米軍基地に関する「再編実施のための日米のロードマップ」も発表）では、この中国脅威論が一段と強調されていくのだ。

「安全保障協議委員会の構成員たる閣僚は、新たに発生している脅威が、日本及び米国を含む世界中の国々の安全に影響を及ぼし得る共通の課題として浮かび上がってきた、安全保障環境に関する共通の見解を再確認した。また、閣僚は、アジア太平洋地域において不透明性や不確実性を生み出す課題が引き続き存在していることを改めて強調し、地域における軍事力の近代化に注意を払う必要があることを強調」と（傍点筆者）。

「地域における軍事力の近代化」とは、明らかに中国を指している。

さて、問題は、この時期における政府・防衛庁内の南西シフトに関する論議が、どこまで自衛隊の戦略・態勢に表れていたのか、ということだ。重要なのは、この表向きの論議とは裏腹に、自衛隊の行動は遥かに進んでいたということである。

この表れの1つが、2002年3月に発足した、「西部方面普通科連隊」という部隊だ。この部隊は、長崎県の相浦駐屯地にレンジャー部隊を基幹として作られた特殊部隊、緊急展開部隊である。今日、この部隊は水陸機動団として知られているが、当初から「離島防衛」を目的として創設されたのである（写真は、佐世保市内を行進する当時の「西部方面普通科連隊」）。

もう1つの問題が、自衛隊の戦略態勢・作戦計画に関わるものだ。これは、拙著『オキナワ島嶼戦争』でも紹介したが、この時代に自衛隊の南西シフトの作戦計画がどのように作成されていたのかを示す、非常に重大な記録であるから、再掲したい。

2005年9月26日付朝日新聞は、朝刊1面トップで「**陸自の防衛計画判明『中国の侵攻も想定』北方重視から転換**」というスクープ記事を、大々的に報じた。

２００５年というこの時期に、「中国の侵攻も想定」という大見出しだけで、多くの読者は度肝を抜かれたと思うが、筆者が驚いたのは、前者の「防衛計画判明」というタイトルの方だった。というのは、「防衛及び警備計画」（正式名）とは、自衛隊が最高機密に指定した文書であり、通常、このような機密文書は、内容はもとよりその存在自体も秘密扱いだ。特定秘密保護法が成立した現在では、この最高機密文書の漏洩は、メディア関係者でも重刑だが、この法律が制定されていない当時でも、本来、秘密漏洩の重刑は免れ得なかっただろう。

この「防衛警備計画」について少し説明すると、自衛隊では、統合幕僚監部が３年に１度策定する「統合防衛及び警備基本計画」が最高レベルの作戦計画であり、特定秘密にも指定されている。これに基づいて、陸海空３幕僚監部は「防衛及び警備計画」を作成するが、陸自の５つの方面隊、海自の自衛艦隊、空自の航空総隊など主要部隊も、各幕の計画に沿ってそれぞれ作成する。これをかつては「年度の防衛、警備等に関する計画」と称しており、自衛隊内では「年防」と呼ばれる極秘文書である。

朝日新聞の言う「防衛計画」は、間違いなく陸海空の幕僚監部が作成する「防衛及び警備計画」であるが、問題はこのような自衛隊の最高の機密文書が、なぜ報道されたのか？　それは朝日新聞の本当のスクープであるのか？　漏洩なのか？　ということだ。

仮に、この機密文書が朝日の漏洩だとするなら、直ちに関係箇所へ自衛隊警務隊や検察庁の捜査・取り調べが開始される。ところが、この報道以降、検察や警務隊などの捜査・取り調べが始まっているということも、何らかの調査をしているということも全く聞かない。

つまり、この朝日新聞の記事は、自衛隊サイドの「意図的漏洩」であり、残念ながらその意図的漏洩に報道機関が利用されたということだ。

そして、もっとも重大なのは「中国の侵攻も想定」という、報じられたその作戦計画の内容である。朝日新聞は、それを以下のように詳細に報じている。

この「防衛及び警備計画」(04～08年度)においては、北朝鮮、中国、ロシアを「脅威対象国」と認定している。「脅威対象国」とは、いわゆる仮想敵国のことだ。この仮想敵国の日本攻撃の可能性について、北朝鮮は「ある」、中国は「小さい」、ロシアは「極めて小さい」、「国家ではないテロ組織」による不法行為は、可能性が「小さい」とされている。

だが、報道の中心は、「小さい」とされる「中国の脅威」について書かれている。その中国については、どのように想定されているのか。
①日中関係悪化や尖閣諸島周辺の資源問題が深刻化し、中国軍が同諸島周辺の権益確保を目的に同諸島などに上陸・侵攻。
②台湾の独立宣言などによって中台紛争が起き、介入する米軍を日本が支援したことから、中国軍が在日米軍基地・自衛隊施設を攻撃。
この想定される事態においては、中国側が1個旅団規模で離島などに上陸するケース、弾道ミサイル・航空機による攻撃、都市部へのゲリラ・コマンドゥ(約2個大隊)攻撃なども予想されている。

そして、この事態への自衛隊の対処方針については、尖閣諸島などへの上陸・侵攻に対しては、九州から沖縄本島、石垣島など先島諸島へ陸自の普通科部隊を移動し、上陸を許した場合は、海自・空自の対処後、陸自の掃討作戦によって「奪回する」としている。

また、「中台紛争」下の、中国軍による在日米軍基地・自衛隊施設への攻撃に対しては、先島諸島に基幹部隊を「事前に配置」し、状況に応じて九州、四国から部隊を転用する。都市部へのゲリラなどの攻撃に対しては、北海道から部隊を移動させ、国内の在日米軍基地などの警　護のために特殊作戦群の派遣も準備するという。

後述するが、この「防衛及び警備計画」には、２０００年に改訂された陸自『野外令』の「離島の防衛」作戦の内容が、具体的に記述されている。『野外令』において、自衛隊では初めて策定された「上陸作戦」などについてである。

問題は、先の「防衛計画の大綱」などの南西シフトの記述に遥かに先行し、制服組による「対中戦争計画」が、見事に作成されていることだ。「上陸・侵攻に対しては、九州から沖縄本島、石垣島など先島諸島へ陸自の普通科部隊を移動」としている。この２００４年の状況下では、先島などへの部隊常駐ではなく「有事展開」としているのである（以上傍点筆者）。

いずれにしろ、ここに表れているのは、２０００年『野外令』の改訂後、自衛隊、とりわけ制服組が、着々と琉球列島の軍事戦略である「島嶼防衛戦」を具体的に策定し、「防衛及び警備計画」にまでそれを組み込んだということ、作戦化＝実戦化していたということだ。

私たちが根底から認識すべきことは、このような制服組の驚くべき「世論工作」、つまり、最高機密を「漏洩」してまで行う世論工作（南西シフトの認知）が、この時期にすでに始まっていたということである。

（注　この意図的「機密漏洩」による世論工作という問題だが、自衛隊はこのような世論工作を80年代から一貫して行ってきたことが知られている。80年代初頭、ソ連のアフガン侵攻後のソ連脅威論キャンペーンが繰り広げられる中、制服組ＯＢを軸に「日ソ戦わば」などの書籍が多数出版されたが、同時にジャーナリストへの工作も活発化した。ある著名なジャーナリストは、当時の週刊誌に暴露しているが、「自分の所に自衛隊の担当者が来て、十数センチにも上る防衛秘密文書を提示して、これで「ソ連が攻めてくる」という本を書いてください」と言ってきた、と。こういう自衛隊の工作の例は、他にも筆者は見聞きしている。この中で「転んだ」ひとりが、軍事アナリスト・小川和久だ。）

陸自『野外令』の大改訂

自衛隊の南西シフトの始まりを、いつからとすべきか。筆者は、その始まりを２０００年における陸自の『野外令』の大改訂であると断言する。既述のように、陸自『野外令』には「離島の防衛」「上陸作戦」という、自衛隊においては耳にしたことのない、初めての作戦が記述されている。問題は、この陸自『野外令』の「離島の防衛」などは、何に基づいて策定されたのか、ということだ。

これに関する、公開された文書は存在しないが、この『野外令』の根拠となったのは、1997年の日米ガイドライン、つまり、米軍との共同の作戦計画が元となったことは疑いないだろう。いわば、日米安全保障協議委員会（2＋2）や日米の制服組の協議などを経て、事実上の「対中国作戦計画」が計画され、策定されたのである。そして、この陸自『野外令』改定自体もまた、そのような日米の制服組同士の協議の結果である。実際に、この2000年作成の新『野外令』には、本格的な「日米共同作戦」の規定が明記されている。

さて、この『野外令』について、少し補足説明をしておこう。『野外令』は、陸自の全ての教範（教科書）の最上位に位置し、この教範に基づいて全ての教範が制定される。例えば、2013年制定の教範『離島の作戦』は、『野外令』の中の「離島の作戦」（第5編第3章第4節）の具体化である。

教範『野外令』については、陸上幕僚監部による「野外令改正理由書」では、以下のように説明されている。「野外令は、その目的は、教育訓練に一般的準拠を与えるものであり、その地位は、陸上自衛隊の全教範の基準となる最上位の教範である」と。これは、旧日本陸軍でいえば『作戦要務令』にあたる。

また、この『野外令』の自衛隊内の位置付けだが、その冒頭の「はしがき」には、「本書は、部内専用であるので次の点に注意する」とし、「用済み後は、確実に焼却する」と。つまり、新『野外令』は、旧『野外令』と異なり、部内においてのみ利用閲覧するという、事実上の「秘」文書の扱いとなったのである（旧野外令は報道記者には公開されていた）。

そして、前記「改正理由書」は、その改定理由について、「旧令で主として対象としていた特定正面に対する強襲着上陸侵攻のほか、多数地点に対する分散奇襲着上陸侵攻、離島に対する侵攻、ゲリラ・コマンドウ単独攻撃及び航空機・ミサイル等による経空単独攻撃の多様な脅威への対応が必要になった」「離島に対する単独侵攻の脅威に対応するため、方面隊が主作戦として対処する要領を、新規に記述した」と特筆している。

つまり、この『野外令』において、自衛隊創設以来初めて「方面隊が主作戦として対処」する「島嶼防衛作戦」が策定され、任務化されたということだ。また、島嶼防衛作戦と同時に、これも自衛隊史上初めてという「上陸作戦」という戦略・運用が策定されたのである。

このような『野外令』の「離島の作戦」においては、現在自衛隊「島嶼戦争」の作戦の根幹である「事前配置による要領」「奪回による要領」などの基本的作戦が、すでに記述されている。

そして、『野外令』のもう1つの重要な改定は、冷戦時代の自衛隊では概念さえなかった「上陸作戦」が策定されたことだ。これは、「奪回による要領」の中で記述されている。すなわち、「敵の侵攻直後の防御態勢未定に乗じた継続的な航空・艦砲等の火力による敵の制圧に引き続き、空中機動作戦及び海上輸送作戦による上陸作戦を遂行し、海岸堡を占領する」と。

繰り返しになるが、重大なことは、こうした陸自『野外令』による離島防衛―島嶼防衛戦、上陸作戦などの策定が、先島―琉球列島への自衛隊配備の始まる18年も前に（２０００年）、すでに日米の制服組の主導下において、東西冷戦後の新たな日米戦略として打ち出されていたということだ。

（注　陸自『野外令』は、現在自衛隊では防衛省担当記者にさえ非公開だ。筆者は、情報公開法制定直後、情報公開請求して全文公開［黒塗りなし］をさせたが、これには理由がある。請求直後、中谷防衛庁長官［当時］による「情報公開リスト事件」が発覚し、筆者もこの対象になり、その鎮火のために筆者に公開したというわけだ。状況が落ち着くと、防衛庁は「あの文書は間違って公開したので返して欲しい」と言ってきたが、一旦公開してきたものを返すわけがない！　この『野外令』の「離島の作戦」などの当該箇所は『自衛隊の島嶼戦争』［社会批評社刊］に全文収録。）

「日米の『動的防衛協力』」による南西シフト

前記のような、日米制服組による内密の南西シフトとして策定された計画が、公然として始まるのは、２０１０年の「防衛計画の大綱」の改訂であり、２０１２年の統合幕僚監部による「日米の『動的防衛協力』について」（部内秘文書で非公開）において、である。

しかし、２０００年代初頭に計画された南西シフトが、なぜこうまで遅れてしまったのか。この理由はシンプルだ。頼みの米軍が、アフガン、イラク戦争の泥沼から抜け出せなかったからである。すでに明記してきたように、アメリカのイラク戦争などへの一定のメドがたった２０１０年のＱＤＲ、そして、それと連動した同年の「防衛計画の大綱」での策定を経て、自衛隊の南西シフトは公開され、始動するのである。

ただし、ここで公開されたのは、「離島の防衛」の必要性ということだけであり、南西シフトの具体的態勢――その部隊編成・規模・配備場所・時期などについては、一向に公開されることはなかったのだ（筆者は、２０１６年、防衛省に「南西シフトに関する全文書」の情報開示を求めたが、なんと提出されたのは、「1点13頁」の文書だけである！）。

さて、この自衛隊の南西シフトにおける、もっとも重要な策定文書は、２０１２年７月の「日米の『動的防衛協力』について」（統合幕僚監部防衛計画部作成）である（文書は「取扱厳重注意」）。

この統合幕僚監部の文書は、「動的防衛協力」と「別紙第2」の、「沖縄本島における恒常的な共同使用に係る新たな陸上部隊の配置」という2つの文書からなる（全文19頁）。

なお、これら統幕文書は、筆書への情報開示では、全文がほとんど黒塗りであったが、２０１８年３月、日本共産党の国会質問で、「一市民への開示において同文書の改竄がある」と質問され、問題になった。その後、全文が同党によって公開された（「一市民」とは筆者のこと）。

まず、「動的防衛力」文書の重大さは、公開された文書の図を見れば一見して明らかである。文書は、見ての通り、正面から「対中防衛の考え方」を表示している。「平時の抑止」においては、「米軍との緊密な連携により、中国の影響力拡大を抑制」し、「中国の東シナ海の海洋権益を抑止」

すると（下図、次頁図）。また、「中国のＡ２・ＡＤ能力に対抗し西太平洋での日米の活動を活発化する」、さらに、「有事の対処」としては、「日本の主体的行動及び米軍との共同作戦をもってこれを阻止」し、「米軍の来援基盤の確立を推進し米軍との共同対処」をすると。

この文書は、明らかなように「対中防衛」をはっきり宣言するとともに、公然と対中の日米共同作戦（戦略的にはＡ２／ＡＤ戦略）を策定した文書である。

「動的防衛力」文書のもう1つの重要性は、別紙「沖縄本島における恒常的な共同使用に係る新たな陸上部隊の配置――南西地域における陸上部隊の配置の考え方」（55頁図参照）にあるように、東シナ海での日米の「戦略的プレゼンスの発揮」を謳った文書であることだ。

ここには、自衛隊の南西諸島配備によって「緊

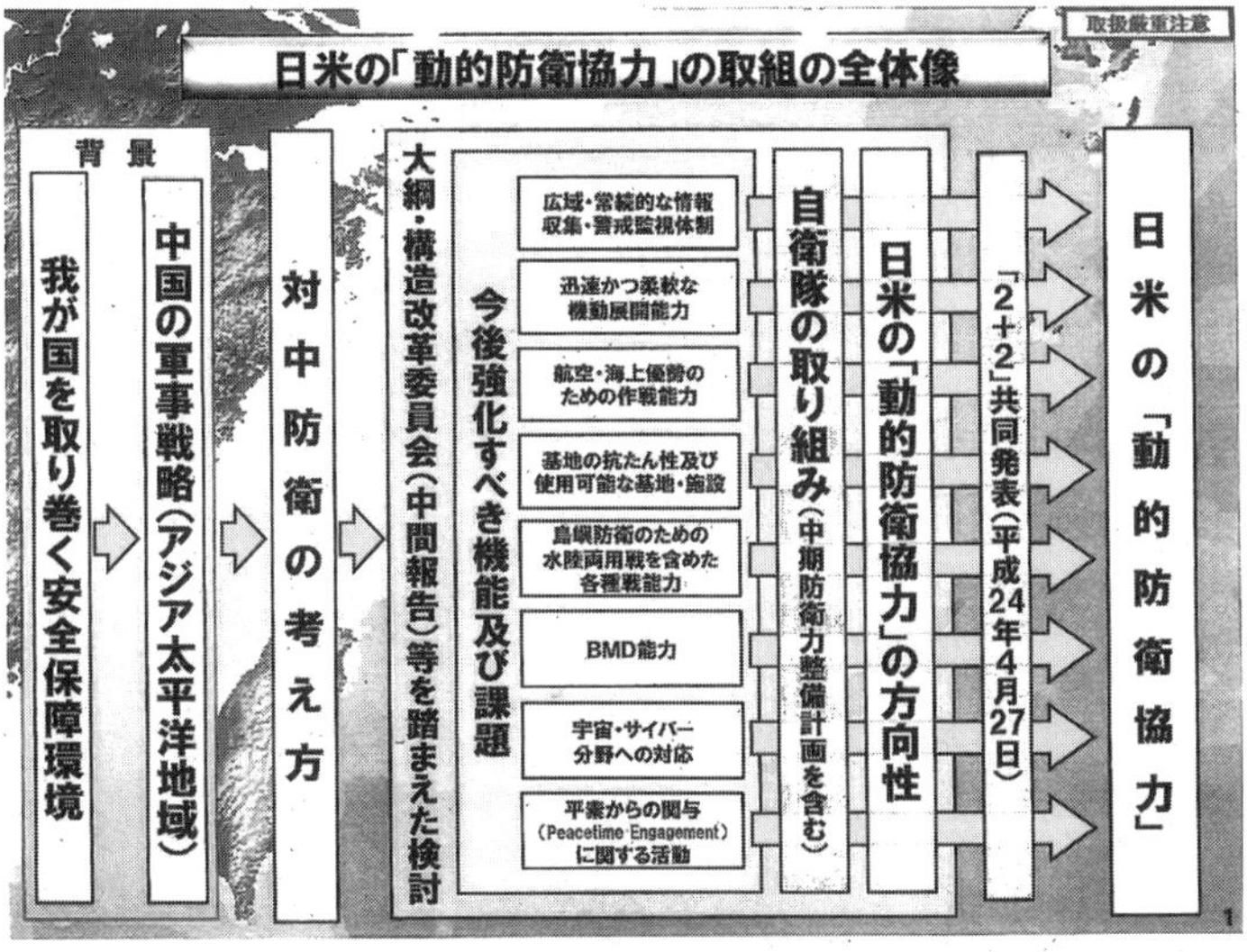

急展開能力」「基盤防衛能力」「兵站基盤」「水陸両用戦能力」を確保することともに、有事に一旦、グアム以遠に撤退した米空母機動部隊が、戦闘の推移によって自衛隊の作戦に参戦する図が描かれている。

そしてまた、ここには、与那国島・石垣島・宮古島には「初動対処」部隊が配備され、沖縄本島からはこの初動対処部隊を支援する「緊急展開」部隊が配備されるとともに、「緊急展開および奪回」部隊として「西部方面普通科隊連隊」と「海兵隊ⅢMEF」「31MEU」が明記されている。つまり、日米の海兵隊による緊急展開と島嶼奪回作戦が策定されているということだ（傍点筆者）。

また、強調すべきは「戦略的対中プレゼンス」を強化するために、沖縄の全米軍基地の日米共同使用が明確に打ち出されたこ

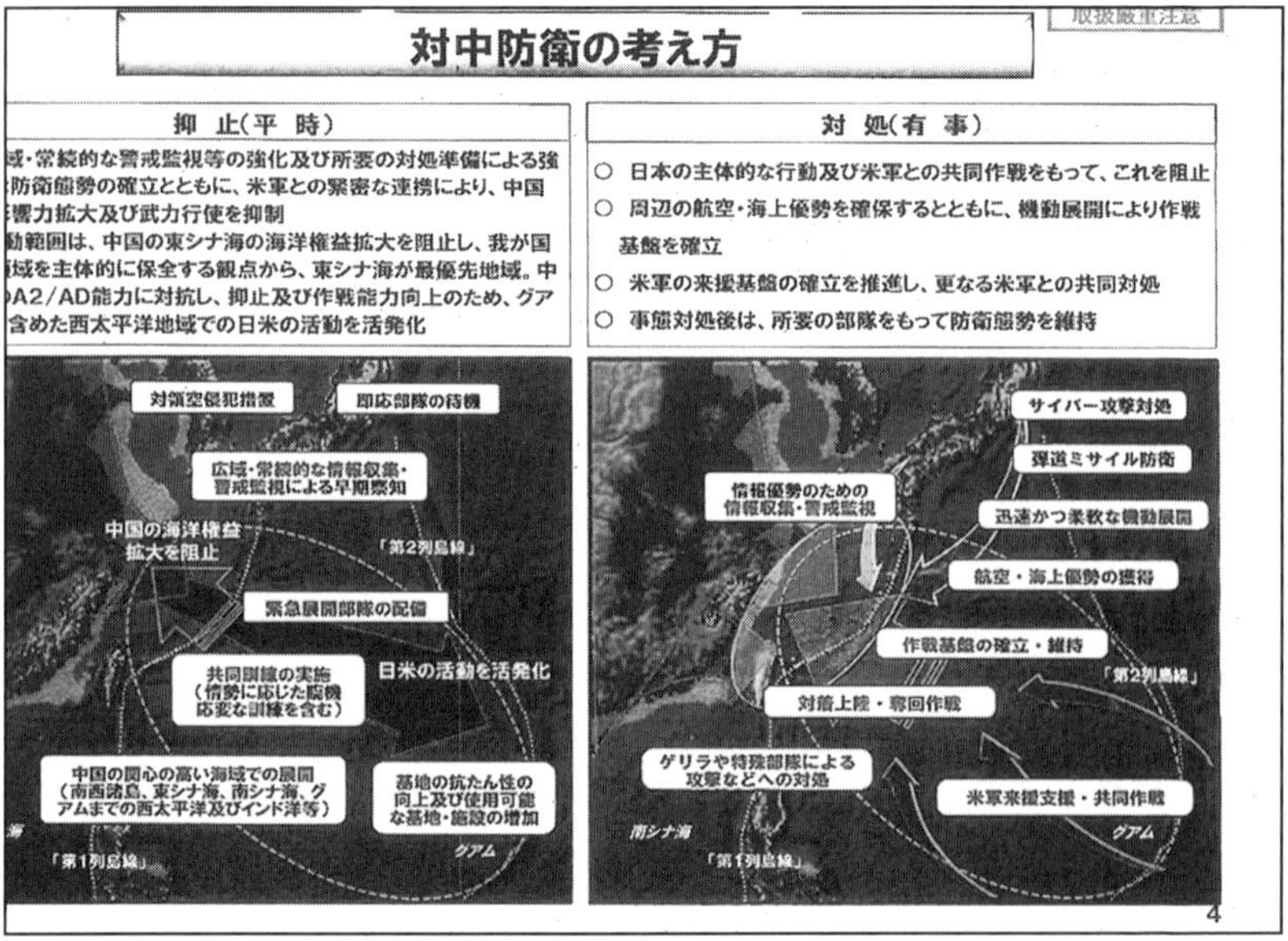

取扱厳重注意
対中防衛の考え方
抑止(平時)
域・常続的な警戒監視等の強化及び所要の対処準備による強
防衛態勢の確立とともに、米軍との緊密な連携により、中国
響力拡大及び武力行使を抑制
動範囲は、中国の東シナ海の海洋権益拡大を阻止し、我が国
域を主体的に保全する観点から、東シナ海が最優先地域。中
A2/AD能力に対抗し、抑止及び作戦能力向上のため、グア
含めた西太平洋地域での日米の活動を活発化
対処(有事)
○ 日本の主体的な行動及び米軍との共同作戦をもって、これを阻止
○ 周辺の航空・海上優勢を確保するとともに、機動展開により作戦基盤を確立
○ 米軍の来援基盤の確立を推進し、更なる米軍との共同対処
○ 事態対処後は、所要の部隊をもって防衛態勢を維持
対領空侵犯措置
即応部隊の待機
広域・常続的な情報収集・警戒監視による早期察知
中国の海洋権益拡大を阻止
「第2列島線」
緊急展開部隊の配備
共同訓練の実施（情勢に応じた臨機応変な訓練を含む）
日米の活動を活発化
中国の関心の高い海域での展開（南西諸島、東シナ海、南シナ海、グアムまでの西太平洋及びインド洋等）
基地の抗たん性の向上及び使用可能な基地・施設の増加
「第1列島線」
グアム
サイバー攻撃対処
弾道ミサイル防衛
情報優勢のための情報収集・警戒監視
迅速かつ柔軟な機動展開
航空・海上優勢の獲得
作戦基盤の確立・維持
「第2列島線」
対着上陸・奪回作戦
ゲリラや特殊部隊による攻撃などへの対処
米軍来援支援・共同作戦
南シナ海
「第1列島線」
グアム
4

取扱厳重注意

日米の「動的防衛協力」の取組

日米の「動的防衛協力」

□ 共同使用・共同訓練・共同の警戒監視等の拡大の基本的な考え方
- ○ 共同使用：抑止力の強化、南西地域に対する即応態勢の強化、訓練環境の向上及び自衛隊の運用基盤の拡大化のための拡大
- ○ 共同訓練：戦術技量・相互運用性の向上、抑止力の強化のための拡大
- ○ 情報収集・警戒監視：事態に対する迅速な対応、情報優勢の獲得及び抑止力の強化のための日米の能力を互いに補完し合う拡大

} 3者を併せて拡大し、相乗効果を企図

○ 警戒監視活動における協力の強化（平素からの情報共有メカニズムの強化、アセットの割当等） →SF司令部における日米連携メカニズムの強化 【グアムの活用】 ○ 警戒監視等（UAV等）での活用の検討	○ 部隊配置としての共同使用 ・ 陸自部隊（沖縄本島：1コiR） →キャンプシュワブ　キャンプハンセン ・ 新たな司令部等 →キャンプコートニー	○ 訓練場としての共同使用 ・ 艦対地・空対地射撃訓練 →沖大東島射爆場 ・ 艦対空射撃訓練 →HH水域及びMM水域 ・ 空対地爆撃訓練 →鳥島射爆撃場　出砂島射爆撃場 ・ 離発着訓練 →伊江島補助飛行場 ・ 対戦闘機戦闘訓練 →W空域（W-172、173、179、185） ○ 部隊配置としての共同使用 ・ 空自部隊（一時的） →嘉手納基地 ○ 海自と米海軍との共同訓練の拡大（南シナ海を含めたアドホックな訓練） ○ 空自と米空軍等との共同訓練の拡大（米軍訓練移転等の活用） 【グアム等の活用】 ○ 共同使用・共同訓練 ・ 海自の訓練（水中処分訓練を含む）機会の拡大 →対潜訓練等各種訓練 →IED（即製爆発装置）処分訓練施設 ・ コープノースグアム等の共同訓練の拡大 ・ 恒常的な空自による訓練使用	○ 部隊配置としての共同使用 ・ 陸自弾薬支処 →嘉手納弾薬庫地区（エリア1） ・ 陸自兵站部隊 →キャンプハンセン ・ 海自弾薬支処 →嘉手納弾薬庫地区 ・ 空自弾薬支処 →嘉手納弾薬庫地区	○ 統合訓練 ・ キーンソード 機動展開から島嶼奪回作戦に至る一連の総合的な訓練（島嶼防衛、海上作戦、航空作戦、陸上作戦等） ・ ドーン・ブリッツ →西海岸でのⅠMEF・3艦隊との水陸両用訓練（陸海自）（統合訓練化検討中） ・ 米国共催の多国間訓練へ参加拡大 →CG訓練参加への質的拡大 →バリカタン演習への新規参加 ○ 陸自と米海兵隊との共同訓練の拡大 ・ ⅢMEFとの共同訓練 →南西諸島のHA／DR訓練 －県防災訓練等へ参加 －海自・米海軍の艦船と共同 →南西諸島の離島奪回対処訓練 －フォレストライトを活用 －キーンソードの枠組みを活用 －海空自、米海軍と共同 ・ ⅠMEFとの共同訓練 →アイアンフィスト（大隊級）へ参加 ・ RIMPACへの陸自部隊参加 ・ 日米豪のHA／DR訓練	○ 日米アセット及び情報共有等の日米対処能力の強化 ○ 迎撃ミサイルに関する日米共同開発 ○ 将来的な部隊配置としての共同使用 ・ 高射部隊（那覇からの移転） ○ 訓練場としての共同使用 ・ 上陸訓練 →中部訓練場（キャンプシュワブ／ハンセン） 津堅島（LST含む） 金武ブルービーチ（LST含む） ホワイトビーチ（LST含む） 伊江島補助飛行場 ・ 対ゲリラ戦訓練 →北部訓練場 ・ 降下訓練 →伊江島補助飛行場 【グアム等の活用】 ○ 共同使用・共同訓練 ・ 陸自部隊の使用 ・ 機動展開から島嶼奪回作戦に至る一連の総合的な訓練（島嶼防衛、海上作戦、航空作戦、陸上作戦等）	○ 宇宙分野におけるアセットの共有、宇宙状況監視のための枠作り ○ サイバー分野における脅威認識の共有、ネットワーク防護等に関する協力 ○ 米戦略軍への統幕連絡官の派遣	○ 寄港地の戦略的な選定（南シナ海周辺国等への寄港地の日米での協調した選定）

【凡 例】
赤字 ： 沖縄本島における恒常的な共同使用に係わる事項
緑字 ： グアム等における共同使用、共同訓練に係わる事項
紫字 ： 警戒監視等（グアム）の検討に係わる事項

6

とだ（上図）。具体的には、「訓練場としての共同使用」として「沖大東島射爆場・鳥島射爆場・伊江島補助飛行場」「北部・中部の訓練場」（いずれも米軍専用）。「部隊としての共同使用」として、「嘉手納基地・グアム基地」。「部隊配置としての共同使用」として、「陸海空自衛隊の弾薬支処として嘉手納弾薬庫」。「陸自兵站部隊としての共同使用」として、「キャンプ・ハンセン」などなどが、列挙されている。こうして見ると、新設されようとしている辺野古新基地の、日米共同基地化は必至ということだ（水陸機動団の辺野古新基地への配備の密約が報じられた！）。

　つまり、沖縄本島・離島・沖縄水域の、全米軍基地・訓練場・射爆場の、自衛隊との共同使用を通して「対中の戦略的プレゼ

ンス」を高める、というわけだ。これは、言うまでもなく、東シナ海での日本と中国の「島嶼戦争」態勢において、沖縄本島に駐留する米軍を巻き込む、戦争態勢に組み入れるということを意味する。いわば、この「島嶼戦争」の戦端が一旦開かれたら、先島――石垣島、宮古島などの先島のみならず、沖縄本島の米軍まで「自動的に参戦」する戦争態勢づくりが「動的防衛力」文書の、もう1つの狙いである、ということだ。

（注　この統合幕僚監部「日米の『動的防衛協力』について」は、２０１８年国会で、日本共産党が公開し質問したのにも関わらず、メディアは完全に無視した。そして、自衛隊の「陽動作戦」に引っかかった振りをした。というのは、この文書の暴露直後に、防衛省は要求もされていないスーダンＰＫＯに関する1万数千頁の文書（月報）を公開するという行動に出たのだ。事情通のマスコミ記者は、匿名で以下のように記述している。「（統合幕僚監部文書は）米軍頼みから自衛隊へと日本の防衛政策を転換させていく基点となる証文。自衛隊元将官は動的防衛力に関する文書の重要性をこう解説した。**日報が刺身のツマとすれば、動的防衛力の文書は刺身に相当する**」［雑誌『選択』２０１８年5月号］。この動的防衛力文書の存在を隠蔽したメディアの罪は重い。その理由は、明らかだ。「対中防衛」「対中の戦略的プレゼンス」を正面から打ち出した、政府・自衛隊の戦略を隠蔽することで、中国との対立を回避するという忖度を行ったということだ。また、元将官が統合幕僚監部文書を「**米軍頼みから自衛隊へと日本の防衛政策を転換させていく基点となる文書**」と明言していることにも注目しておくべき。）

「日米の『動的防衛協力』」による琉球列島の部隊配備

見てきたように、この「動的防衛協力」と「別紙第2」の「沖縄本島における恒常的な共同使用に係る新たな陸上部隊の配置」において、自衛隊は初めて南西シフトでの部隊配備計画を示した。もちろん、これは非公開である。

文書の「沖縄本島における共同使用の必要性」という図では（下図）、「本地域の主力戦闘部隊は、沖縄本島に所在する第15旅団の第51普通科連隊（約700名）のみであり、事態にシームレスに対応するためには、先島諸島に1個連隊規模、沖縄本島に1個連隊規模の平素配置部隊に加え、尖閣や先島にて事態が生起した場合に緊急展開し初動対処部隊として増援ができる最低1個連隊規模の勢力が必要」と明記し図示し

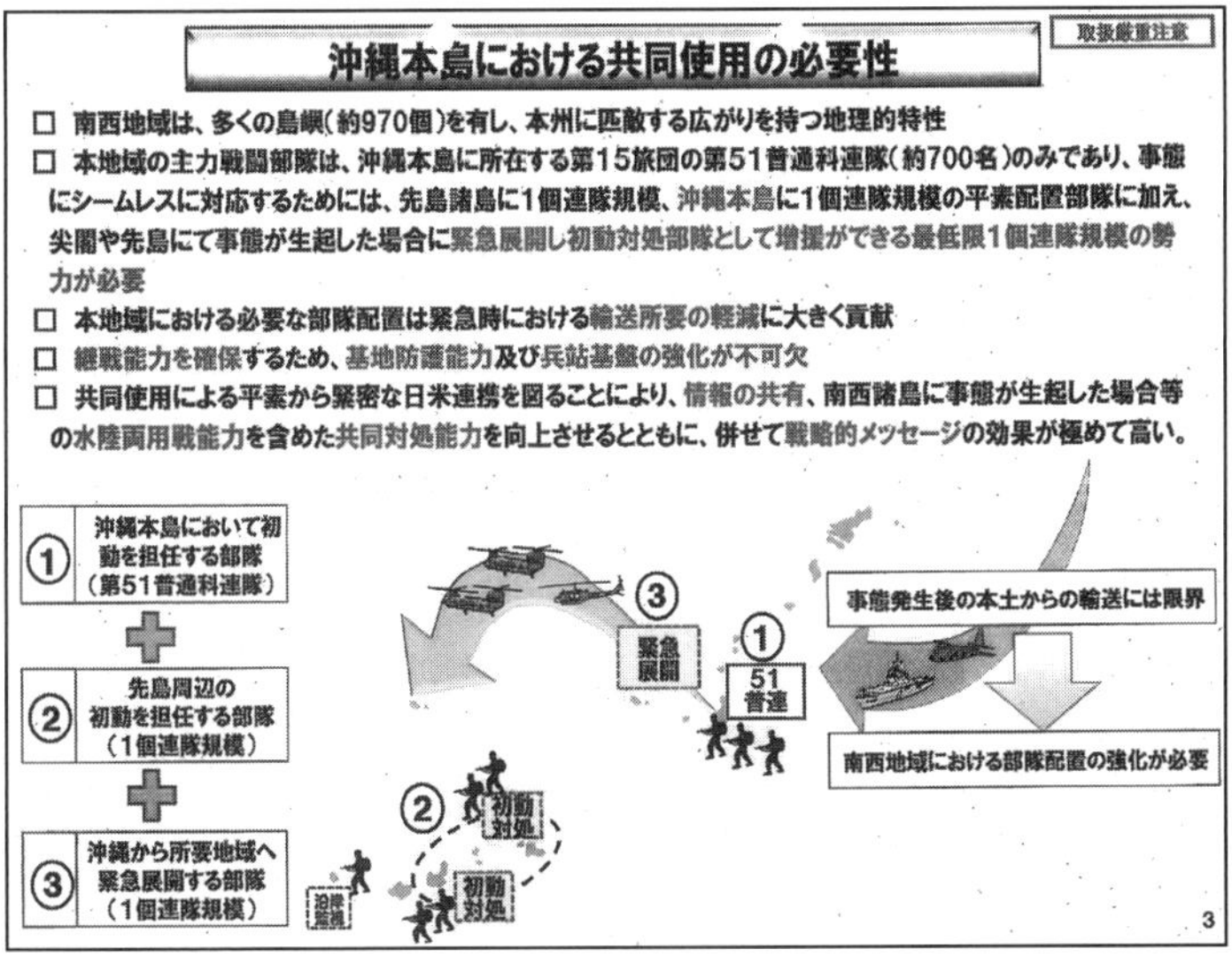
取扱厳重注意
沖縄本島における共同使用の必要性
□ 南西地域は、多くの島嶼（約970個）を有し、本州に匹敵する広がりを持つ地理的特性
□ 本地域の主力戦闘部隊は、沖縄本島に所在する第15旅団の第51普通科連隊（約700名）のみであり、事態にシームレスに対応するためには、先島諸島に1個連隊規模、沖縄本島に1個連隊規模の平素配置部隊に加え、尖閣や先島にて事態が生起した場合に緊急展開し初動対処部隊として増援ができる最低限1個連隊規模の勢力が必要
□ 本地域における必要な部隊配置は緊急時における輸送所要の軽減に大きく貢献
□ 継戦能力を確保するため、基地防護能力及び兵站基盤の強化が不可欠
□ 共同使用による平素から緊密な日米連携を図ることにより、情報の共有、南西諸島に事態が生起した場合等の水陸両用戦能力を含めた共同対処能力を向上させるとともに、併せて戦略的メッセージの効果が極めて高い。
① 沖縄本島において初動を担任する部隊（第51普通科連隊）
② 先島周辺の初動を担任する部隊（1個連隊規模）
③ 沖縄から所要地域へ緊急展開する部隊（1個連隊規模）
事態発生後の本土からの輸送には限界
南西地域における部隊配置の強化が必要
③ 緊急展開
① 51普連
② 初動対処
初動対処
3

ている。

筆者は、この「緊急展開し初動対処部隊として増援ができる最低1個連隊規模」という部隊が、統合幕僚監部の図が示すように、新たに編成される予定の水陸機動団の1個水陸機動連隊と推定する。また、同じ統合幕僚監部「沖縄本島における恒常的な共同使用の構想」という文書には、「キャンプ・シュワブ［案 普通科中隊］」、「キャンプ・ハンセン［案 普通科連隊等］」とあり、趣旨として「31MEUとの連携を重視」するとわざわざ明記されている。

つまり、自衛隊の南西シフトは、2012年というこの段階で、米海兵隊との共同作戦を前提としており、そのためにキャンプ・シュワブ、キャンプ・ハンセンへの配備が秘密裡に計画されていたということである（周知のように、水陸機動連隊は、すでに2個が編成されているが、

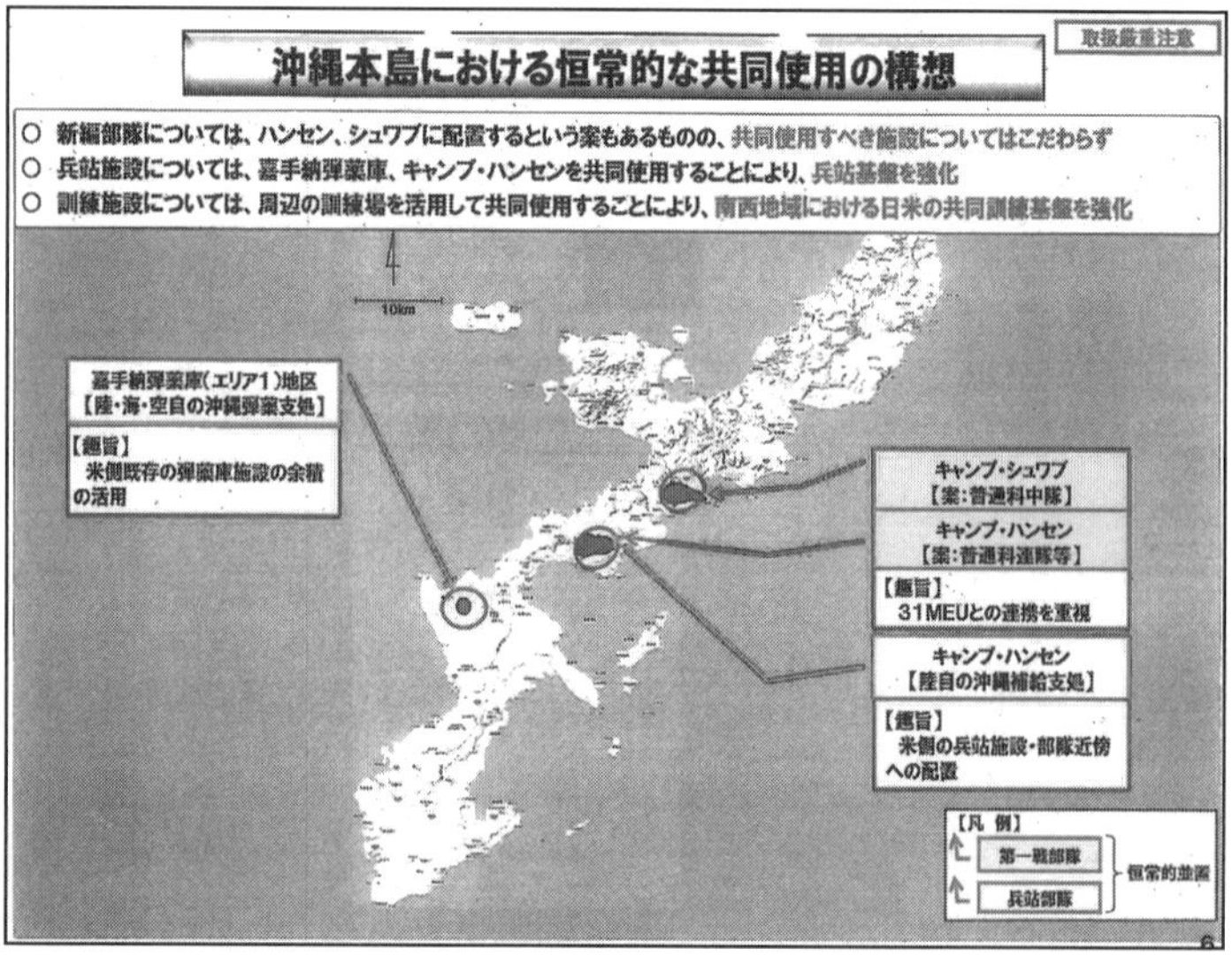

3個目の水陸機動連隊が、この沖縄本島に編成される予定だが、九州配備という報道もある)。

宮古島などのミサイル配備はいつ決定されたのか?

統合幕僚監部の「動的防衛協力」文書を詳細に分析すると、いくつかの重要な問題が現れてくる。1つは、この文書は、奄美大島への自衛隊配備について、全く記述していないということだ。奄美大島については、ミサイル部隊だけでなく、「警備部隊」についても、一言も触れられていない。つまり、2012年段階で策定された南西シフト態勢は、奄美大島の部隊配備については全くの「想定外」であったということだ。

これは、どういうことか。おそらく奄美大島の場合、後述するが、制服組は南西シフト態勢下の兵站・機動展開拠点の確保の重要性について、未だ考慮していなかったということだ。いわば、南西シフト態勢は、初めから自衛隊の「長期の戦略プラン」に基づいて策定されたというのではなく、米軍戦略下で、その後押しで、なし崩しに作成されたということの証左でもある。

もう1つの重要な問題は、この統合幕僚監部の文書は、南西シフトの初めての策定文書であるにも関わらず、宮古島・石垣島・奄美大島、そして沖縄本島への対艦・対空ミサイル部隊の配備についいては、全く言及していないということだ。つまり、2012年の段階では、「初動対処部隊」の配備として、普通科連隊や水陸機動連隊の配備は計画されていたが、ミサイル部隊の配備は、全く予定されていなかったのである。

この時期は、民主党が政権を掌握しており、「動的防衛協力」文書も、民主党政権下で作成されたのだが、２０１８年５月、宮古島にタウンミーティングに訪れた枝野幸男は、「自分は宮古島などの部隊配備を進めたが、ミサイル部隊の配備については全く知らなかった」という、驚くべき発言を行った。

つまり、この時期の先島・奄美大島などへのミサイル部隊配備は、常駐配備ではなく、「有事機動展開」としての配備であったということだ。

実際、陸自は、宮古島、奄美大島などへの有事の機動展開のための訓練・演習を度々行っている。例えば、西部方面隊の「鎮西《ちんぜい》演習」では、２０１１年９月、奄美大島の宇検村に地対艦ミサイル連隊が集結し訓練を行った。また、２０１６年10月、11月の「平成28年度鎮西演習」では、全国の全てのミサイル連隊が種子島に集結して演習を行うという、かつてない大規模なミサイル部隊の機動展開演習であった。

この陸自の地対艦・地対空ミサイル部隊の機動展開演習は、宮古島においても、石垣島においても、繰り返し行われているのだ（宮古島では、空自の地対空ミサイルＰＡＣ３の機動展開演習も行われている）。

自衛隊の南西シフトの運用

ところで、すでに米軍のＡ２／ＡＤ戦略の中で、第１列島線に配備する自衛隊の南西シフト態勢、特に地対艦・地対空ミサイル部隊の戦略・運用については、大まかに叙述してきたのであるが、もう少しこれらの自衛隊の南西シフトの運用全体について説明しよう。

自衛隊の南西シフト態勢は、端的に言うと、琉球列島（行政的には「南西諸島」）の一連の島々に沿って、対艦・対空ミサイル網を張り巡らし、琉球列島のいくつかの海峡、とりわけ、宮古海峡などのチョーク・ポイント（海上水路の要衝）を封鎖・制圧する作戦であり、軍事的には、通峡阻止作戦（海峡通過の阻止・封鎖）である。これはまた、自衛隊版のＡ２／ＡＤ戦略であり、**現在までは「拒否的抑止」**とも言われていた。

もちろん、このためには、米軍の海洋プレッシャー戦略と同様に、海空の制海・制空権（海上・航空優勢）を確保し、この対艦・対空ミサイル網と海上戦闘――水上戦・潜水艦戦・機雷戦および航空戦闘によって「地域的制海・制空権」を確保する、ということを制服組は主張している。ここにおいては、琉球列島に張り巡らされた地対艦・地対空ミサイル部隊による「地域的制海・制空権」の確保が、従来の戦略と大きく異なることである。

次図は、防衛白書が公開している「島嶼戦争」のイメージ図である。陸海空の総合・統合戦力、特に対水上戦、対潜戦が強調され、「島嶼防衛」戦が策定されていることが分かる。

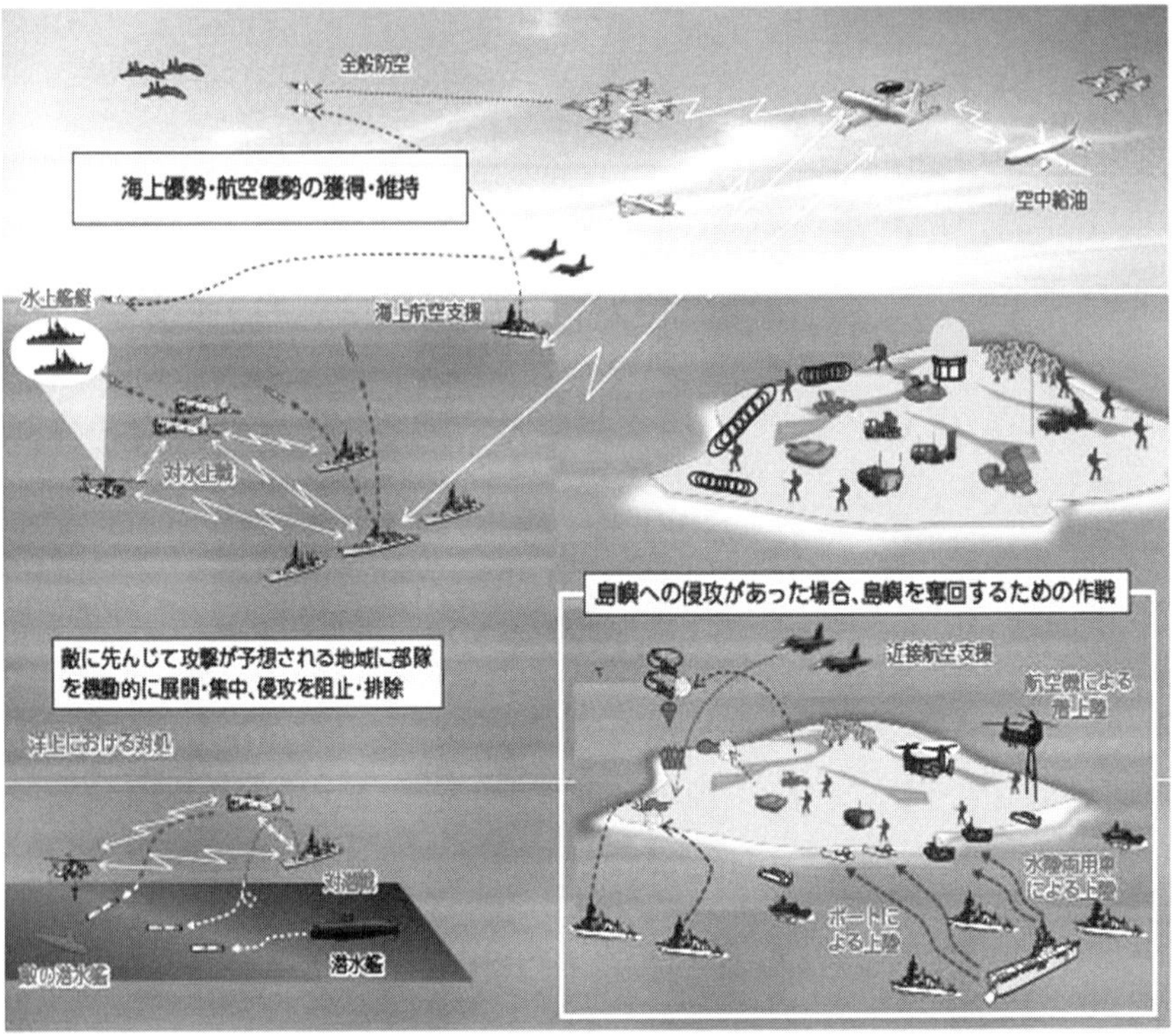

さて、このような琉球列島にそった防御網を根幹にして、自衛隊の「三段階作戦」が行われる。三段階作戦とは、述べてきた琉球列島の島々への「事前配備」を基幹にして、「機動運用部隊の緊急かつ急速な機動展開」、「水陸機動団による奪回」の三段階である（次頁図参照）。

この作戦構想は、すでに述べてきたように、改定された陸自教範『野外令』によって、初めて策定されたものであり、同時に「奪回」のための「着上陸作戦」＝上陸作戦も策定されている（従来の北方シフトでは「着上陸対処」「対着上陸作戦」のみ）。

これを自衛隊の「統合機動防衛力」構想から見ると、「先遣部隊」（＝事前配備部隊）の「即応展開」→「即応機動連隊」

の「1次展開」→「機動師団・旅団」の「2次展開」→「増援部隊」の「3次展開」という構想になる。この「2次展開」の「機動師団・旅団」については、すでに3個機動師団、1個機甲師団、4個機動旅団の即応部隊の指定が行われており、順次編成が行われつつある。

具体的には、陸自は、九州・熊本の第8師団、山形県の第6師団、北海道の第2師団を「機動師団」に（第7師団を「機動機甲師団」）指定し、善通寺の第14旅団を筆頭に、群馬の第12旅団、北海道の第5旅団、同第11旅団を「機動旅団」に指定している。

これら機動師団・機動旅団隷下で、すでに第15即応機動連隊（善通寺）が編成され、第42（西部方面隊）、第10（北部方面隊）、第22（東北方面隊）の「即応機動連隊」

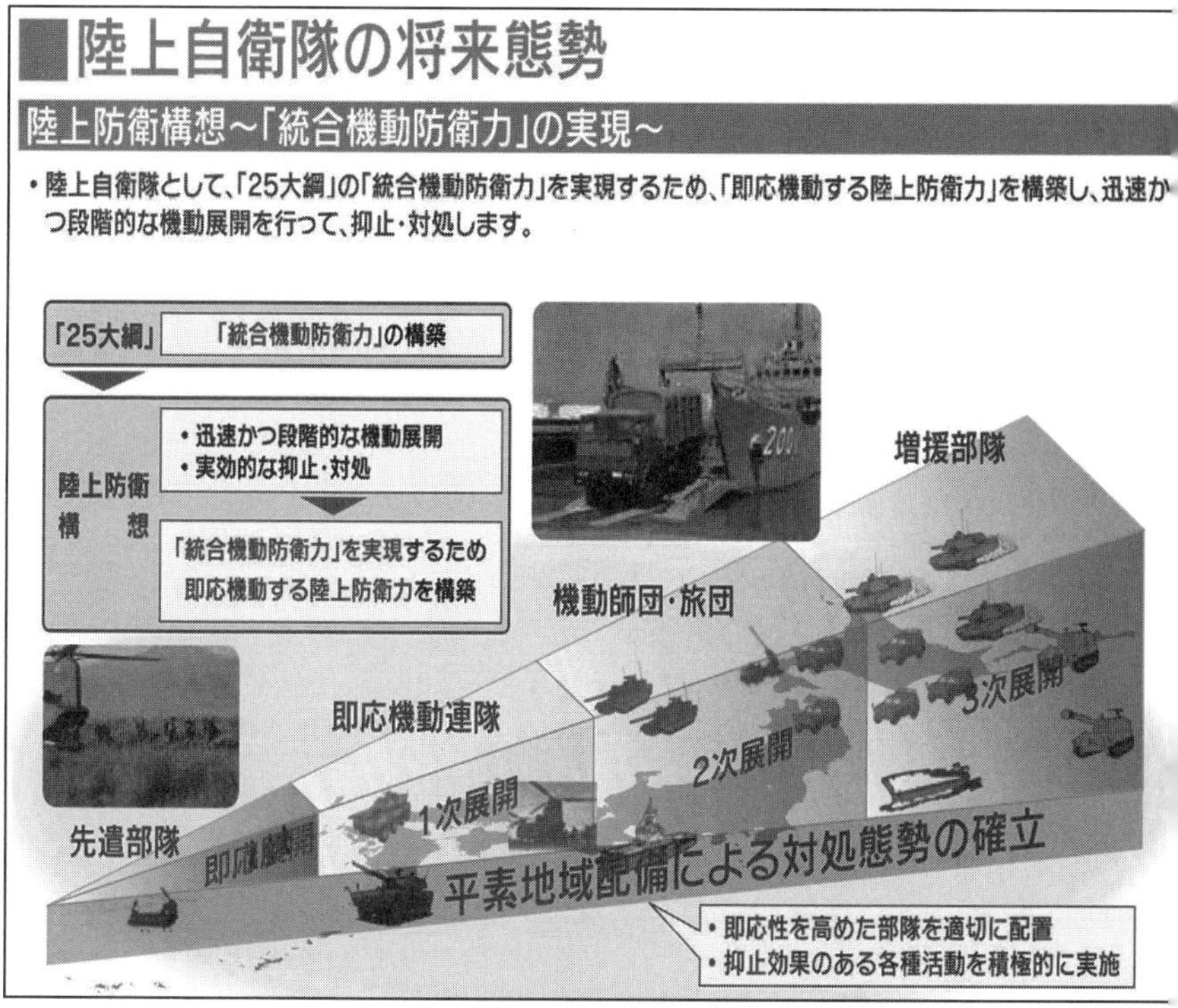

■陸上自衛隊の将来態勢
陸上防衛構想～「統合機動防衛力」の実現～
・陸上自衛隊として、「25大綱」の「統合機動防衛力」を実現するため、「即応機動する陸上防衛力」を構築し、迅速かつ段階的な機動展開を行って、抑止・対処します。
「25大綱」
「統合機動防衛力」の構築
陸上防衛構想
・迅速かつ段階的な機動展開
・実効的な抑止・対処
「統合機動防衛力」を実現するため
即応機動する陸上防衛力を構築
増援部隊
機動師団・旅団
即応機動連隊
先遣部隊
3次展開
2次展開
1次展開
平素地域配備による対処態勢の確立
・即応性を高めた部隊を適切に配置
・抑止効果のある各種活動を積極的に実施

が、２０１９年度までに順次編成された。また、２０２２年度には第３即応機動連隊（北部方面隊）、２０２２年には第６即応機動連隊（北部方面隊）が順次編成される予定だ。

特徴的なのは、即応機動連隊には、最新式の16式機動戦闘車（１０５ミリ砲搭載の装輪装甲車）25両が配備される（隊本部・第１機動戦闘車中隊・第２機動戦闘車中隊）ほか、火力支援中隊（野戦特科）・高射小隊（高射特科）が編成される。これらは従来の普通科連隊とは、大きく異なる重装備部隊であり、旅団なみの戦闘力を持つ部隊編成であるということだ（普通科連隊に「戦車」が配備！）。16式機動戦闘車は、従来の戦車と異なりキャタピラ走行ではなく、車輪を装備した車両で時速１００キロの路面走行が可能であり、「島嶼戦争」での島々での戦闘のために開発された車両である。

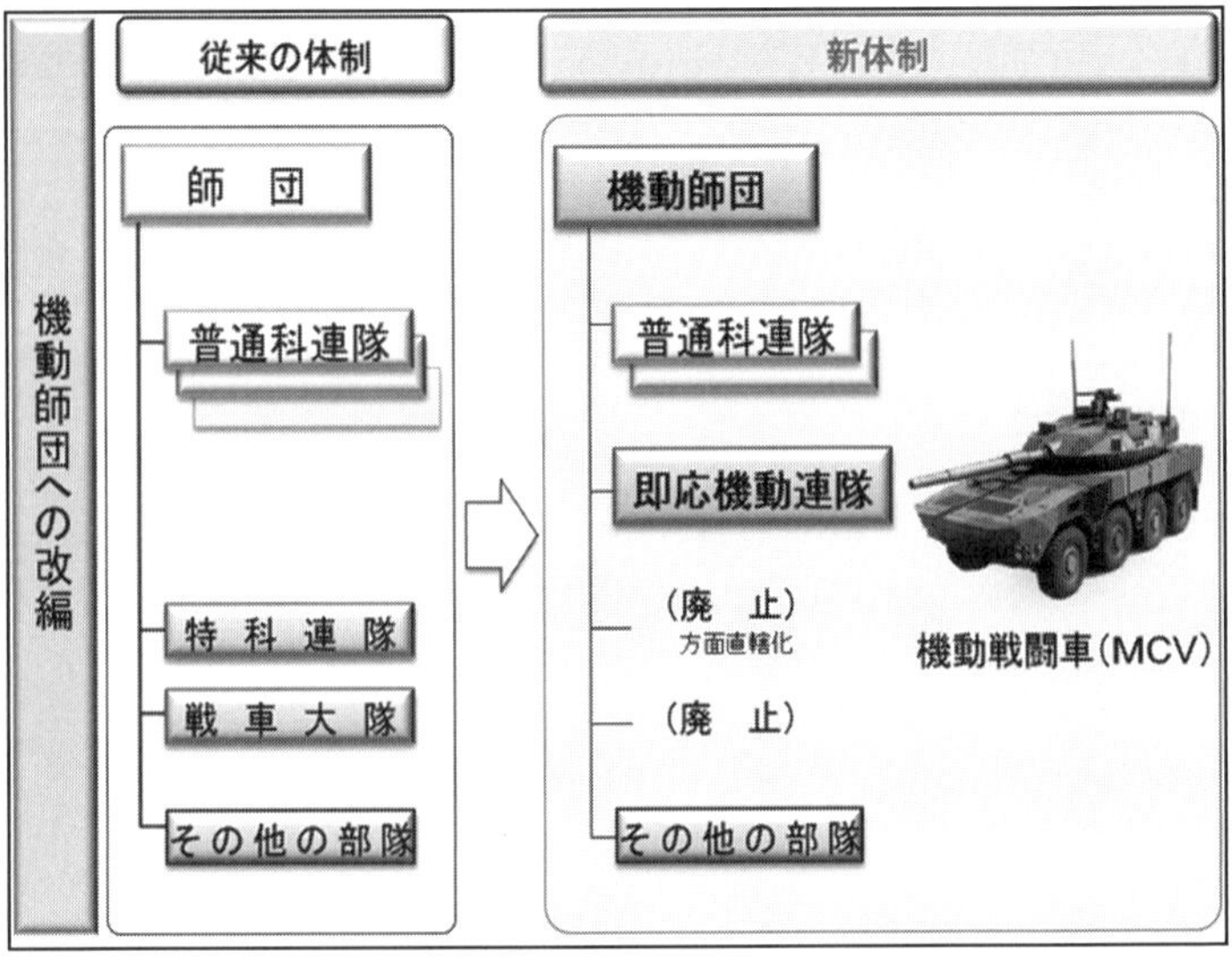

南西シフト態勢下の統合機動防衛力

２０１０年の「防衛計画の大綱」のキーワードは「動的防衛力」の構築であり、公然たる南西シフトの編成であるが、改定からわずか3年しかたたない２０１３年、またまた防衛省・自衛隊は、大綱の改定を行うことになった。本来、「防衛計画の大綱」は、10年先を見通した防衛力構想であり、計画だ。何と驚くべき無計画性だが、この理由が自衛隊の南西シフト態勢の、本格的編成にあったことは明らかである。つまり、アメリカのエアーシーバトルと一体化した日米の対中戦略の実動化態勢づくりである。

２０１３年の新大綱のキーワードは、「統合機動防衛力」であり、陸海空自衛隊の「統合運用」である。つまり、前大綱の「動的防衛力」に替わり打ち出された構想だ。

この違いは、動的防衛力は「運用を重視した防衛力」だが、統合機動防衛力は、「統合運用の考え方をより徹底」し、「海上優勢・航空優勢の確保や機動展開能力」を重点的に整備するとしている（この「機動展開能力」の中で、薩南諸島の位置づけがなされた！）。

具体的には、「即応性・持続性・強靱性」などを重視しつつ、「多様な活動状況に臨機に即応し、機動的に行い得る実効的防衛力を構築する」という。

大綱では、非常に抽象的に説明しているが、要するに南西シフト態勢下に即応する軍事力を、陸海空の統合的に整備・運用する、その中では特に重点的に強化されているのが南西諸島への「機動展開能力」ということだ。

10万人を動員した機動展開演習「陸演」

さて、2013年新大綱による「統合機動防衛力」の策定以来、この機動展開訓練は、度々行われているが、2021年9月から約1カ月半に及ぶ、「陸上自衛隊演習」（陸演）は、陸自においては30年ぶりという「機動展開演習」を中心とする演習だ。しかも、この大演習では、当初陸自14万人、つまり、陸自の全ての兵力・人員を動員する演習として報じられた（実際は10万人の動員）。

陸幕発表によれば、「陸演」は、以下のように行われている。

①陸自の全部隊を対象として、実動演習を軸に大規模演習を行う。②作戦の準備段階に焦点を当てて5つの訓練を実施し、運用の実効性向上と抑止力・対処力を強化する。③海自・空自および米軍の輸送支援を受け、民間の各種輸送力を活用、全国規模での機動展開や補給品等の輸送を実施する。

その演習部隊の編成は、陸幕長を統裁官にして、「陸上総隊、各方面隊、各防衛大臣直轄部隊及び機関、支援部隊」であり、「海上自衛隊、航空自衛隊、在日米陸軍」を含むとされている。

また、訓練内容は５つの訓練、「①出動準備訓練、②機動展開等訓練、③出動整備訓練、④兵站・衛生訓練、⑤システム通信訓練」、であるとしている。

まさしく、この５つの重点的訓練が今回の「陸演」の最大の目的であるが、これをもう少し具体的に見ると、よりこれらの訓練内容が分かる。

①駐屯地・分屯地ごとに防衛出動のための準備を行う「出動準備訓練」
②各種輸送手段を活用し、３個師・旅団を同時期に機動展開させる「機動展開等訓練」
③予備自衛官を招集し部隊を編成する「出動整備訓練」
④補給品の輸送や、患者の後送を行う「兵站・衛生訓練」
⑤並びに、作戦地域一帯のシステム通信を拡充する「システム通信訓練」

つまり、この「陸演」の内容の核心は、「**南西有事事態**」を想定した、陸自全部隊・全国各部隊（予備自衛官を含む）の「出動準備訓練」であり、「機動展開訓練」である、ということだ。特に、「機動展開訓練」については、北部方面隊などの３個師団・旅団の人員約１万２千名、車両約３千９００両を、同時期に九州の演習場に機動展開するという大規模なものである。

かつて陸自は、北方シフト下で、「転地演習」を盛んに行ってきた。これは、１９８０年代の「対ソ戦略」下の演習として、九州や本土各地から北海道に部隊を機動展開する、という内容であった。今、陸自は、南西シフト下の「常続的陸自展開訓練構想」（ＣＰＥＣ）として、北海道・本土の部隊を九州・沖縄に動員する演習を強化している。ただ問題は、広大な北海道はいざ知らず、戦闘地域とされる沖縄――先島など、この大部隊が展開する余地は全くないということだ。

陸上総隊の創設―軍令の独立化

自衛隊は、日米共同作戦態勢が実動化していく１９８０年代終わり頃から、自衛隊の統合化について準備を押し進めてきたが（米統合軍に合わせて）、２００６年には、念願の統合幕僚監部（統合幕僚会議から）が編成され、陸海空を束ねた統合幕僚長も創設された。

この経過の上に、２０１８年3月、陸上総隊が設置されたのである（朝霞駐屯地内）。

陸幕首脳は、この陸上総隊について「海自は統一指揮をする護衛艦隊司令部があり、空自も航空総隊司令部があるのに陸自は統一司令部がない」から、「方面隊を束ねる統一司令部を作る」と説明するが、陸自が創設以来、方面隊を最大の作戦単位として編成してきたのは、大きな理由があるのだ。

つまり、陸自の北部方面隊など5個の方面隊は、各地方を管轄し、独立指揮権限を有するのだが、これは陸自があくまで自国内での戦闘を想定していたからである。言い換えれば、国内での戦闘を想定する限り、陸自は、数個の師団を編成する方面隊規模の兵力、そして、その増援兵力で事足りたのである（南北に細長い日本列島での戦闘を想定）。

したがって、この指揮権限を陸上総隊の統一指揮に委ねる態勢は、国内ではなく海外での戦闘を想定したものである。

琉球列島での「島嶼戦争」は、まさしく、この「海外での戦争」と同様の「軍令の独立化」を促進する。これが、制服組が要求する「南西統合司令部」であり、「前線司令部」の確立だ。自民党は、２０１８年防衛大綱改定前の提言で、この要求を掲げていたが、改定された大綱では、決定されなかった。だが、今後、制服組の「南西統合司令部」設置のごり押し的要求は不可避である。

２０１８年防衛大綱・中期防の策定

さて、２０１０年から、なんと８年の間に３回目の改定となる２０１８年「防衛計画の大綱」、そして、２０１９年から５年間の装備品調達などの計画である「中期防衛力整備計画」が決定された。

この２０１８年防衛大綱の情勢認識の特徴は、２０１３年大綱と大きく異なり、中国についての記述が北朝鮮よりも先に書かれている。

その中国については、２０１７年のトランプ政権「国家安全保障戦略」（ＮＳＳ）を踏襲して以下のようにいう。

「米国は、依然として世界最大の総合的な国力を有しているが、あらゆる分野における国家間の競争が顕在化する中で、世界的・地域的な秩序の修正を試みる中国やロシアとの戦略的競争が特に重要な課題であるとの認識を示している」

言うまでもなく、「国家間の競争」「中国やロシアとの戦略的競争」というのは、アメリカの「国家安全保障戦略」が提起した「新冷戦」の宣言とも言われている認識である。これについては、後述する。

「防衛計画の大綱」は、また、「中国は、既存の国際秩序とは相容れない独自の主張に基づき、**力を背景とした一方的な現状変更を試みるとともに、東シナ海を始めとする海空域において、軍事活動を拡大・活発化**」させ、尖閣列島周辺のみならず「太平洋や日本海においても軍事活動を拡大・活発化させており、特に、太平洋への進出は近年高い頻度で行われ」、「南シナ海においては、大規模かつ急速な埋立てを強行し、その軍事拠点化を進めるとともに、海空域における活動も拡大・活発化させている」と、かつてないほど中国脅威論を全面化させている。

新大綱では、この情勢認識をもとに、「平時からグレーゾーンの事態への対応」を強化し、「島嶼部を含む我が国に対する攻撃への対応」について、具体的な作戦運用の提示まで行う。

「必要な部隊を迅速に機動・展開させ、海上優勢・航空優勢を確保しつつ、侵攻部隊の接近・上陸を阻止する。海上優勢・航空優勢の確保が困難な状況になった場合でも、侵攻部隊の脅威圏の外から、その接近・上陸を阻止する。万が一占拠された場合には、あらゆる措置を講じて奪回する」

このためには、「水陸両用作戦」能力などを強化し、「迅速かつ大規模な輸送のため、島嶼部の特性に応じた基幹輸送及び端末輸送の能力を含む統合輸送能力を強化」するとともに、「平素から民間輸送力との連携を図る」としている。

このように、２０１８年「防衛計画の大綱」では、中国脅威論を徹底して煽りながら、対中軍事戦略まで踏み込む内容になっている。現実の南西シフトは、宮古島・奄美大島などのミサイル基地建設を始めとして、急ピッチで進みつつあるのだが、これに合わせて対中戦略に国民を組み込む段階に至ったということだろう。

ここで重点的に記載されているのが、先に挙げた南西シフト態勢の機動展開のための統合輸送能力であり、民間輸送力の動員態勢である。

多次元横断的（クロス・ドメイン）防衛力構想

さて、２０１８年「防衛計画の大綱」のキャッチフレーズは、前大綱の「統合機動防衛力」に替わり、「多次元横断的（クロス・ドメイン）防衛力」である。いつもながら、防衛官僚・制服組ともに、膨大な軍事予算を付けるには、それなりのうたい文句が必要だと考えているということだろう。

ここでいう多次元とは、陸海空3自衛隊の運用範囲を「宇宙・サイバー・電磁波」という新たな領域にまで広げるというもので、現代戦では、宇宙やサイバー分野での優位性確保が「死活的に重要」とし、防衛力強化の最優先事項に挙げている。

そして、この構想では、従来の「統合機動防衛力」を引き継ぎつつ、これを宇宙・サイバー・電磁波を含む全ての領域に有機的に融合し、実効的な戦力としてつくり出すことも謳う（「電子作戦隊」は、陸自・健軍駐屯地［熊本市］を皮切りに、2021年度末までの約1年間で全国計7個隊の専門部隊を新設する方針で、奄美大島、与那国島などが予定）。

特徴的には、ここで自衛隊が、ついに「宇宙戦争」に乗り出すことを決定したことだ。この内容は、「情報収集、通信、測位等のための人工衛星の活用は領域横断作戦の実現に不可欠」として、これらの各種能力を向上させ「宇宙空間の状況を地上及び宇宙空間から常時継続的に監視する体制を構築」と。

また、「相手方の指揮統制・情報通信を妨げる能力を含め、平時から有事までのあらゆる段階において宇宙利用の優位を確保するための能力の強化に取り組む」としている。

あまり知られていないが、すでに、石垣島・宮古島・久米島・沖縄本島・種子島などの琉球列島などには、「準天頂衛星システム」が構築されているが、これらは宇宙戦争の重要な一翼を担っていることが、この大綱で初めて公開されている（次頁の宮古島レーダー「準天頂衛星システム」は、アメリカのGPSを補完する衛星通信システムで、12式地対艦ミサイルの中間誘導に使用さ

れる）。

ところで、日本は１９６９年、宇宙の利用は「平和目的に限る」という国会決議を行っているが、この決議は、２００８年、「我が国の安全保障に資する宇宙開発・利用の推進」などを目的とした、宇宙基本法の制定によって根本から覆された。

この結果が、自衛隊の情報（偵察）衛星の開発・推進、そして、准天頂衛星システムの設置であり、この大綱での「宇宙戦争」の宣言である。

これまで、政府は、表向きでは宇宙への進出は「市場の創出と競争力強化などの効果がある」としていたが、今やその衣を脱ぎ捨てて、剥き出しの宇宙戦争に突入している。

この「宇宙の軍事化」という問題は、メディアや野党の取り組みの弱さの中で、なし崩し的に、国民の知らないところで進行しつつあった。政府の宇宙における安全保障分野に関する指針

「国家安全保障宇宙戦略（日本版ＮＳＳＳ）」では、「日米同盟は我が国安全保障政策の基軸であり、本年中に予定されている『日米防衛協力のための指針』の見直しに宇宙政策を明確に位置付け、測位衛星（準天頂）、ＳＳＡ及びＭＤＡ等の日米宇宙協力により日米同盟を深化させる。特に、準天頂プログラムについては、米国のＧＰＳとの補完関係の更なる強化を図りつつ、アジア・オセアニア地域の測位政策に主体的な役割を果たす」（「国家戦略の遂行に向けた宇宙総合戦略」２０１４年８月26日、自民党政務調査会・宇宙・海洋開発特別委員会）と、その「準天頂衛星システム」などの軍事的位置付けが明確に打ち出されているのである。

この「日本版ＮＳＳＳ」は、アメリカの「国家安全保障宇宙戦略」（ＮＳＳＳ）をそっくり真似て設置されたと言われるが、２０１８年防衛大綱の宇宙戦争態勢も、アメリカとの共同運用・共同作戦態勢である。

大綱策定前の２０１５年1月、政府は「宇宙基本計画」を決定したが、ここにはアジア太平洋地域におけるアメリカの抑止力を支える宇宙システムの抗堪性の向上ということで、同国との衛星機能の連携強化等を行うと明記している。この具体的内容には、準天頂衛星とＧＰＳの連携を一層強化することが盛り込まれている。

この他、２０１８年「防衛計画の大綱」「中期防衛計画」には、宇宙戦争、サイバー戦争という、「島嶼戦争」に係わる重大な決定が行われている。これらの重点項目が、「サイバー防衛隊」の充実・強化（約１５０名→約２２０名）である。

また、スタンド・オフ防衛能力として、相手の攻撃圏外（スタンド・オフ）から対処できる、Ｆ35Ａに搭載するスタンド・オフ・ミサイル（ＪＳＭ）を取得することが決定された。さらに、長距離巡航ミサイルの開発、「島嶼防衛用高速滑空弾部隊・２個高速滑空弾大隊」の整備も、決定された。

「島嶼防衛用高速滑空弾部隊」とは、宮古島・沖縄本島などに配備が想定される、「極超高速滑空弾」などの新型ミサイルである（次章参照）。

南西シフト下の空自の大増強

さて、序章では、南西シフトにおける琉球列島に沿った島々への陸自のミサイル部隊を中心にした配備状況を見てきたのであるが、ここでは、空自、海自のその配備態勢についても見てみよう。

少し陸自について付け加えると、陸自は、先島―奄美大島などへの事前配備に加えて、全国の陸自部隊の増援態勢――３個機動師団、１個機甲師団、４個機動旅団の増援が予定される。つまり、陸自のほぼ半数の部隊が琉球列島に動員されるのだ。もっとも、この陸自の事前配備には、すでに沖縄本島に配備され、増強されている第15旅団ほか各部隊（２０２０年３月現在５千１００人）についても見ておくべきだ。

この陸自の増強を中心にしながら、空自、海自の増強も急ピッチで進みつつある。既述のように空自は、那覇の部隊が南西航空混成団から南西航空方面隊に昇格（航空総隊傘下に北部・中部・西部・南西の4個航空方面隊で編成）し、文字通り、1つの航空方面隊として増強された。この結果、配備されているF15戦闘機も20機から40機態勢に増強、第9航空団が編成された（第83航空隊から昇格）。この他、那覇基地には、新たに早期警戒機E2Cを装備する第603飛行隊が配備されたのである（三沢基地から移転し4機態勢）。

特筆すべきことは、空自においては、那覇基地だけでなく九州の西部航空方面隊傘下の、新田原基地、築城基地の増強も本格的に始まっていることである。言うまでもないが、陸自と異なり、空自、海自は、短時間で全国を機動展開する部隊であり、南西航空方面隊をカバーする九州配備の航空部隊は、初めから南西シフトに組み込まれた部隊だ。

こういうことから、新田原基地（宮崎県）には、百里基地から移転してきた第305飛行隊（F15戦闘機）が配備され、築城基地（福岡県）には、三沢基地から第8飛行隊（F2戦闘機）が移転してきたのである。築城基地のF2戦闘機部隊は、これで2個飛行隊へ増強されたが、このF2戦闘機部隊は、文字通り、南西シフト下の対艦攻撃専用の戦闘機部隊だ。

また、新田原基地には、2021年8月、F35B、1個飛行隊約20機の配備計画が決定された（宮崎県への通告）。これで、同基地の戦闘機数は、約40機から約60機に、一挙に増強されるが、このF35Bの配備は、種子島・馬毛島に計画されている、「航空要塞」と一体化しているというべきである（後述）。

なお、空自は、「中期防衛力整備計画（中期防）」では、Ｆ35Ｂの40機の調達を計画しているから、残りの１個飛行隊20機もまた、新田原に配備される可能性があり、これで同基地は、空母部隊の「母港」となるだけでなく、航空機数で日本最大の航空基地になる可能性がある。

重大なことは、築城基地、新田原基地ともに、本土の最初の「日米共同基地」に位置づけられたことである。実際、両基地では、米軍の武器弾薬庫や戦闘機の駐機場などの整備が決定され（18年10月24日の日米合同委員会決定）、そのための工事も開始されている。そして、築城基地では、米軍との共同基地化のための滑走路延長工事も始まっているのである（３００メートル延長し、２７００メートルへ。２００６年の「日米ロードマップ」では、築城・新田原等へは、単なる「訓練移転」だった！）。

南西シフト下の海自の大増強

陸自、空自と並ぶ南西シフト下の海自の最大の増強は、言うまでもなく、「いずも型」護衛艦の2隻の空母への改修決定である。相変わらず政府は、この空母改修を「多用途運用護衛艦」への改修とペテン的言動を弄している。

しかし、２０１８年「防衛計画の大綱」で決定され、「中期防衛力整備計画（中期防）」で編成される予定のこの部隊は、まぎれもなく、「空母機動部隊」である。自衛隊は、Ｆ35Ｂ、42機の調達装備することを予定しているが、空母1艦にF35Bを10機搭載するとすれば、3個の空母部隊が編成されることになる（10機は予備機）。つまり、「いずも」「かが」の後に、もう1つの空母が編成されるということだ（新規建造の可能性）。

この「いずも」などには「空母」運用のための若干の改修工事が始まっている（2021年7月で一部改修工事の終了）。もともと、当初から「ヘリ搭載護衛艦」と偽装しながら建造されてきた「いずも」などは、STOVL（短距離離陸・垂直着陸）運用のための、飛行甲板上の耐熱塗装や安全に運用するための艦首形状の変更という、わずかの改修で空母に転用されるのだ（下は「いずも」）。

さて、問題は、政府・海自は、なぜ今さら空母部隊を導入しようとしているのか、ということだ。

南西シフト下で、琉球列島に沿って海自などが作戦する場合、すでに米軍のエアーシーバトル以後の戦略変更

で見たように、Ａ２／ＡＤ下では空母などは「動く棺桶」にしかならない。実際に、空母を導入しなくとも、琉球列島には民間空港などが20個以上もあり（法的には有事収用が可能）、これはまさに、元陸自西部方面総監・川田和仁が言うように「不沈空母」なのである（「日本の国防」第70号）。

もっとも、自衛隊は、琉球列島の民間空港の収用については、すでにＦ35Ｂの基地として、収用を予定しているという報道もある（２０１８年2月18日、読売新聞他）。それには、宮古、石垣、与那国島のほか、南・北大東島の各空港も予定されている。

このように、民間空港の使用・収用を予定しながらも、「動く棺桶」をなぜ保有しようとするのか、ここには「西太平洋における防空能力の獲得」という、新たな作戦構想が進行しているのである（情報公開文書「いずも型護衛艦とＳＴＯＶＬ機について」［防衛省・２０１８年12月］）。

この情報公開文書では、琉球列島と硫黄島の間には、航空基地が存在しないので、自衛隊は広域での対中国への航空優勢がとれないことを理由に挙げている。つまり、自衛隊が目指しているのは、琉球列島――第１列島線の航空優勢だけでなく、「西太平洋」――第２列島線の航空優勢も確保しようとしていることだ。

そして、自衛隊の西太平洋の航空優勢の確保（制空権）は、自衛隊単独で行おうとしているのではない。文字通り米海軍・空軍との共同作戦として、つまり、「海洋プレッシャー戦略」下の作戦であるということだ。これを米軍は、「ライトニング空母構想」としているが、詳細は後述する（防衛省は、21年9月30日、米海兵隊のF35Bが、10月3日から7日までの間に海自の護衛艦「いずも」で発着艦試験を実施すると発表）。

この他、海自の南西シフトにおいては、潜水艦の大増強16隻→22隻、護衛艦の大増強47隻→54隻が急激に進んでいるが、その中でも重要なのが、新型の「島嶼戦争」用ステルス護衛艦（3900トン級FFM）の導入だ。これは、すでに2018年度から4年間で8隻の建造計画があり、最終的には22隻を建造する予定だ。そして、すでに2021年現在、一番艦「もがみ」、2番艦「くまの」（下）が建造されている。

FFMは、フリゲートを表す「FF」に多目的と機雷の頭文字の「M」を組み合わせたもので、平時の警戒監視活動のほか、有事には対潜戦、対空戦、対水上戦などにも活用され、また、機雷戦能力を保有するなど、多様な任務への対応能力とコンパクト化がなされている。

また、FFMは、機雷戦の際に水中情報を効率的に取得するためのUSV（無人水上艇）やUUV（無人潜水艇）を搭

載するなど、離島奪還作戦もにらんだ艦艇である。このＦＦＭ導入の参考にしたのが、米海軍がシンガポールなどに配備している沿海域戦闘艦（ＬＣＳ）である。

第5章　琉球列島のミサイル戦場化

地対艦・地対空ミサイルの運用

前章までに述べてきたが、琉球列島——第1列島線に配備されるのは、地対艦・地対空ミサイルを中心とした部隊であるが、そのミサイル部隊の運用はどのようになっているのか。

まず、琉球列島では、すでに奄美大島、宮古島に地対艦・地対空ミサイル部隊が配備されている。ただし、2021年11月現在、宮古島に配備されているのは、ミサイル弾体のない、車に搭載されたキャニスターだけの部隊である。

この宮古島に続き、石垣島では2022年度、沖縄本島では、2023年度のミサイル部隊配備が予定されている。これらは、いずれの島々も、地対艦ミサイル中隊（SSM）、地対空ミサイル中隊（中SAM）の各1個中隊が配備されるか、配備される予定である。ただし、沖縄本島には、すでに地対空ミサイル部隊は配備されており、また、地対艦ミサイル部隊には、ミサイル司令部機能（ミサイル連隊）も置かれる予定である。

ところで、奄美大島などに配備された地対艦ミサイルは、最新式の12式SSMであり、射程約200キロと言われる。しかし、自衛隊は、このミサイル射程を約400キロに延長する決定を行ったばかりだが、さらに「敵基地攻撃能力」を保有するとして、この地対艦ミサイルの射程900キロの延長が決定されている（後述）。

さて、この地対艦ミサイル部隊であるが、陸自には全国に5個のミサイル連隊が編成され、そのうち3個は北海道に配備、1個が熊本と八戸にそれぞれ配備されている。

八戸の第4ミサイル連隊の1個中隊が、奄美大島に移動してきたミサイル中隊であり（第301ミサイル中隊）、宮古島などのミサイル中隊は、全て新編部隊だ。

この地対艦ミサイル連隊の編成は、人員約330人、4個射撃中隊で編成され

第1図　SSMシステムの構成

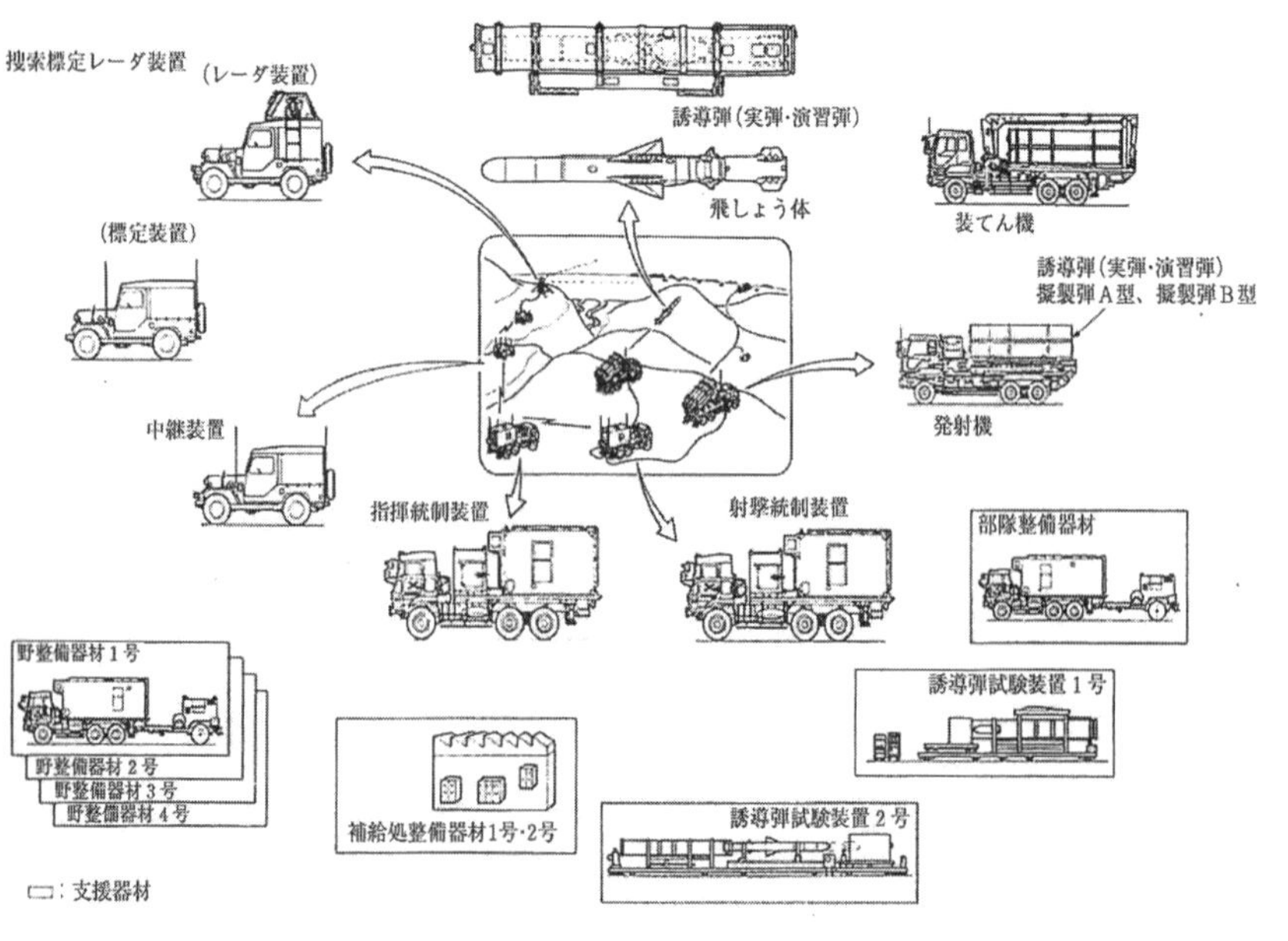

88式地対艦ミサイル・第1編

８８式地対艦誘導弾システム（改）の運用イメージ

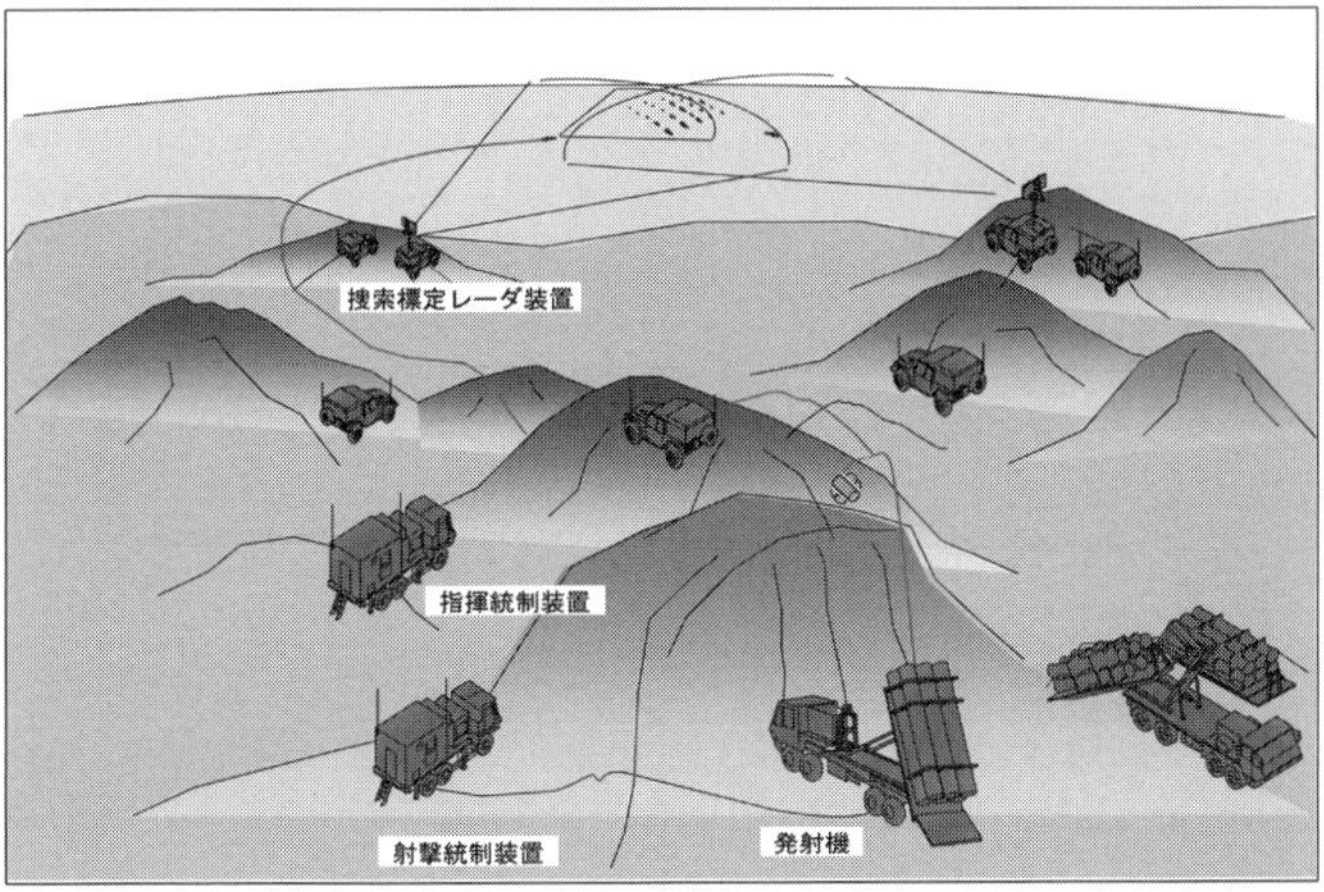

る。連隊の本部管理中隊には、捜索・標定レーダー装置6基とレーダー中継装置12基、指揮統制装置1基があり、各中隊本部に射撃統制装置が1基ずつ、また各中隊に発射機と弾薬運搬車が4基ずつ、ミサイル弾体は24発ずつが配備される（予備弾6発計30発）。

つまり、地対艦ミサイル連隊は、通常、連隊単位で1つのシステムとして運用され、本管中隊がレーダーで索敵し、指揮統制を担当、射撃中隊ごとに射撃統制装置が割り振られ、射撃中隊単位で展開し、射撃するということである（右頁システム構成の図参照）。

ミサイル連隊は、連隊単位で運用されるのであるから、奄美大島、宮古島、石垣島、沖縄本島の各ミサイル中隊の運用・指揮は、沖縄本島（陸自・勝連分屯基地に予定）のミサイル連隊で行われるということになる。

これら全ての地対艦ミサイル部隊の車両は、車載式であり、島中を移動展開する。また、地対艦ミサイルの運用上の特徴は、地形を回避する飛行能力をもち、前図のように山陰から発射し、自ら軌道を修正して飛行する。88式から改良された12式では、中間誘導に慣性航法装置で飛行するだけでなくGPS誘導での飛行、そして最終誘導にはアクティブ・レーダー・ホーミングの方式を採用している（前図・151頁は88式だが、12式も運用は同じ）。

対艦ミサイルを守る対空ミサイル

ところで、陸自教範『地対艦ミサイル連隊』には、地対艦ミサイルの弱点として、発射直後、敵にすぐにその発射地点を発見され、隠蔽が困難なことが明記されている。

これは、地対艦ミサイル中隊だけでも、1台約10トンもある発射機・装填機など4基ずつを移動し、隠蔽するということから、相当に鈍重な部隊である（この移動の大変さから、米軍の評価と裏腹に欠陥品という指摘もある）。

したがって、この地対艦ミサイル部隊を「防御」するために配備されるのが、宮古島などへ配備予定の地対空ミサイル部隊だ（もちろん、「地域的制空権を確保する」という任務を持つ）。

この陸自の地対空ミサイル部隊は、全国で方面隊隷下に第1高射特科群〜第8高射特科群の8個群が編成、この中の例えば、第2高射特科群（千葉県松戸市）には、4個の高射中隊が配備されている。

　この改良ホークの03式中距離地対空ミサイル（中ＳＡＭ）を装備する部隊は、対空戦闘指揮装置、幹線無線伝送・中継装置、射撃統制装置、捜索兼射撃用レーダー装置、6連装発射機、運搬装填装置など、多数の装備で編成されている。この地対空ミサイル部隊もまた、全てが車載式、移動式のミサイル部隊だ。

　宮古島配備の地対空ミサイル部隊は、第7高射特科群（第2高射特科団傘下）の第346高射中隊であるが、高射特科群本部も同基地に置かれ、先島諸島一帯の地対空ミサイル部隊の指揮を執るものとみられる。

ミサイル部隊の空白・海自との統合運用

　また、これらの対艦・対空ミサイル部隊の運用は、陸自だけでなく同時に海自、空自との統合運用としても行われる。というのは、陸自のミサイル部隊が保有する車載レーダーは、電波の発射位置が低いこともあり、電波の捜索・探知距離が短い。これが、地対艦・空ミサイルのもう1つの欠点でもある。

　一般に、レーダーは、水平線の向こう側が死角となり索敵は不可能であるが、車載式の場合は電波の発射位置が低く、特に困難である。この場合、水平線の遠くの敵艦船に対しては、海自の

Ｐ３Ｃなどの哨戒機から索敵情報を、遠くの敵航空機に対しては、空自のレーダーサイトからの索敵情報を得ることが必要になる。

また、これらの統合運用は、索敵情報だけでなく、陸自の火力戦闘指揮統制システムと海自・空自の指揮統制システムがリンクした、統合運用を行うところにまで進められている（味方同士の誤爆を防ぐためにも！）。

こうして遠距離の敵艦・敵航空機に対しても、また多数の敵の目標に対しても、同時に目標到達までの管制・誘導が可能になる。

また、後述するが、宮古島等へ配備される03式中距離地対空ミサイルは、航空機には対応できるが弾道ミサイルには対処できない。このために、「島嶼戦争」での空自のＰＡＣ３の配備は、不可避であろう。

すでに、宮古島レーダーサイトに配備された最新のＪ／ＦＰＳ７レーダーは、この弾道ミサイル探知が可能なように改良された。

陸自教範『地対艦ミサイル連隊』では

陸自は、『野外令』に基づいて、『地対艦ミサイル連隊』という教範を制定しているが、この教範の冒頭の「総説」では、地対艦ミサイル部隊の「任務・能力及び限界」を、次のように記述する。

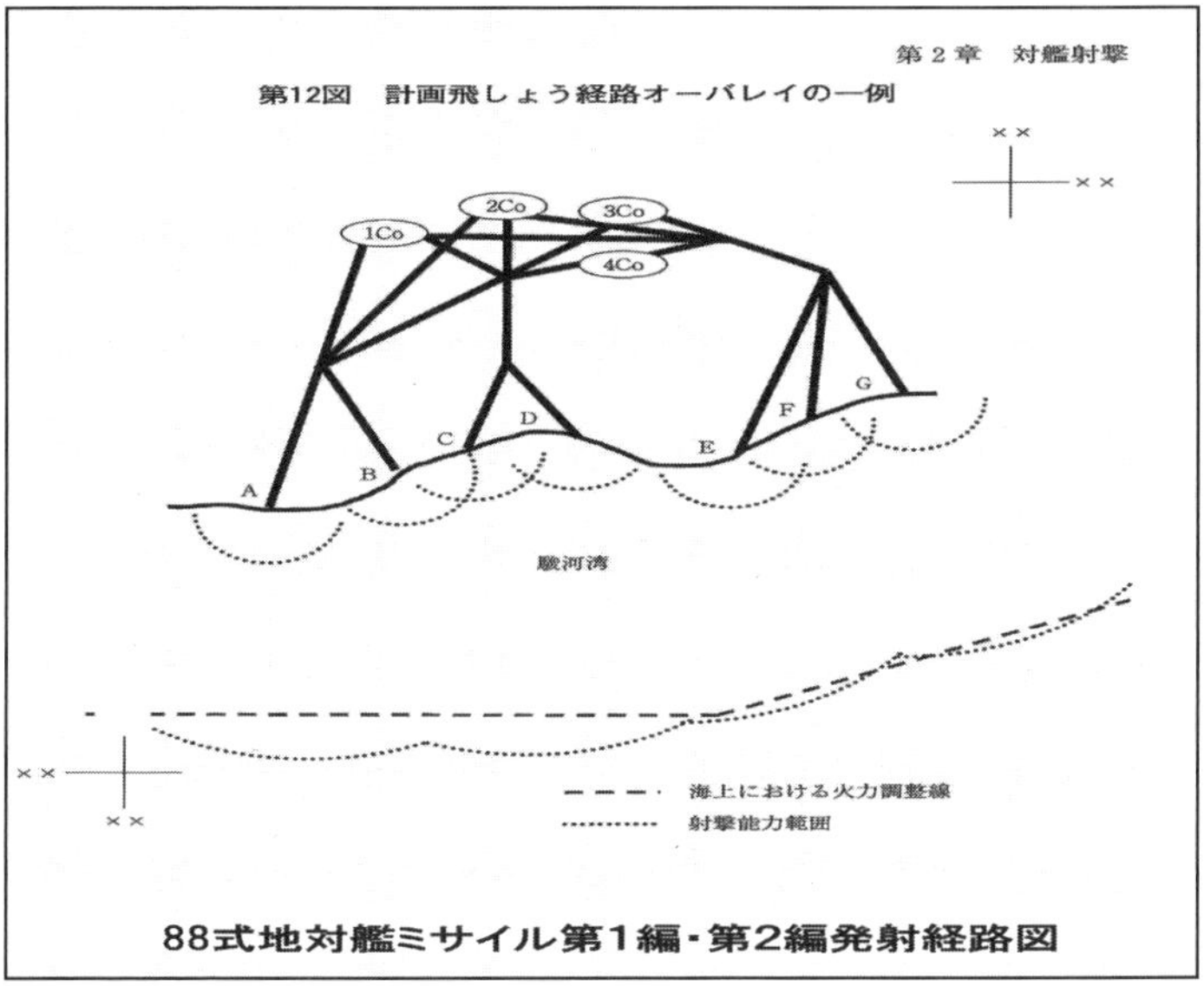

地対艦ミサイルの運用図

「地対艦ミサイル部隊は、対艦火力により敵艦船を海上で撃破」し、「昼夜、海上の広域に対し長射程かつ正確な対艦火力を発揮」するが、これには「限界」があると。しかし、教範記述の「限界」の箇所は、全面的な墨塗りだ。おそらく、この記述は、対艦ミサイルの射程の限界、対艦ミサイル自体のレーダー到達範囲の限界を暴露することを恐れてのことだ。

この陸自の地対艦ミサイルの「限界」、弱点は、あまり指摘されていないが、かなり重要である。すでに述べてきたように、陸自の地対艦ミサイルは、車載式、移動式のミサイルである。一般には、この地対艦ミサイル部隊は、ミサイルの「発射→移動、発射→移動」を絶えず敏捷に行えると思われている。だが、実際の地対艦ミサイル部隊の訓練を見ていると、多数の車両間を有線ケーブルで接続したり、その偽装を施したりと、かなりの鈍重さをさらけ出している。この発射↓移動に、どのくらいの時間がかかるのか、もちろん公表されていないが、これは、地対艦ミサイルの重大な弱点であろう。

教範には、特徴的な記述として、地対艦ミサイル部隊は「局地的な航空優勢を獲得」することが重要であるが、この優勢なしには「ミサイル発射の弾道の秘匿には限界」があり、「特に敵航空機等に対空レーダーは容易に発見される」し、「ミサイル射撃の爆風は、容易に陣地を暴露し、その秘匿には限界」があり、「特に離島等展開地域が制限される状況では、顕著である」と記述されている（前頁図は、教範『地対艦ミサイル連隊』の作戦図。富士演習場から「駿河湾」への攻撃が記載されている。発射地点から複雑な運動を行う、地対艦ミサイルの運用に注目！）。

つまり、地対艦ミサイルが発射されれば、航空機や偵察衛星によって、直ちにその所在位置が探知され、逆にミサイル攻撃を受けるというのである。とりわけ、ここに明記される「特に離島等展開地域が制限される状況」が重要だ。

琉球列島では、石垣島、奄美大島、沖縄本島は、起伏に富み、山地、トンネルなどが多数あるが、例えば、チョークポイントとしてミサイル配備されている宮古島には、全く山もトンネルもない。こういう平地しかない場所を、地対艦・地対空ミサイル部隊の配備先になぜ選んだのか、疑問が湧くところだ（現代のミサイル戦争が「地下壕戦」であることは、常識だ）。

おそらく、宮古島などでミサイル部隊を隠す、偽装する場合、市街地の地下や（宮古島には地下はない）、民間の倉庫、地下駐車場などに部隊を分散移動し、保管する以外にないだろう。

だが問題は、教範が明記する中にある「誘導弾の取扱い」という項目だ。ここには「誘導弾は、精密な部品、多量の推進薬等から構成されており不適切な取扱いは故障発生の原因となり、かつ重大な事故の発生により戦闘力を損耗する」とし、「弾薬の事故は、爆発、暴発、過早破裂等であり、通常、大きな被害を伴う」と記述されている。

地対艦・地対空ミサイル部隊が島中を移動し、ミサイルを発射すること自体が、全島の住民を厳しい危険に晒すことになるが、このミサイル部隊が市街地の民間地域に潜んで作戦するのであるから、その危険性は倍増するのである（12式のミサイル弾体は約７００キロ）。

宮古島では、保良地区にミサイル弾薬庫を設

陸自の「坑道掘削装置」。地下壕・トンネルを掘るのに使用

置しているが、このミサイル弾薬庫も、敵ミサイルの、最初の、最大の標的になることは明白だ。弾薬庫やレーダーなどが、戦時の最大の標的になることは軍事の常識である。

（注　前頁は陸自の「坑道掘削装置」。ミサイル戦争が地下壕戦、トンネル戦であることから、陸自の各地対艦ミサイル連隊には、「坑道中隊」という坑道掘削の専門部隊を編成。この部隊は、「坑道掘削装置」という巨大モグラのような器財を装備している。現在の編成は、第301坑道中隊［南恵庭駐屯地・第1地対艦ミサイル連隊］、第302坑道中隊［岩見沢駐屯地、第2地対艦ミサイル連隊］、第303坑道中隊［船岡駐屯地、第4地対艦ミサイル連隊］）

敵基地攻撃能力を有するミサイルの配備

巷では、何事も人を欺くのにカタカナ語を使うことが流行っているが、防衛省が最近頻繁に使用している、スタンド・オフ能力も、この例外ではないようだ。

防衛省は、導入予定のスタンド・オフ・ミサイルについて「レーダーの覆域や対空火器の射程が飛躍的に拡大した結果、現状では、自衛隊の航空機は、これらの脅威の及ぶ範囲内に入って対応せざるを得なく」なり、この「導入によって、このような脅威の及ぶ範囲の外からの対処が可能となり」、「この結果、隊員の安全を確保しつつ、侵攻部隊に対処することが可能」という（2018年版防衛白書）。

要するに、スタンド・オフ・ミサイルとは、敵の対艦・対空ミサイルの射程外から攻撃できる射程の長いミサイルである。この、いわゆる敵基地攻撃能力を持つミサイルの保有を、自衛隊はすでに決定しているのだ。

保有決定のそのスタンド・オフ・ミサイルとは、空自のＦ15戦闘機に搭載する対艦ミサイルLRASM、対地ミサイルJASSM（いずれも射程９００キロの米軍製）であり、Ｆ35Ａ戦闘機に搭載のノルウエー製巡航ミサイルＪＳＭ（射程約５００キロ、２０１８年度から所得を開始）である。なお、LRASMについては開発元の米国側から改修費の大幅な増額を求められたことから、導入は困難という最新の報道もあるが、12式地対艦ミサイルを改良してＦ２戦闘機に装備する方向も検討されている。

ところで、この陸自の保有する最新の12式地対艦ミサイルであるが、すでにこのミサイルの射程４００キロの延長、配備が決定（２０２５年をメド）されてきたが、なんとこれを射程９００キロに延長する決定も行われているのだ。これは、２０２０年12月、自民党国防部会などでの決定を受け、岸防衛大臣が２０２１年度防衛予算に３３５億円の開発予算を計上したことで具体化した（次頁写真は12式地対艦ミサイル）。

この12式ミサイルの射程改良については、５年以内に地上発射型、艦艇発射型の両方の開発を決定しているが、言うまでもなく、ミサイルの９００キロの射程は、「長距離巡航ミサイル」としての開発である。なお、産経新聞では、この改良ミサイルの射程を１５００キロ（20年12月29

日付）としており、新たに射程２０００キロの「国産トマホーク」の開発も検討と報じられている。

この「国産トマホーク」の開発は、産経の勇み足か、リークか？　実は、この「国産トマホーク」開発は、すでに自衛隊が公表しているミサイルの開発計画である。

２０１７年10月31日の防衛省発行「防衛参考資料」の「30年度防衛関係費（概算要求）の主な事業について②」には、「島嶼防衛用新対艦誘導弾の要素技術の研究（77億円計上）」として「諸外国が保有するミサイルの長射程化を踏まえ、その覆域外から対処が可能となるよう、現有の対艦ミサイルの射程の延伸及び残存性の向上を目的として、新たな島嶼防衛用対艦誘導弾の要素技術の研究を実施」と明記する。

この資料の横には、その「誘導弾」の「イメージ図」が掲載されているが、これは明らかに、米

軍の保有するトマホークと同型だ。つまり、２０１７年から、防衛省はトマホークの開発を堂々と行ってきたのだが、この重大性をメディアなどは、全く認識もせず、報道もしなかったということだ。

射程１５００キロ、あるいは２０００キロとすれば、日本本土からでさえ中国を十分に射程に入れることができる。いわんや、先島などの琉球列島からであれば、中国大陸の奥地さえ射程に収めることが可能だ。これほどの攻撃的巡航ミサイルの開発が、報道もされないという異常さが、現在の南西シフトをめぐる問題である。

極超高速滑空弾の開発・配備

さて、前述の「防衛参考資料」の「30年度防衛関係費（概算要求）」には、トマホーク開発と並んで「島嶼防衛用超高速滑空弾の要素技術の研究（１００億円）」予算が計上され、「島嶼防衛のための島嶼間射撃を可能とする、高速で滑空し、目標に命中する島嶼防衛用超高速滑空弾の要素技術の研究を実施」と明記されている（２０２２年度概算請求では、１４５億円計上）。

こちらの「(極) 超高速滑空弾」の開発・研究については、報道も行われており、すでに装備化のメドも立っている。防衛省発表では、第1段階の「ブロック１・早期配備型」を２０２６年頃に装備化、第2段階の「ブロック２・性能向上型」を２０２８年度以降に装備化するとしている（下図）。また、この極超高速滑空弾などについては、２０１８年の「防衛計画の大綱」においても、「島嶼防衛用高速滑空弾部隊・2個高速滑空弾大隊」の配備が決定されている。

この極超高速滑空弾部隊は、「島嶼間」とは銘打っているが、対空母攻撃用も検討されているから（20年2月25日付毎日新聞）、宮古海峡の両側、宮古島と沖縄本島が配備先になるだろう。

「対空母」用について、毎日新聞は「南西諸島防衛の際、地上からも対応できる体制を整えたい考えで、空母の甲板も貫ける新型弾頭の装着を見据える。ただ、自衛隊装備の長射程化や強力化が進めば、専守防衛との整合性を問われる可能性があり、射程を最大５００キロ程度に収めるなど配慮する方針」という。

ところで、この高速滑空弾であるが、これは、今や、米日中ロなどが激しい開発競争を繰り広

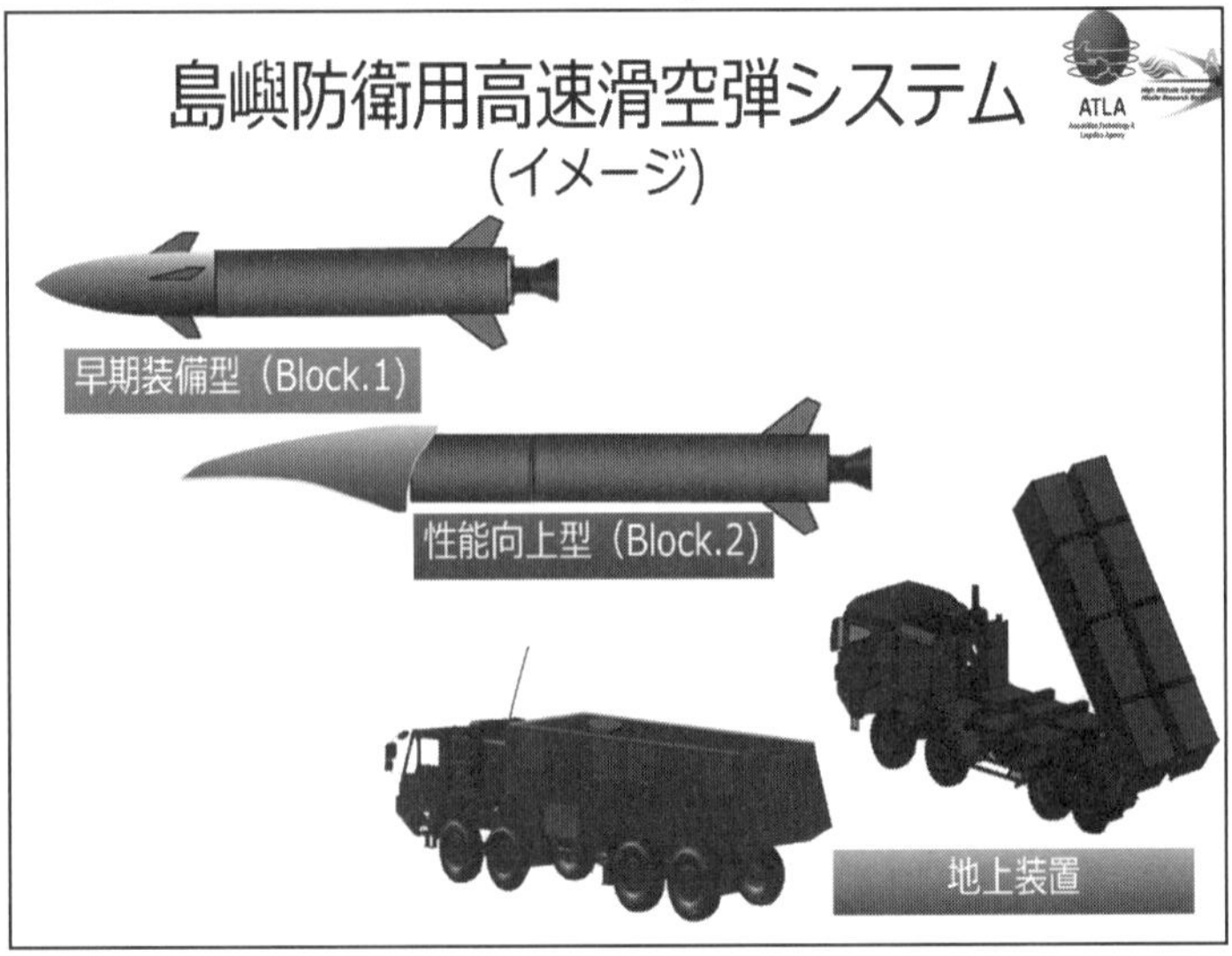

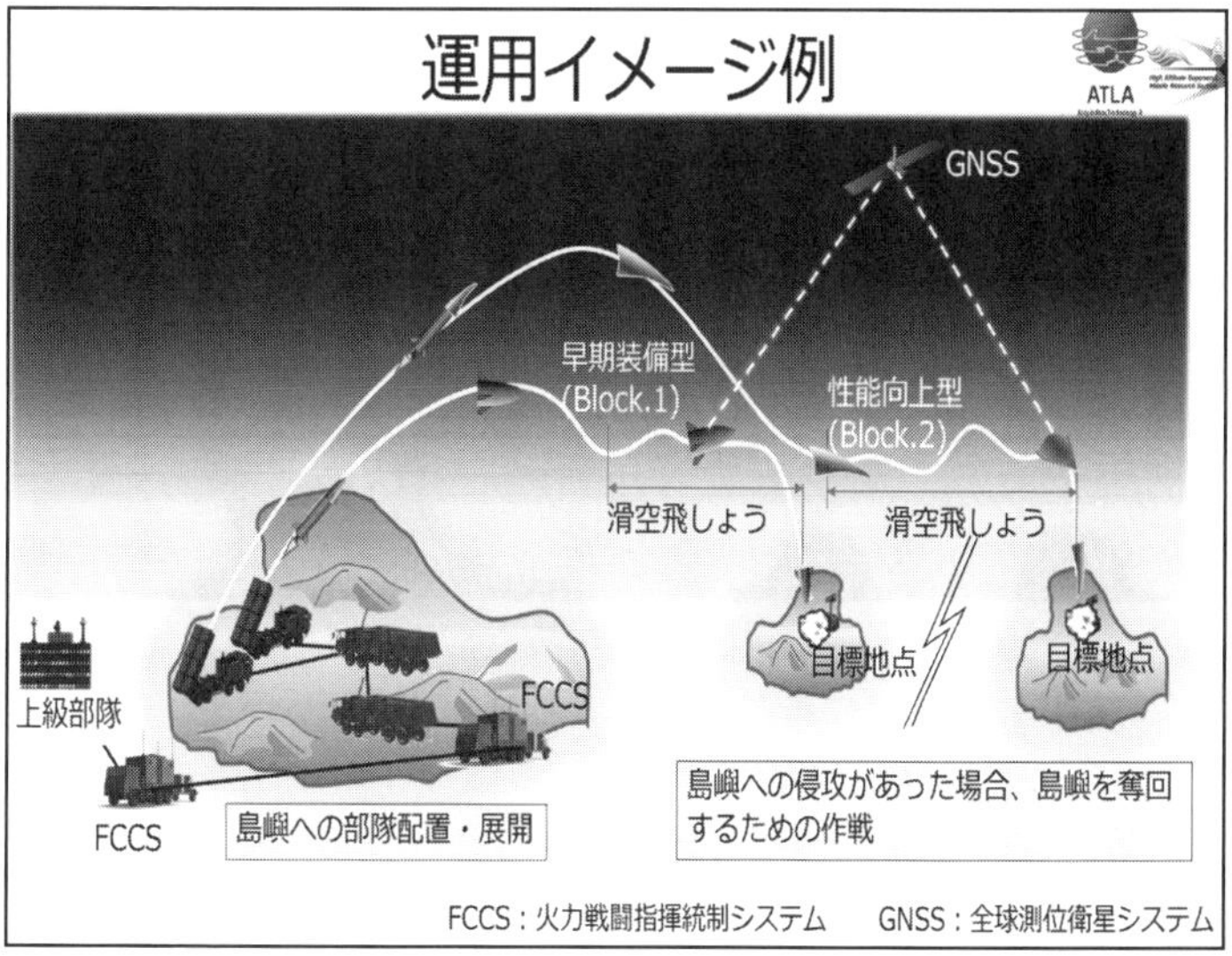

げる新型の対地・対艦攻撃兵器で、地上で打ち上げたロケットから、空気抵抗の少ない大気圏上層で弾頭部分を分離し、超音速でグライダーのように滑空する新型のミサイルである。全地球測位システム（ＧＰＳ）などでの誘導を受け、複雑な軌道で飛行することも可能で、従来のミサイルよりも迎撃が困難とされている（上図参照）。

つまり、この極超高速滑空弾の優れた特徴は、従来のトマホークや対艦ミサイルなどとは異なり、「超音速でグライダーのように滑空」するだけでなく、その軌道を絶えず変化させる、特に目標の途中で機動し、低高度を飛翔することで探知・防御を突破することができるということから、迎撃が不可能とされているのである（地上配備レーダーも飛行終末段階が探知不能）。

極超高速滑空弾は、防衛省の「島嶼防衛用高速滑空弾の現状と今後の展望」（長官官房装備開発官・統合装備担当付高高度超音速飛しょう体システム研究室）という文書によると、地対艦ミサイルなどと同様の、移動式・車載式で、キャニスターを積んだ車両から発射される。

ところで、中国は、この高速滑空弾について、ＤＦ17（東風17）という極超音速滑空体を開発済みと言われ、速度マッハ５～10、射程約２千キロ、滑空高度約60キロで、世界初の実戦配備（19年10月１日「建国70周年軍事パレード」で展示）を行ったと言われている。

また、ロシアについては、２０２１年７月、極超高速滑空飛翔体「ジルコン」（Tsirkon）の試射に成功したとする発表もある。そして、朝鮮については、開発・実射試験を行ったという説もあるが、実射が成功したかどうかは不明である。この中露日に続いて、米軍も急ピッチで極超高速滑空弾開発を進めており、苦戦しているのが実状のようだが（２０２２年度には38億ドルの予算請求）、２０２１年10月20日、ようやく開発に成功したといわれる。

報道によれば、米海軍と陸軍の合同で開発した極超音速兵器（ハイパーソニック）の実験は、バージニア州の米航空宇宙局（ＮＡＳＡ）の施設で行われ、３発のロケットを打ち上げて、これが超音速ミサイルの開発への重要な第一歩になったという。米国防総省は、２０２０年代半ばまでの実戦配備を目指すとしている（21年10月23日付朝日新聞）。

いずれにしても、高速滑空弾・極超高速滑空弾の開発・配備競争が、次節の中距離ミサイル配備問題と合わせて、東アジアの軍拡競争の深刻な引き金になっていることは明らかだ。

中距離ミサイルの琉球列島――九州配備

ＩＮＦ条約廃棄後のアメリカは、急ピッチで地上発射の中距離ミサイルの開発を進めていることが報じられており、すでに琉球列島――九州・日本へのミサイル配備についても報道がなされている。ところが、日本政府・防衛省は、この米軍の中距離ミサイル配備について、アメリカ側からは、今日まで「打診」はないと否定している。

しかし、この政府・防衛省の発言は、眉唾ものだ。これまで叙述したとおり、米軍は、海兵隊・陸軍とも、急ピッチで琉球列島・第１列島線へのミサイル配備態勢を進めているからである。

ところで、これらの米軍の中距離ミサイル配備について、自衛隊はもとより、非政府側の評論家、軍事ジャーナリストまでもが、中国軍との「中距離ミサイルギャップ」を主張している。曰《いわ》く、「中国軍の保有する中距離ミサイル１２５０発に対して、米軍のその保有はゼロ」であると。

「現代戦に欠かせない中距離ミサイルの所持数は、中国が１２５０発なのに対し、米国はゼロだ。冷戦期の１９８７年、米国がソ連との間で結んだ中距離核戦力全廃条約により、射程５００～５５００キロメートルの核弾頭および通常弾頭を搭載する地上発射式の弾道ミサイルと巡航ミサイルの保有を禁じたためだ。一方、ＩＮＦ条約とは無縁だった中国は各種ミサイルを開発し、１２５０発の中距離ミサイルを持つに至った。米軍が『空母キラー』『グアムキラー』と呼ぶ特殊な中距離ミサイルも保有し、台湾有事には米艦艇が第１列島線に近づくのさえ難しい」（半田滋、

21年6月9日付「現代ビジネス」）

非政府系の軍事ジャーナリストと称する人物が、堂々とこんなフェイクを流し、「台湾有事」を煽動する。今起きている状況は、こんなに酷いものだ。

この中国軍と米軍のミサイルギャップ――中国軍が1250発の中距離ミサイルを保有しているのに米軍はゼロという主張が、いかにフェイクなのか、事実を見れば明らかだ。確かに、米軍はINF条約に縛られ、「地上発射」の中距離ミサイルは、現在保有していない。

だが、米軍は、「潜水艦発射」「水上艦発射」の中距離ミサイル――巡航ミサイルの多数を保有していることは明らかだ。

例えば、米海軍の潜水艦発射巡行ミサイル（SLCM）を搭載する、改良型オハイオ級原子力潜水艦には、22基のトマホークが搭載されている（1基に7発のトマホークを装填、1艦あたり最大154発）。このオハイオ級原潜は、4隻あるから、合計で最大616発のトマホークが搭載可能である。なお、米海軍は、2021年2月、東アジア地域でこのオハイオ級原潜の姿を公開し、排水量1万8千トンの巡航ミサイル搭載潜水艦が沖縄周辺で、米海兵隊と共同訓練を行う様子を見せつけたのである。

原潜だけが、トマホークを装備しているのではない。米海軍の水上艦艇も、多数のトマホークなどを装備している。例えば、米議会の資料によると1990年代初め、横須賀に在留する米海軍巡洋艦「バンカーヒル」と「モービルベイ」は、それぞれ26発のトマホークを、駆逐艦「ファイフ」は、45発のトマホークを搭載していた。巡洋艦「サンジャシント」は、122基の発射管全てにトマホークを装備してたという（『情報公開法でとらえた在日米軍』梅林弘道著・高文研）。

見てのとおり、中距離ミサイル保有について、米軍ゼロというのは完全なフェイクである。正確に言えば、今まで、米軍の「地上発射」中距離ミサイルについては、ゼロだったということだ。

言い換えると、今現在、米軍が目論んでいる「中距離ミサイル問題」は、地上発射を含む潜水艦・水上発射の中距離ミサイル保有量において、中国軍を圧倒する中距離ミサイルを保有しようとしていることだ。

ところで、このような米軍による、日

FIGURE 7: THEATER-RANGE MISSILES IN A POTENTIAL CONFLICT WITH CHINA

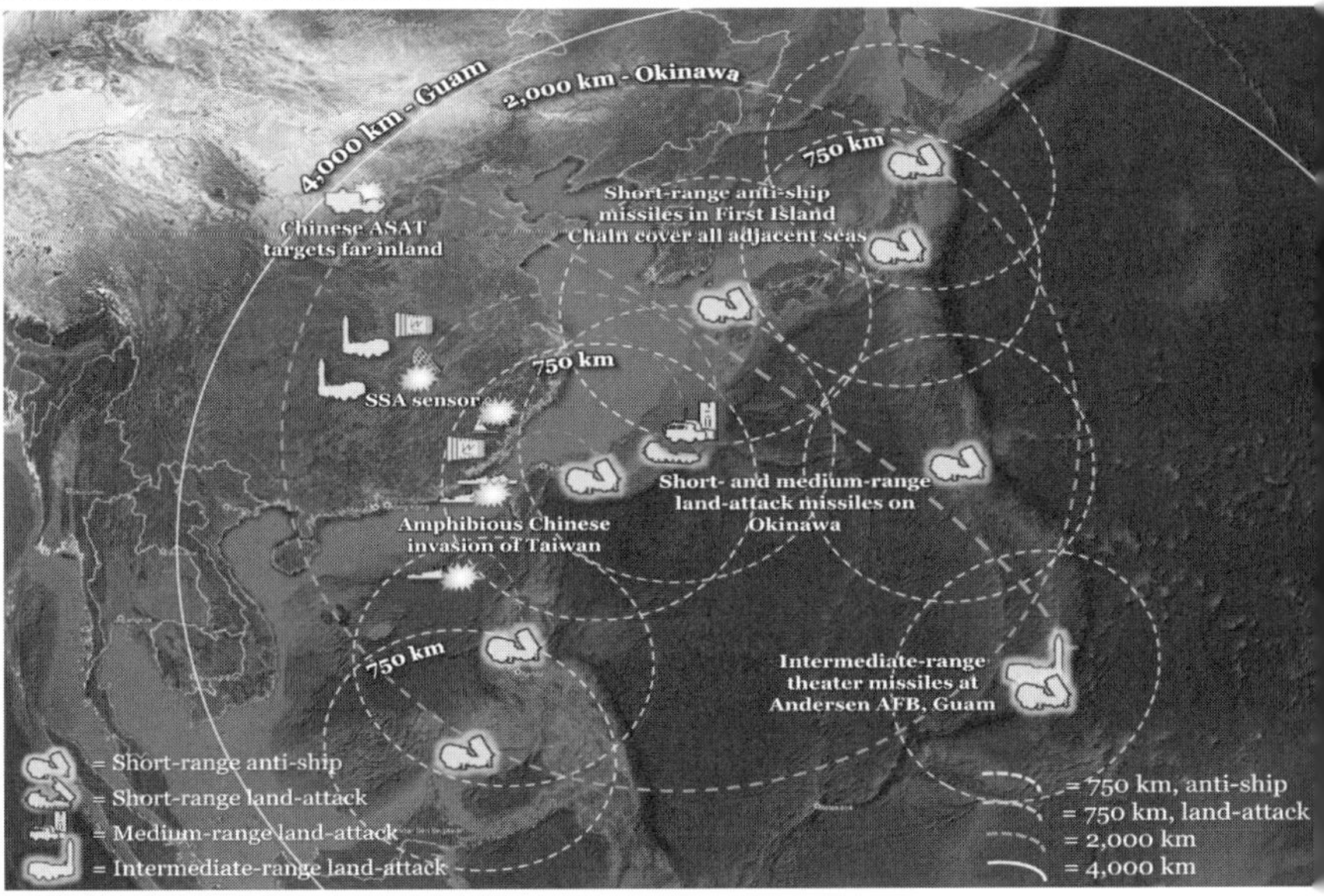

ＣＳＢＡが提言する「ＩＮＦ後の世界における米国の戦域ミサイルの再導入」（2019年）

本への中距離ミサイル配備問題が現実化する中で、朝日新聞は、元米国防総省東アジア政策上級顧問のジェームズ・ショフへのインタビュー記事を大きく掲載した（2021年7月26日付）。これは、重要な内容であるから、当該箇所を引用しよう。

「日本の反撃能力、極めて重要な補完に」

――アジア太平洋での米軍の展開はどうなりますか。

「米国はアジアの複数の地域に長距離射程のミサイルを配備したいと考えています。米国は今後、同盟国・友好国と協議を行っていくことが大切です。そのときに、同盟国・友好国は『我々はあなたたちのミサイルをここに配備して欲しくない。その代わり、我々自身でその能力をもとう』というかもしれません。さまざまな協議が必要となるでしょう」

――日本へのミサイルの配備についての可能性はどうみていますか。

「中国を攻撃するミサイルを日本国内に配備するのはとても難しい状況だと思います。米側は、日本でミサイル防衛のためのイージス・アショア（陸上イージス）ですら配備するのがいかに難しいかをすでに見ています。私には、米国のもとでコントロールされる攻撃型システムを、日本国内に配備することが実際に可能かわかりません。仮に安全保障環境に厳しさが増せば、最も早い方法として米国の能力を日本国内に導入するという可能性はあると思います」

ここでは、米軍の日本への中距離ミサイル配備が既定路線であることが言われている。しかし、重要なのは、この中距離ミサイルの日本配備の困難さを米軍が承知しているということだ。そこでジェームズ・ショフは言う。「我々はあなたたちのミサイルをここに配備して欲しくない。その代わり、我々自身でその能力をもとう」と。

今、日本で進行している状況は、まさしくジェームズ・ショフが言うように、日本・自衛隊が、トマホークを始めとする中距離ミサイルを開発・配備し始めているということだ。もちろん、だからといって、米軍が日本への中距離ミサイル配備を諦めたわけではない。日本の政治状況を見ながら、虎視眈々と配備発表の時期を見ているのである。

中距離ミサイルは核搭載か？

ところで、米軍が日本に配備しようとしている中距離ミサイルについて、最初に報じた琉球新報もそうだが、反戦平和を唱えている人々も、この中距離ミサイルが核装備した、「中距離核ミサイル」であると主張している。しかし、この認識は、残念ながら軍事的リアリティーを理解しない認識だ。日米の南西シフトについての認識がない、とも言える。

すでに述べてきたように、米軍は、水上艦、原潜ともに、トマホークを始めとした中距離ミサイルを装備しているが、「中距離核ミサイル」「中距離核弾道ミサイル」についても、原潜や水上艦に多数装備していることは周知の事実である。

これらの、核ミサイルを装備した米海軍の艦艇などは、特に原潜は、アジア太平洋を秘密裡に遊弋していることも、見てきたとおりである。

この秘密裡に、すなわち、100％近く秘匿して作戦行動をとっている「核ミサイル」を、なぜ、わざわざ地上に配備するというのか。中国軍との「ミサイルギャップ」で、米軍が圧倒的ミサイルを保有したいとしても、そんな危険な「中距離核ミサイルの地上配備」という手段はとらない。

米軍の中距離ミサイルは、確かに車載式、移動式のミサイルと想定されている。新型トマホークについても、それが報じられている。しかし、地上配備のミサイルである限り、航空攻撃だけでなく、ゲリラによる攻撃からも無傷でいることはできない。つまり、中距離核ミサイル、核搭載ミサイルという貴重な、危険なミサイルを「野ざらし」にするという冒険を米軍は起こさないだろう。

そして、認識すべき大事な問題は、この「中距離核ミサイル」保有論者は、日米軍の南西シフト、つまり、対中国へのA2／AD戦略——通峡阻止作戦を軸とする対中戦略を認識できていないということだ。ここでは、「海洋拒否戦略」を始め、核の閾値以下に収めることが強調されているのである。

もちろん、日米がこのような対中戦略を推進していく限り、この「島嶼戦争」＝海洋限定戦争は、通常型の戦争から、将来、核戦争にまで突き進むことは、必至と言えるだろう。だが、問題は、

FIGURE 9: THEATER-RANGE MISSILES IN A POTENTIAL CONFLICT WITH NORTH KOREA

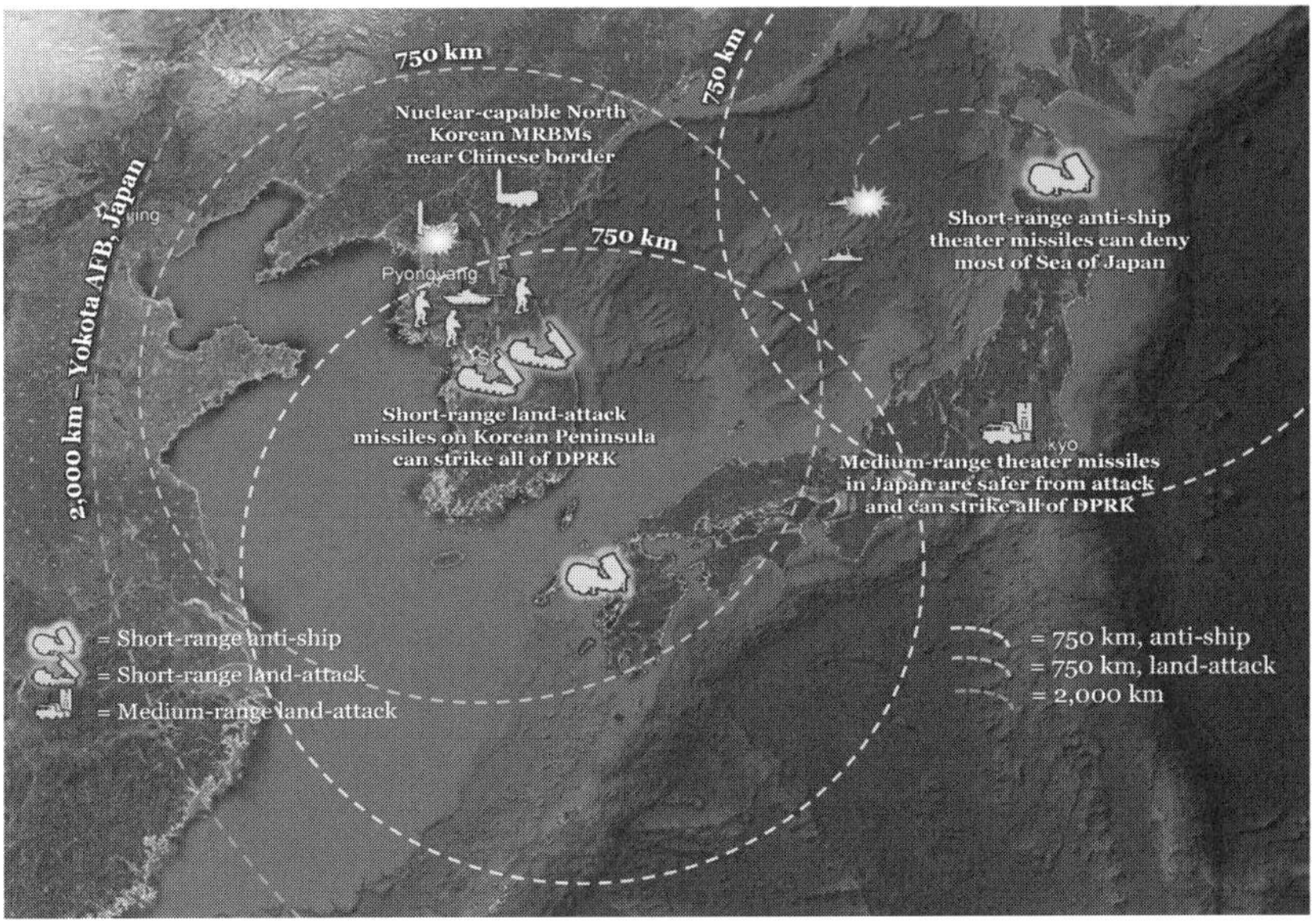

ＣＳＢＡが提言する「ＩＮＦ後の世界における米国の戦域ミサイルの再導入」（2019年）

繰り返し述べてきた、日米の「島嶼戦争」論、「海洋拒否戦略」という認識をしない限り、現在急ピッチで進行するアジア太平洋の軍事的危機——戦争の危機を見据えることはできないのだ。

付け加えると、ジェームズ・ショフを始めとして、アメリカ政府、日本政府が恐れているのは、単に、日本国民の「反対世論」というだけではない。中距離ミサイルの琉球列島—日本配備は、この中距離ミサイルが中国までおよそ10分前後で着弾するということから、中国は全く防御することも、対処もできないということだ。この問題は、１９８０年代にヨーロッパで中距離核ミサイルが配備されときから大きな問題になったことであるが、この防御不可能のミサイル配備は、いわゆる「抑止力」が全く効かない、相互に戦争自体を誘発しかねないとして、ＩＮＦ条約を締結する契機になったのである。

言い換えると、琉球列島―日本に中距離ミサイルを配備することは、中国に防御不可能の刃を突きつけることであり、中国軍が唯一、優位性を保っているミサイル態勢を奪うということであり、これは、中国との深刻な外交的・政治的危機を生じさせることになりかねない。キューバ危機のような事態を、生じさせるかもしれないということだ。

（仮に、中距離核ミサイルの配備となれば、日本政府は「非核三原則」を葬るということになり、日本ばかりか世界の世論を敵にすることになる。現段階では、日本政府がここまで愚かな選択をすることはない。これは、政治のリアリティーを理解していない主張である）

ミサイル攻撃基地となる琉球列島

第３章において筆者は、海兵隊「フォース・デザイン２０３０」において、新たに創設される海兵沿岸連隊が、第１列島線にトマホーク配備を検討していることを叙述してきた。これについて、２０１９年、ＣＳＢＡは「ＩＮＦ後の世界における米国の戦域ミサイルの再導入」というトシ・ヨシハラらの署名する提言を発表しているが、ここでは、米軍が予定する中距離ミサイル導入の候補は、トマホークが有力であるとしている。

「戦域ミサイルを実戦配備するための最も簡単な短期的手段は、おそらく地上発射型・陸上攻撃ミサイルのトマホーク（ＴＬＡＭ）である。米国はすでに多くの中距離ＴＬＡＭブロックⅣを保有しており、直近の２０１８年度のトマホーク大量購入費用は、1発あたり１４０万ドルであった。ランチャー1台に4発のミサイルを搭載した場合、ＴＬＡＭ４００発とランチャー50台の取得にかかる総コストは14億ドルとなる」と、その配備のコスト計算まで行われている。

ところで、このＣＳＢＡ提言は、また「米国の同盟国が地上発射型ミサイルの配備のために自国の領土へのアクセスや使用を拒否する可能性がある」が、「同盟国が平時にはミサイルを保有したくないと考えていても、危機の際にはミサイルが同盟国に配備される可能性があり、一部の長距離の戦域ミサイルは米国の領土に配備される可能性もある」としている。つまり、**中距離ミサイルの日本への「有事展開」をも検討する**ということだ。

さらに、ＣＳＢＡ提言は、「戦略家や政策立案者の中には、米国が地上発射型の戦域ミサイルを配備することに対して、考慮すべき重大な懸念を表明している人もいる。まず、米国の地上発射ミサイルの配備は、新たな軍拡競争の引き金になると主張する人がいる」と述べるが、言うまでもなく、中距離ミサイルの琉球列島――九州・日本配備が、アジア太平洋での米中露日、あるいは朝鮮までも巻き込む、激しいミサイル軍拡競争になることは明らかである。

この事態は、キューバ危機のような一過性の危機ではなく、あるいはまた、１９８０年代ヨーロッパのような局地的危機ではなく、アジア太平洋全域を巻き込むミサイル戦争の危機になりかねない。そして、その最前線に立たされようとしているのが、先島・沖縄なのである。

知られているように、沖縄には、1960年代の東西冷戦下において、沖縄島の読谷村・恩納村・勝連半島など4カ所に「中距離核ミサイル」メースBが配備されていた。これは当時、各8基・発射機32台配備と言われていた。メースBの射程距離は、2200キロで、中国大陸を狙って配備されたことは明らかであった。このメースBは、1962年には、一度、誤って発射命令が下されたことがあるという。

すでに述べてきたが、勝連半島の陸自・勝連分屯基地には、陸自の地対艦ミサイル中隊とミサイル連隊司令部が、2023年配備と発表されている。今再び沖縄――琉球列島が、最前線の戦場とされようとしているのだ。

しかも、この戦場はミサイル戦争の戦場であり、先島・沖縄――琉球列島全体が対中国の**ミサイル発射基地**となるのである。従来は、自衛隊のA2／AD戦略のもとでの、これらの琉球列島の位置は、「島嶼戦争」＝通峡阻止作戦下の「拒否的抑止」という、どちらかというと防御的（中国軍に対する海峡封鎖作戦という意味では攻撃的）な戦略であった。だが、政府・自衛隊の「敵基地攻撃能力」の保有、装備という事態下では、すなわち、日本型巡航ミサイル、トマホークを始めとした、「日本版・中距離ミサイル」を保有しようとする状況下では、まさしく、琉球列島自体が、対中国に向けた「**攻撃的ミサイル発射基地**」となるのだ。

言い換えると、これまで沖縄――琉球列島は、中国との「島嶼戦争」の「**防波堤**」（**万里の長城**）

としてあったのであるが、今や、中国との全面的な「ミサイル戦争の攻撃基地」として位置づけられたということである。

海洋プレッシャー戦略、海兵隊「フォース・デザイン２０３０」などの、米軍のＡ２／ＡＤ―海洋拒否戦略は、この「**琉球列島のミサイル攻撃基地化**」（**攻撃拠点化**）を、初めて、より明確に打ち出したのである。

私たちの喫緊の課題は、今や中国へのミサイル攻撃の拠点――「中国本土攻撃基地」として位置づけられようとしている沖縄――琉球列島への各種のミサイル配備に対して、厳として対峙しなければならないということだ。

第6章　無用の長物と化した水陸機動団

水陸機動団の編成

水陸機動団というと、自衛隊がよく紹介するのは、ゴムボートに乗った隊員が、海上から陸へ上陸する写真である。だが、この部隊は、水陸機動団の中でも、特殊な「火力誘導中隊」で、夜陰に乗じて島々へ潜入し、艦砲射撃、空爆撃などの陸・海・空自衛隊の火力の誘導を任務とする部隊である。

すでに、別章で一部を叙述してきたが、水陸機動団の前身は、2002年、長崎県相浦《あいのうら》で発足した西部方面普通科連隊であり、2018年3月に、部隊は正式に約2400人態勢でスタートした。現在の部隊規模は、2個連隊であるが、2023年までに第3水陸機動連隊も編成される予定だ。また、この水陸機動団を航空輸送する「輸送航空隊」（オスプレイ17機）も編成されているが、予定する佐賀空港の用地問題が解決できず、千葉県の木更津市に暫定的に配備されている。

オスプレイ部隊は、現在、第1ヘリコプター団の傘下に、輸送航空隊の隊本部、整備隊、オスプレイ運用の107、108飛行隊などで編成されており、隊員約430人で構成されている。

さて、水陸機動団の部隊編成の内訳は、組織図にあるように、団本部と3個水陸機動連隊（1個連隊は約620人）・戦闘上陸大隊（水陸両用車基幹の部隊2個中隊約180人）・特科大隊（約180人）・偵察中隊・通信、施設中隊・後方支援部隊・その他で総人員約2100人で構成される。

この水陸機動連隊、戦闘上陸大隊による敵前上陸で運用されるのが、水陸両用車（AAV7）であり、陸自全体では、現在58両を調達している。

水陸機動団の配備先は、団本部が置かれている長崎県相浦駐屯地ほか、大分県の湯布院、玖珠《くす》駐屯地など九州北部・中部に、多岐にわたって配置されている。具体的には、第1戦闘上陸中隊（佐世保市崎辺）、第2戦闘上陸

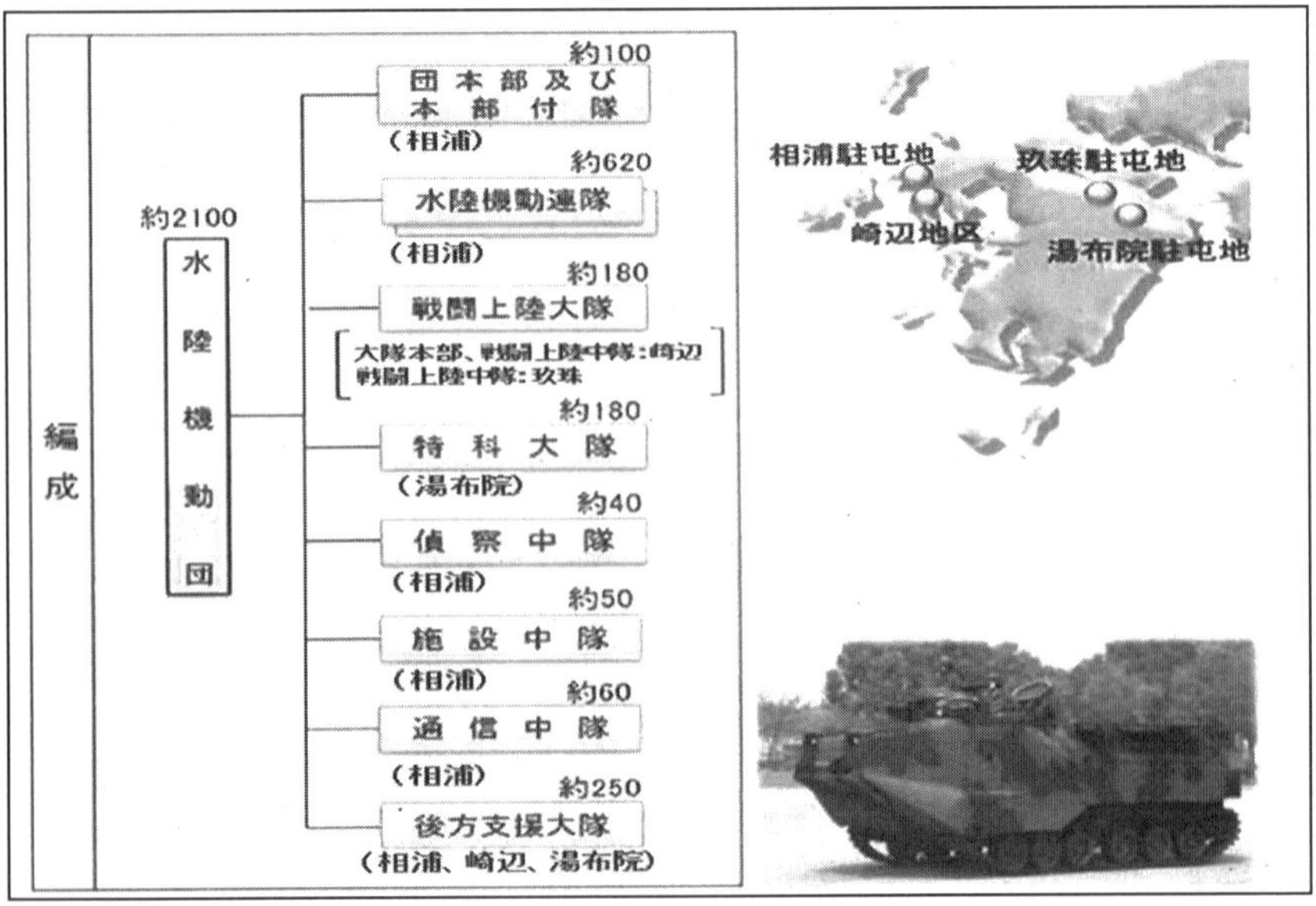

中隊（大分県玖珠駐屯地）、特科大隊（大分県湯布院）などである。

水陸機動団の主力の1つは、戦闘上陸大隊の装備する水陸両用装軌車両（ＡＡＶ７）であり、陸自の実戦部隊では唯一装備しており、水陸機動団（主に水陸機動連隊の隊員）を輸送艦から揚陸地点へ上陸させるとともに、上陸前後における部隊の火力支援を主目的とする。

戦闘上陸大隊は、２個戦闘上陸中隊を基幹とし、隊本部および本部管理中隊、第1戦闘上陸中隊、第2戦闘上陸中隊で編成される。

水陸機動団の作戦運用

さて、水陸機動団の作戦、「**島嶼奪回作戦**」とは、どんな内容なのか。

この作戦を分析するために、筆者は防衛省に情報公開請求をしたのだが、、提出された陸自教範『水陸両用作戦』（２０１６年・統合幕僚監部）は、42頁の半分が黒塗りという、とんでもない内容のシロモノだった。

ところが、だ。２０１９年1月、米統合参謀本部は、水陸両用作戦に関するドクトリンをインターネットなどを通じて公表したが『Amphibious Operations（水陸両用作戦）』[Joint Publication 3-02]）、その全文２８４頁に及ぶ内容は、まったく黒塗りなしである。米軍は全面公開し、この作戦に関する意見を求めているのに、自衛隊はほとんど黒塗りという状態、これが自衛隊の隠蔽体質を表しているのだ。

問題は、この米海兵隊のドクトリンをよく見ると、陸自教範は、これをそっくり真似ていることが分かる。陸自教範は、第1章総説で「水陸両用作戦の種類」を記載し、それを水陸両用強襲、水陸両用襲撃、水陸両用陽動、水陸両用後退と記載しているが、これは米軍の記述の完全な物真似だ。

自衛隊の教範が、このような叙述した状態であるから、公開されている米軍の『水陸両用作戦』に基づいて、少しその具体的内容を検討してみよう。

海兵隊教範は、まず「水陸両用作戦とは割り当てられた任務を達成するべく、上陸部隊を海岸部に嚮導《きょうどう》することを第1の目的とし、艦船あるいは航空機に搭載された水陸両用作戦部隊（Amphibious Force：ＡＦ）によって海上から投射する軍事作戦」であるとする（嚮導《きょうどう》とは、先頭に立って部隊を導くこと）。

この水陸両用作戦は、複数の軍事作戦領域にまたがって遂行され、次の５つの嚮導に分別されると記述している。

すなわち、「水陸両用強襲」（Amphibious Assault）、「水陸両用襲撃」（Amphibious Raid）、「水陸両用陽動」（Amphibious Demonstration）、「水陸両用撤退」（Amphibious Withdrawal）、そして「水陸両用支援」（Amphibious Support）である。

水陸両用強襲とは、敵性あるいは潜在的敵性圏内の海岸部に、上陸部隊を展開することである。

水陸両用襲撃とは、あらかじめ撤退までを含めて計画された、迅速な襲撃もしくは目標の一時的占拠を含む水陸両用作戦の種類の1つである。

水陸両用陽動とは、敵が我の行動に惑わされ、敵自身が不利となるような行動方針を選択することを期待し、部隊が欺瞞行動をとって見せることである。

水陸両用撤退とは、敵性もしくは潜在的敵性圏内の海岸部から、船舶もしくは航空機によって海上に部隊を引き揚げることである。

水陸両用支援とは、紛争防止あるいは危機沈静化に寄与する種類の水陸両用作戦である。

注意すべきは、「水陸両用強襲」が敵地の獲得とその継続を目的とするのに対し、「水陸両用襲撃」は、あらかじめ撤退を計画した上での一時的な目標占拠を目的とするということだ（「水陸両用陽動」とは、待ち伏せされる強襲上陸地点を、「陽動」（欺瞞）によって避けること）。

そして、「水陸両用作戦はその性質上、統合運用を前提としており、また状況によって広範囲の航空、地上、海上、宇宙そして特殊作戦部隊の参加を要する」とし、「作戦を成功に導くためには、水陸両用作戦部隊は、**局地的な海上・航空優勢を確保**するとともに、海岸部において敵に対し確実な優勢を確保すべき」と述べている。

なお、米海兵隊の「水陸両用作戦」についての概念を詳しく記述したのは、陸自教範の問題を浮き彫りにするためである。

自衛隊の水陸両用作戦とは

自衛隊の水陸両用作戦に関する教範は、陸自の『水陸両用作戦』（試行案・２０１６年制定）のほか、統合幕僚監部の編纂する『統合運用教範』（２０１７年）が作成されている。ただし、『統合運用教範』では、水陸両用作戦という作戦概念は用いず「着上陸作戦」として記述されたとしている（『統合運用教範（編さんの趣旨）』２０１７年・統合幕僚監部）。

『統合運用教範』は、統合幕僚監部が監修する自衛隊の最高教範であるので、この教範が定める「水陸両用作戦」について簡潔に紹介しよう（同書第３章第３節第５款「着上陸作戦」）。

その意義について、「（水陸両用作戦）着上陸作戦は、敵の支配下にある我が領土に対し、事前の火力制圧等により、沿岸部の敵を無力化し、着上陸に必要な安全を確保した上で陸上部隊を着上陸させ、じ後《ママ》の陸上作戦を実施するための基盤となる海岸堡の確保や島嶼の奪回等のために行う作戦である。なお、着上陸作戦の一部として、陸上自衛隊及び海上自衛隊の部隊で編成される水陸両用統合任務部隊により実施される作戦を水陸両用作戦という」

ありきたりの記述であるが、ここで大事なのは「**水陸両用統合任務部隊**」という新しい編成部隊が記述されたことだが、これについては、この後記述する。

さて、この統合幕僚監部が定める着上陸作戦の編成や実施要領を、少し長くなるが詳しく説明しよう。というのは、この自衛隊が定める、着上陸作戦や水陸両用作戦の内容を理解することなく、厳しい批判はできないからだ。

『統合運用教範』は、まず着上陸作戦の編成について、「着上陸作戦は、統合任務部隊を編成することを基本とするが、状況により、協同関係にある2以上の自衛隊の部隊により実施する」として、「統合任務部隊は、一般に水陸両用統合任務部隊とこれを支援する陸上・海上・航空の各構成部隊から編成」され、「陸上自衛隊は、上陸部隊、降着部隊、その他の陸上構成部隊を編成」し、「海上自衛隊は、水陸両用任務部隊、海上構成部隊を編成」し、「航空自衛隊は、航空輸送部隊等から成る航空構成部隊を編成する」としている。

この着上陸作戦の「実施要領」については、以下のように記述する。

着上陸作戦は、通常、次の区分により、実施する。

（1）周密な作戦準備及び航空優勢・海上優勢の獲得

ア、企図を秘匿し、周密に作戦準備（集結及び搭載等）、予行等を実施する。

イ、作戦予定地域とその近傍海空域において、航空攻撃、対潜戦等により、航空優勢・海上優勢を獲得する。

（2）着上陸に必要な安全の確保

戦闘機、護衛艦、戦闘ヘリコプター等による沿岸部の敵に対する火力制圧等により、着上陸に必要な安全を確保する。

（3）泊地等の確保

輸送艦船の泊地及び近接水路の安全を確保する。

（4）着上陸

戦闘機等による援護下で輸送艦船の泊地まで進出するとともに、水陸両用統合任務部隊により、着上陸を開始する。

（5）海岸堡の確保

着上陸部隊による海岸堡の確保及びじ後《ママ》の陸上作戦のための基盤の整備を実施する。

（6）陸上作戦への移行

着上陸部隊は海岸堡の設定に引き続き逐次、陸上作戦に移行する。

この「実施要領」の「着意事項」として付記されるのが「適切な作戦構想の構築及び周到な準備」として、「着上陸作戦は、海岸堡の確保という目標を堅持し、作戦地域の地形、天象・気象・海洋、敵部隊の配置状況、我が戦闘力の特性等を考慮して、作戦構想を構築し、海上優勢・航空優勢の獲得、着上陸に必要な安全の確保、泊地等の確保、海上作戦輸送及び着上陸に関する作戦の実施要領を的確に定める」とし、特に「保全及び欺瞞の追求」として、「着上陸作戦においては、我が企図、能力、行動等の保全に万全を期すとともに、作戦と連携したけん《ママ》制、陽動等の積極的な欺瞞の実施が重要である」としている。

以上が、教程が定める水陸両用作戦の運用、実施要領だが、この記述ではまだ作戦運用に関する編成や組織が分かりにくい。すでに述べてきた水陸両用作戦の新しい部隊——水陸両用統合任務部隊などに関する詳しい説明は、陸自教範『水陸両用作戦』および『統合運用教範（編さんの趣旨）』などで図示を含めて説明されている。ここから詳細に見てみよう。

陸自の教範『水陸両用作戦』では、同作戦を陸自および海自の部隊で編成される「**水陸両用統合任務部隊（AF）が、主として海から着上陸する作戦**」であるとするが、このAFの指揮関係（「編成・指揮」（第2章）については、「水陸両用作戦を実施する統合任務部隊（JTF）は、水**陸両用統合任務部隊（AF）とこれを支援する陸海空の各構成部隊から編成される**」としている（次頁「着上陸作戦の編成の一例」の図表参照）。

教範は、少しややこしい記述になっているが、「編さんの趣旨」の次頁図にあるように、着上陸作戦（水陸両用作戦）では、「**統合任務部隊**」が編成され、その傘下に「**陸海空3自衛隊**」と「**水陸両用統合任務部隊**」が編成されるということだ。そして、この「**水陸両用統合任務部隊**」の傘下に、「**上陸部隊**」と「**水陸両用任務部隊**」の2つの組織が編成される。「**上陸部隊**」は、図にあるように、主として水陸機動団の部隊だが、「水陸両用任務部隊」とは、主として海自の「水陸両用任務群」「護衛任務群」、「機雷戦任務群」などから構成される。

問題は、ここで言う「**水陸両用統合任務部隊**」（AF）」であり、「**水陸両用任務部隊**」である。

4　着上陸作戦（統合任務部隊による場合）の編成の一例

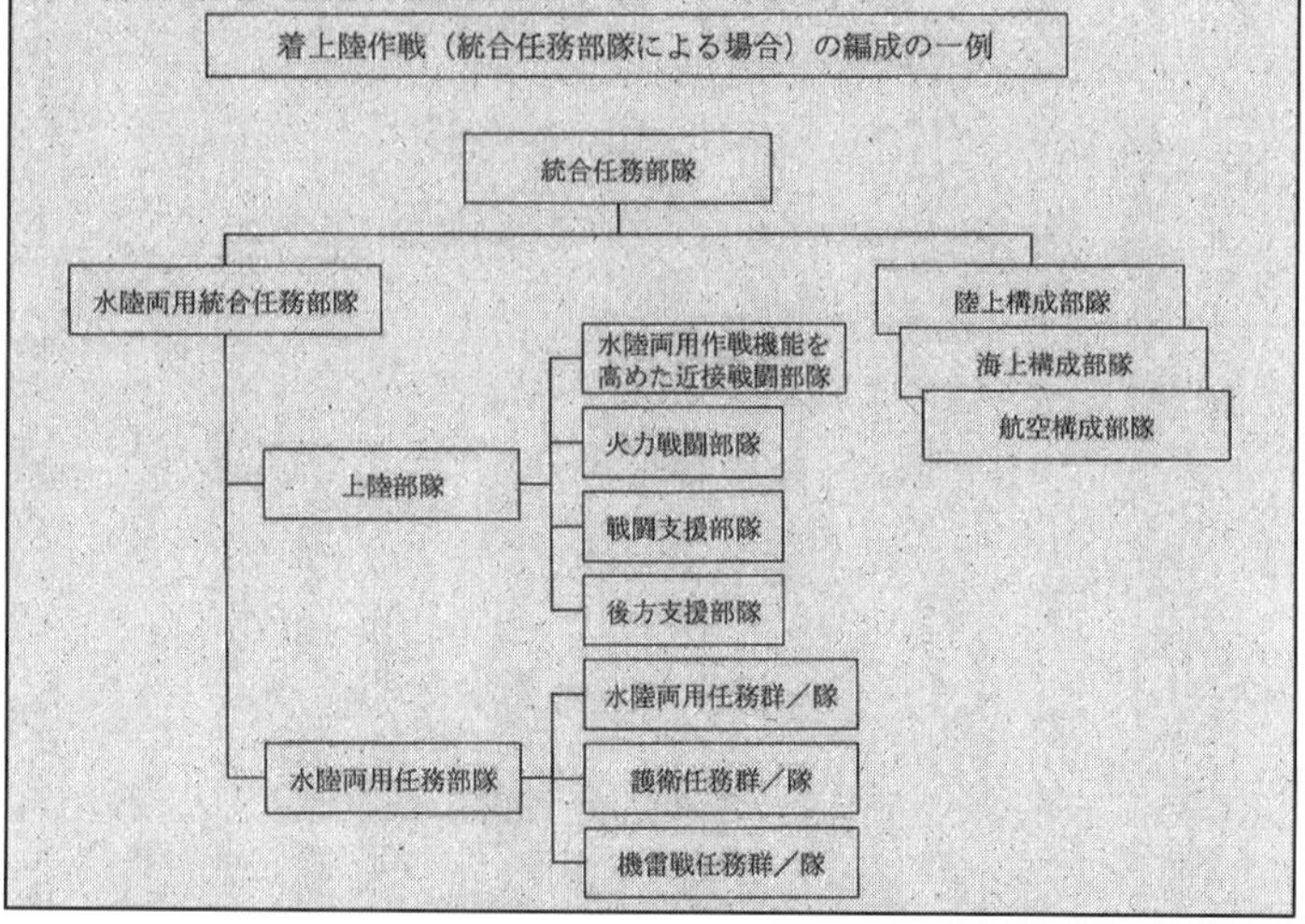

これは、すでに編成されている「水陸両用作戦」の部隊の現状と実態を見れば、もっと分かりやすい。

実は、この『水陸両用作戦』などの教範が制定される前の、２０１６年7月1日、海自・掃海隊群の大幅な編成替えが行われた。

これは、これまで護衛艦隊の隷下にあった、大型輸送艦3隻（「おおすみ」「しもきた」「くにさき」）で編成する第1輸送隊（呉）が、掃海隊群隷下に編成替えとなったのである。掃海隊群が、海自の輸送艦隊を指揮するというのは、奇妙に見えるが、これが明らかに水陸両用作戦による「着上陸作戦」を意図したものであったのだ。

つまり、「島嶼奪回・着上陸作戦」を指揮・先導するのは、基本的には海自・掃海隊群傘下の対機雷戦部隊（掃海隊）であり、その先導（機雷掃海）なしには、上陸する島々に、上陸部隊は、一歩も近づけないのである。

要するに、海自・掃海隊群の編成替えは、水陸両用作戦の「着上陸作戦」における初動対処である、対機雷戦を担う部隊として編成されたのだ（司令部は横須賀。機雷戦部隊は横須賀、呉、佐世保に配備する掃海母艦ほか、対機雷戦艦艇で編成され、水陸両用戦部隊は、呉に配備する輸送艦などで編成）。

言い換えると、この再編目的は、掃海隊群に第1輸送隊を組み合わせることで、着上陸作戦を行う際には、この水陸両用部隊による「強襲上陸」の指揮を、掃海隊群が執るということである。

水陸機動団を主とした「島嶼奪回」の着上陸作戦では、これらのAFを、海上・航空優勢下（制海・制空権）で支援するのが、陸海空自衛隊を中心とする「統合任務部隊」（JTF）である（「着

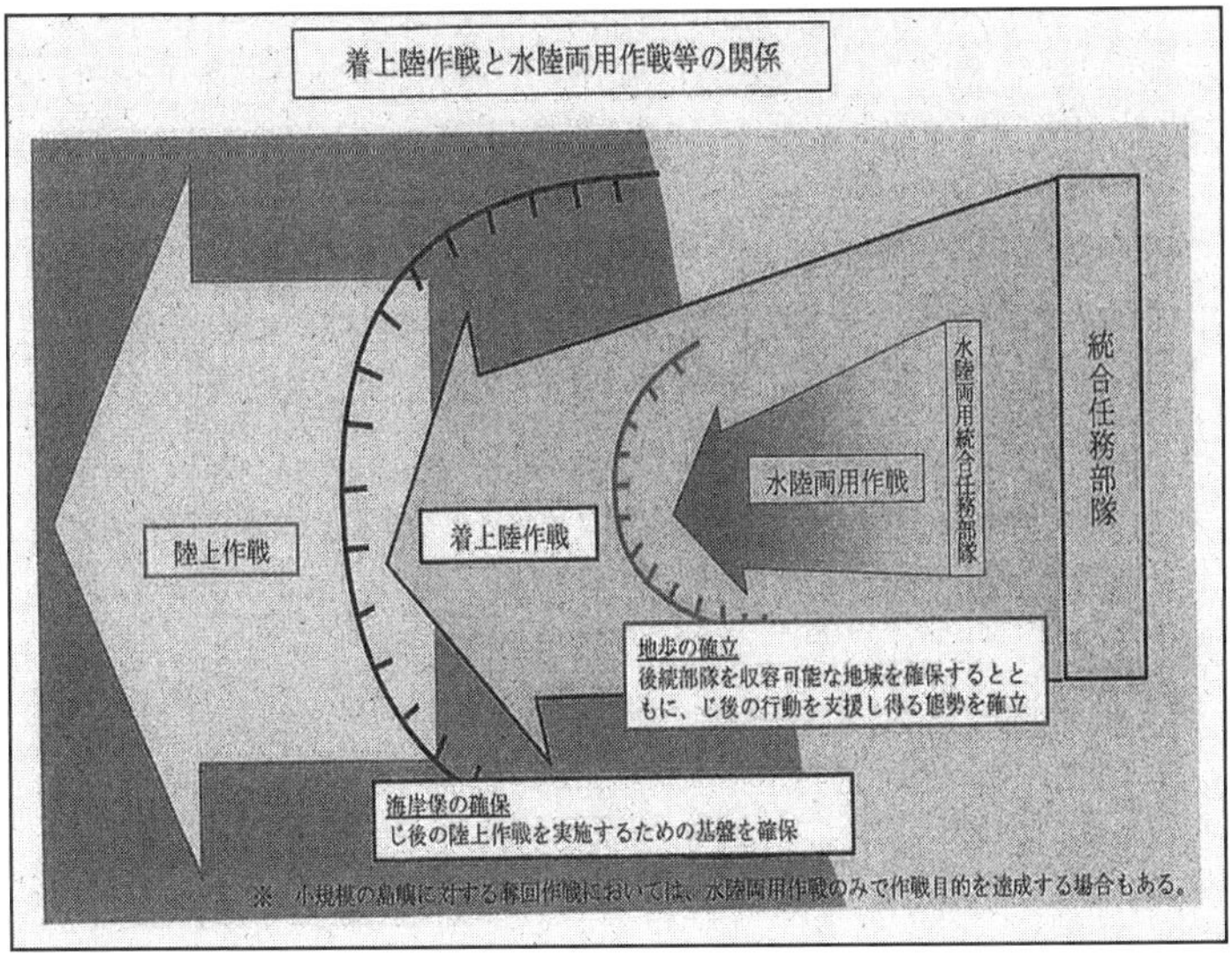
着上陸作戦と水陸両用作戦等の関係
統合任務部隊
水陸両用統合任務部隊
水陸両用作戦
着上陸作戦
陸上作戦
地歩の確立
後続部隊を収容可能な地域を確保するとともに、じ後の行動を支援し得る態勢を確立
海岸堡の確保
じ後の陸上作戦を実施するための基盤を確保
※ 小規模の島嶼に対する奪回作戦においては、水陸両用作戦のみで作戦目的を達成する場合もある。

上陸作戦と水陸両用作戦等の関係」前頁図参照)。

ところで、2018年5月初旬から下旬にかけて、水陸機動団の発足後の、初めての海自との演習が、種子島—九州西方海域で行われた。この演習では、海自輸送艦「しもきた」から発進した水陸両用車が島へ上陸する訓練、上陸舟艇ゴムボートからの発進・収容など、水陸両用作戦に係わる陸海の協同訓練が行われた。この指揮を執ったのが、明らかに海自の掃海隊群司令であった。

こうして、陸自教範『水陸両用作戦』や、統合幕僚監部の「統合運用教範」の記述する水陸両用作戦は、すでに実戦段階に入っているのである。

陳腐化した水陸機動団の強襲上陸

自衛隊では、旧日本軍による「島嶼戦争」——ガダルカナル、サイパン、沖縄戦などの戦いの研究を盛んに行っている。筆者もまた、自衛隊の南西シフトの策定前から、これらサイパン、テニアン、グアム、フィリピン、沖縄などでの、かつての「島嶼戦争」の実態を現地に即して見てきた(拙著『サイパン&テニアン戦跡完全ガイド』など参照)。

これらの島々には、今なお、当時の「島嶼戦争」の傷痕——トーチカ、掩体壕、司令部用や水際戦闘のための、網の目のようなトンネル群などが、島々の水際近くに多数残されている。

このサイパン、沖縄などの「島嶼戦争」において、米軍（海兵隊が主力）が勝利したのは、その圧倒的な制海・制空権の獲得下においてであった。旧日本軍は、この戦闘以前に、すでに戦闘機、空母のほとんどを失い、陸上兵力だけの戦闘に頼るほかなかったのだ。

　このアジア太平洋での、かつて「島嶼戦争」における「強襲上陸作戦」を、戦後も世界において任務として担ってきたのが米海兵隊である。しかし、この米海兵隊の「強襲上陸」を軸とする水陸両用作戦が、もはや、陳腐化し、不可能な作戦として、根本的に歴史的転換を迫られていることを私たちは見てきた。

　これが、米海軍・海兵隊の「フォース・デザイン２０３０」、「海兵隊作戦コンセプト」などの策定であった。

　米海兵隊の、強襲上陸を軸とする水陸両用作戦の問題は、Ａ２／ＡＤ環境下での制海・制空権の「絶対的確保」が困難になったこともあるが、現代のミサイル戦争下においての強襲上陸は、上陸部隊が格好の標的となることによる。つまり、強襲上陸作戦は、見てきたように、島嶼からわずかに離れた艦艇から水陸両用車などの上陸部隊が発進するが、これらの上陸部隊は、ミサイル戦の発達した現在、格好のターゲットとなってしまうのだ。

　もちろん、これら水陸両用車の発信基地である、多数の艦艇群なども、ミサイル戦の格好の標的になってしまったのである。仮に味方軍事力が、制海・制空権を確保していたとしても、占領された島々からの短・中射程ミサイルだけでなく、潜水艦、水上・空中の長距離から発射されるミサイル、さらには、中国本土から発射される無数のミサイルの標的になることは疑いない。

自衛隊が予定する、着上陸作戦による強襲上陸では、輸送艦から発進する水陸両用車は、およそ10キロ沖が想定されるようだが、この距離は、ミサイルだけでなく、陸上の各種砲撃部隊の射程圏であり、完全な標的になる。水陸両用車が、島々の近海で発進するのは、この車両が荒波に弱いという弱点があるからである（実際、米海兵隊では水没事故も起こっている）。

したがって、米海兵隊の水陸両用作戦では、水陸両用部隊（水陸両用車ではなくオスプレイ）の発進は、４００海里前後の距離から、ということも検討されているが、この距離でもミサイル戦の時代においては、安全な作戦とは言えないのだ。

こうしてみると、陸自が２０１８年から発足

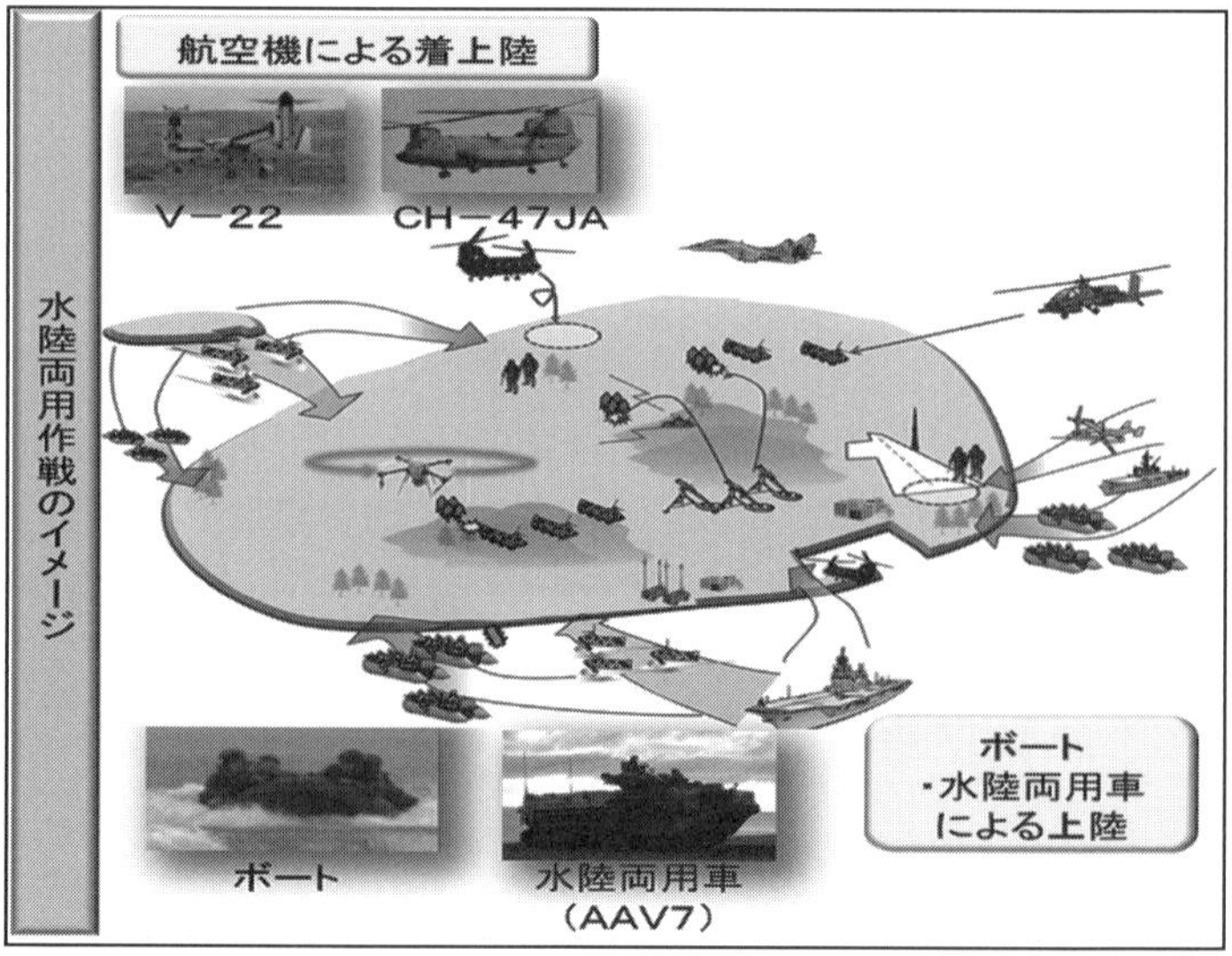

させた水陸機動団が、もはや陳腐な存在、無用な部隊と化したことは明らかだ。強襲上陸を主として行うその作戦運用自体も、水陸両用車を運用する戦闘自体も、同様である。

陸自は、この水陸機動団を南西シフト下の「島嶼奪回」作戦に運用すると、盛んに宣伝してきたが、「先生」として一から教わってきた米海兵隊による大転換で、まさしく発足直後というのに危機に陥ってしまったのだ（水陸両用車自体も、米海兵隊が１９７０年代初めに開発してきた古い代物を買わされた！）。

では、陸自の水陸機動団は、米海兵隊のような大転換ができるのか。それも不可能と言うべきである。

自衛隊の南西シフトでは、琉球列島——第１列島線の島嶼には、すでに警備部隊（普通科）や地対艦・地対空ミサイル部隊が「事前配備」（予定も！）されており、水陸機動団のような「軽装備」部隊の必要性はない。米軍のＡ２／ＡＤ下での「遠征前方基地作戦」（ＥＡＢＯ）では、水陸両用部隊（海兵隊）と、地対艦・地対空ミサイルなどを装備する部隊が、機動的に、一時的に「前方配備」され、一体的に運用されるが、陸自の水陸機動団には、そのような装備や編成はないし、必要ともされていない（日本の場合、島々への事前配備部隊で事足りる）。

米海兵隊の「遠征前方基地作戦」のような、新たな運用ができないとすれば、この水陸機動団の、南西シフト下の島々への「事前配備」部隊、あるいは「緊急増援」部隊として活用する方法はあるのか。これもないと言うべきである。というのは、水陸機動団の装備に基本的に問題があるからだ。

水陸機動団の装備

水陸機動団の装備・武装は、意外に軽装備である。結論から言うと、この装備では、すでに南西シフトで、緊急増援部隊として編成されている陸自の「即応機動連隊」にも劣る。即応機動連隊には、既述のように105ミリ・ライフル砲（榴弾砲）を装備した「機動戦闘車」が多数配備されているが、このような機動戦闘車を欠いた水陸機動連隊では、「島嶼戦争」の事前配備や緊急展開する部隊の戦力にもならないだろう。

水陸機動団が誇る水陸両用車についても、その装備は、主武装が12・7ミリ重機関銃であり、水陸両用車の装甲さえも厚くなく、せいぜい機関銃を防ぐだけとされている。つまり、この装備からして、もともと水陸機動団は、強襲上陸での橋頭堡を築く「先遣部隊」としての役割が最大の任務であったということができる。

（注　水陸機動団の装備は、AAV7、軽装甲機動車、高機動車、9ミリ機関拳銃、89式5・56ミリ小銃、対人狙撃銃、84ミリ無反動砲、60ミリ迫撃砲、81ミリ迫撃砲、120ミリ迫撃砲RT、中距離多目的誘導弾、隠密行動用戦闘装着セット、個人用暗視装置、防弾チョッキ3型、対砲レーダ装置JTPS-P16など）

このような、発足早々から無用の長物と化した水陸機動団を、自衛隊はどのように運用するのか。最近では米海兵隊とともに、フィリピンなどでの災害派遣をもっぱら任務として宣伝しているが、全く、税金の無駄遣いというものだ。

問題は、このように強襲上陸作戦が不要になってしまった、というか、できなくなってしまった水陸機動団は、そのリストラを恐れてか、米海兵隊の31ＭＥＵと同様、南シナ海での「洋上遊弋」という任務を、「いずも」型空母に乗船して行い始めたということだ（２０１９年４月30日付読売新聞）。

陸幕広報室は、２０１９年７月11日、「護衛艦いずもに乗艦していた水機陸機動団の帰国について」という広報を行っている。

「平成31年４月30日（火）から、水陸機動団の隊員が、海上自衛隊のインド太平洋方面派遣訓練

離島防衛 海自艦に陸自隊員

対中国 常時搭乗200～300人

政府は、離島防衛の強化のため、海上自衛隊の輸送艦に陸上自衛隊員200～300人程度を搭乗させ、東シナ海の尖閣諸島（沖縄県）や南西諸島の周辺で航行させる警戒活動の実施について検討を始めた。海洋進出を強める中国を念頭に、離島の占拠などに即応できる態勢を整えることで、抑止力を強化する狙いがある。

東シナ海航行を検討

複数の政府関係者が明らかにした。離島奪還作戦を担う陸自の水陸機動団などを、海自が3隻保有する「おおすみ」型輸送艦（8900トン）に搭乗させる案が検討されており、早ければ来年の実現を目指す。

訓練地への移動などのために陸自隊員が海自艦艇に搭乗することは、これまでも行われてきたが、陸自と海自による共同の恒常的な航行任務は、初めての試みとなる。

おおすみ型は人員や戦車を海上から海岸に運ぶエアクッション型揚陸艇（LCAC）を搭載でき、2004年に発生したインドネシア・スマトラ島沖地震後の緊急援助では、陸自ヘリコプターを搭載して活動した。「輸送艦」と称するが、強襲揚陸艦を保有していない自衛隊では、上陸作戦の中核となるとみられる。

政府が、陸自と海自が一体となった活動の検討を始めたのは、日本の離島が集中する東シナ海で自衛隊のプレゼンス（存在）を高め、「日本の領土を守る意思を示すことで抑止力を高める」（政府関係者）ためだ。

尖閣諸島の警備は現在、海上保安庁が前面に出て、海自が後方に控える形で実施している。しかし近年、中国による尖閣諸島への領海侵入が常態化し、中国公船が大型化していることに加え、中国軍の艦艇や航空機が東シナ海を通過して太平洋に進出する動きが活発化しており、自衛隊としても対応を強化する必要に迫られていた。

安倍首相は13年、尖閣諸島の実効支配を強化するため、公務員の常駐を「選択肢の一つ」と国会で答弁した。

しかし、自衛隊の駐屯は中国軍との衝突を招くとの見方が強く、実現のハードルが高かった。このため、緊張の度合いに応じて陸自隊員を乗せた海自艦が尖閣諸島に近づいたり、離れたりできる今回の案が浮上した。

ただ、「陸自部隊が乗った海自艦艇の接近は刺激が強く、中国軍に活動強化の口実を与えかねない」（政府関係者）との懸念もあり、防衛省は活動内容について、慎重に検討を進める考えだ。

■離島防衛　九州・沖縄地方には2500以上の島々が点在し、周辺国の軍や武装集団などが上陸したり、侵攻したりする事態が懸念されている。防衛省は昨年、離島奪還を専門的に担う「水陸機動団」を新設し、今年には沖縄県・宮古島などに新たな駐屯地を開設するなど対策を急いでいる。

発行所　読売新聞東京本社　〒100-8055　東京都千代田区大手町1-7-1　電話(03)3242-1111(代)　www.yomiuri.co.jp

2019/5/4付読売新聞

において護衛艦いずもに乗艦していたところ、令和元年7月10日（水）に帰国しました。いずも乗艦の間、平素より水陸機動団が、駐屯地等で実施している分隊行動等を艦艇内で如何に実施するかについて検証するとともに、海上自衛隊による艦艇内での各種勤務要領の実習・研修及び海洋法に係る法務教育等を受け、水陸両用作戦能力の向上の資を得ることができました」

自衛隊の内部、特に海自の幹部たちは、水陸機動団の発足は、戦略上の必要性ではなく、陸自のロビー工作の結果ではないかと疑っている、と言うが、米海兵隊に憧れた、陸自幹部らの子どもじみたお遊び（水陸両用車が欲しい）が、「日本型海兵隊」の編成になったということだろう。

もっとも、その海自も陸自と同様の、「空母の保有熱」（大日本海軍への憧れ）が昂進しているというわけだ。

第7章　機動展開・演習拠点としての奄美大島・馬毛島の要塞化

明らかになった南西シフト下の馬毛島要塞

２０１１年の日米安全保障協議委員会（２＋２）の決定以後、用地買収問題の未解決で10年にわたって進行が遅れていた馬毛島《まげしま》の基地建設は、その用地買収にメドを付けて２０２０年、一挙に進展しつつある。

それにしても、当初45億円と言われていた用地買収費が、なんと１６０億円に跳ね上がるという、前代未聞の状況だ。防衛費と言えば、どんな巨額のカネも出すという自公民政権のトンデモぶりが、ここにも露呈しているのである（当初４００億円と言われていた買収額は、当時の官房長官であった菅義偉の「決断」で、１６０億円でまとまった）。

こうして、２０２０年8月7日、防衛副大臣は種子島を訪れ、正式に西之表《にしのおもて》市長に対し、馬毛島への自衛隊配置計画等について通知した。この防衛副大臣の通知で明らかになったのは、馬毛島——種子島の基地化計画が、自衛隊の南西シフト下の「巨大要塞」として姿を現したことだ。

従来、防衛省は、馬毛島の使用について、「災害派遣等の集積・訓練基地」であるとか、米軍のFCLP（Field-Carrier Landing Practice: 空母艦載機離着陸訓練）基地であるとか、徹底して誤魔化してきたが、今やそれをかなぐり捨て、あからさまに南西シフト下の基地として打ち出してきたのである。これは、発表された基地計画の全貌を見れば一目瞭然だ。

「馬毛島における施設整備」（防衛副大臣の通知）は、冒頭から「わが国を取り巻く安全保障環境」は「厳しさと不確実性を増す安全保障環境」であり「わが国島嶼部に対する攻撃への対処等のため、南西地域に自衛隊の活動場所が必要」と公言する。

これは、従来の馬毛島説明資料では、まったく明記されなかったことだ。ここにきて、中国・朝鮮・ロシアの脅威を一段と強調するのだ。これは、自衛隊の本音、馬毛島基地化の本当の理由を明言しただけでなく、中国脅威論――南西シフト態勢を強調することによって、住民への煽情的合意を作り出そうという明らかな意図がある。

この基地計画の全貌を見れば、造られようとしているのは、南西シフト下の巨大基地・要塞化計画だ。計画では、馬毛島には滑走路を2本造るとしている。1本目は2450メートル、2本目は1830メートルである。滑走路2本を保有する航空基地は、自衛隊では初めての出来事だ。全国の航空基地は、滑走路1本でも民間と共有というのがほとんどである（千歳・百里基地は滑走路2本だが民間と共有）。

統合演習場・機動展開拠点としての馬毛島

この自衛隊史上、最大の滑走路を有する航空基地を、自衛隊はどのように使うのか？　説明資料には、「馬毛島に自衛隊施設を整備する必要性」という3項目の説明と、12項目の様々な「施設利用」が明記されている。

まず、「施設を整備する必要性」については、「南西地域の島嶼部において、①陸海空自衛隊が訓練・活動を行い得る施設。②整備補給等後方支援における活動を行い得る施設。③米空母艦載機の着陸訓練ＦＣＬＰの施設が必要」と、南西シフト下の「演習・訓練・機動展開」基地として馬毛島を位置付けるとともに「整備補給等後方支援」、つまり、兵站拠点として位置付けたことが明確にされている。

この「施設利用」の12項目について、具体的に見てみよう。まず「①陸海空自衛隊が訓練・活動を行い得る施設」である。

①連続離着陸訓練（Ｆ35、Ｆ15、Ｆ２等）
②模擬艦艇発着艦訓練（Ｆ35Ｂ）
③不整地着陸訓練（Ｃ１３０）
④機動展開訓練（Ｆ35、Ｆ15、Ｆ２、ＫＣ７６７、Ｃ２等）
⑤エアクッション艇操縦訓練
⑥離着水訓練及び救難訓練（ＵＳ２）
⑦水陸両用訓練（ＡＡＶ、エアクッション艇等）

馬毛島に自衛隊施設を整備する必要性

南北に広大な南西地域の島嶼部において、
① 陸海空自衛隊が訓練・活動を行い得る施設
② 整備補給等後方支援における活動を行い得る施設
③ 米空母艦載機の着陸訓練(FCLP)の施設　が必要

馬毛島に自衛隊の訓練施設・緊急時の活動施設を整備することは、わが国の防衛上、極めて重要です。

① 陸海空自衛隊が訓練・活動を行い得る施設

主に自衛隊の訓練で使用します。年間を通じて自衛隊が管理し、 基地機能を維持管理するための要員が常駐します。

実施する可能性のある主な自衛隊の訓練

連続離着陸訓練
(F-35,F-15,F-2等)

模擬艦艇発着艦訓練
(F-35B)

不整地着陸訓練
(C-130)

機動展開訓練
(F-35,F-15,F-2,
KC-767,C-2等)

ｴｱｸｯｼｮﾝ艇操縦訓練

離着水訓練及び
救難訓練(US-2)

水陸両用訓練
(AAV,ｴｱｸｯｼｮﾝ艇等)

救命生存訓練

ﾍﾘｺﾌﾟﾀｰ等からの
展開訓練
(CH-47,V-22)

空挺降投下訓練

災害対処訓練
(UH-60)

PAC-3機動展開訓練

⑧ヘリコプター等からの展開訓練（ＣＨ47、Ｖ22）
⑨空挺降投下訓練
⑩ＰＡＣ３機動展開訓練
⑪災害対処訓練（ＵＨ60）
⑫救命生存訓練

一見して明らかだが、自衛隊は馬毛島を、その全ての部隊の訓練施設として使用するつもりである。南西シフト下の機動展開訓練はもとより、陸海空全部隊の戦闘機・輸送機・水陸両用車・空挺などの訓練・演習だ。つまり、馬毛島は、自衛隊では初めての陸海空にわたる統合演習場、巨大演習・訓練場として造られようとしているのだ。

続いて説明資料は、「②整備補給等後方支援における活動を行い得る施設」を造るとし、「わが国島嶼部に対する攻撃への**対処のための活動場所**として、また、災害等発生の際、一時的な集積・展開地として活用」、「例えば、災害が大規模・長期化した場合でも、馬毛島に人員・装備を集積できれば、効果的・効率的に対応が可能」と言う。

この「災害派遣」は、住民を誤魔化すための説明だ。重点は「**わが国島嶼部に対する攻撃への対処のための活動場所として**」の「整備補給等後方支援における活動を行い得る施設」、つまり、南西シフトの後方整備拠点＝「兵站拠点」＝「事前集積拠点」としてあるということだ。

これについては、筆者は防衛省の情報公開文書でたびたび明らかにしてきたが、馬毛島・種子島――奄美大島などの薩南諸島が、文字通り、南西シフト態勢下の、一大補給・兵站拠点として設定されたということだ。

言うまでもないが、軍隊の戦時下の兵站物資は、膨大なものだ。武器・弾薬・車両・整備器材などはもとより、燃料・糧食・医療器財などなど、湾岸戦争下での米軍のイラクへの兵站物資は100万点に及んだといわれている。この巨大な物資、しかも、予定される機動展開部隊は、先島―琉球列島への常駐・先遣部隊だけでなく、「3個機動旅団・4個機動師団・1個機甲師団」分の兵站である。いかに膨大なものか、想像出来ないぐらいだ。

防衛省は、先の資料で、馬毛島には飛行場、格納庫、庁舎、燃料タンク、火薬庫、宿舎（種子島に）、港湾施設を整備するとしている。見て分かるとおり、単なる訓練施設であれば、「火薬庫」は必要ない。かえって危険になる。だが、馬毛島に火薬庫を造るというのは、この施設が兵站拠点としてあるからだ。

そして、説明資料は「馬毛島にFCLPを置く必要性」として「米空母のプレゼンスはわが国にとって極めて重要な抑止力・対処力、アジア太平洋地域における米空母の活動を確保する必要性」を言い、そのFCLPは年間30日程度であると明記している。

ところが、FCLPは、米軍だけではない。自衛隊のF35などをはじめとするFCLPもまた、年間130日ほどを実施すると言明している。年間130日といえば、ほぼ3日に一度以上、米軍のＦＣＬＰを加えると、２日に一度、１年の半分弱が凄まじい騒音下におかれるのである。

空母も寄港できる巨大港湾設備

従来、防衛省が説明してきた馬毛島基地化計画は、いわば「航空要塞」の計画であった。ところが、ここにきて計画は、プラスして「海上要塞化計画」（不沈空母）にまで広がっている。まさに、一旦、造られた基地は、徹底して増殖・拡大していくという見本のような状況だ。

述べてきたように、２０２０年８月、防衛副大臣の馬毛島来島時の通知資料「自衛隊の馬毛島基地における港湾施設の整備について」には、簡単な「係留施設」

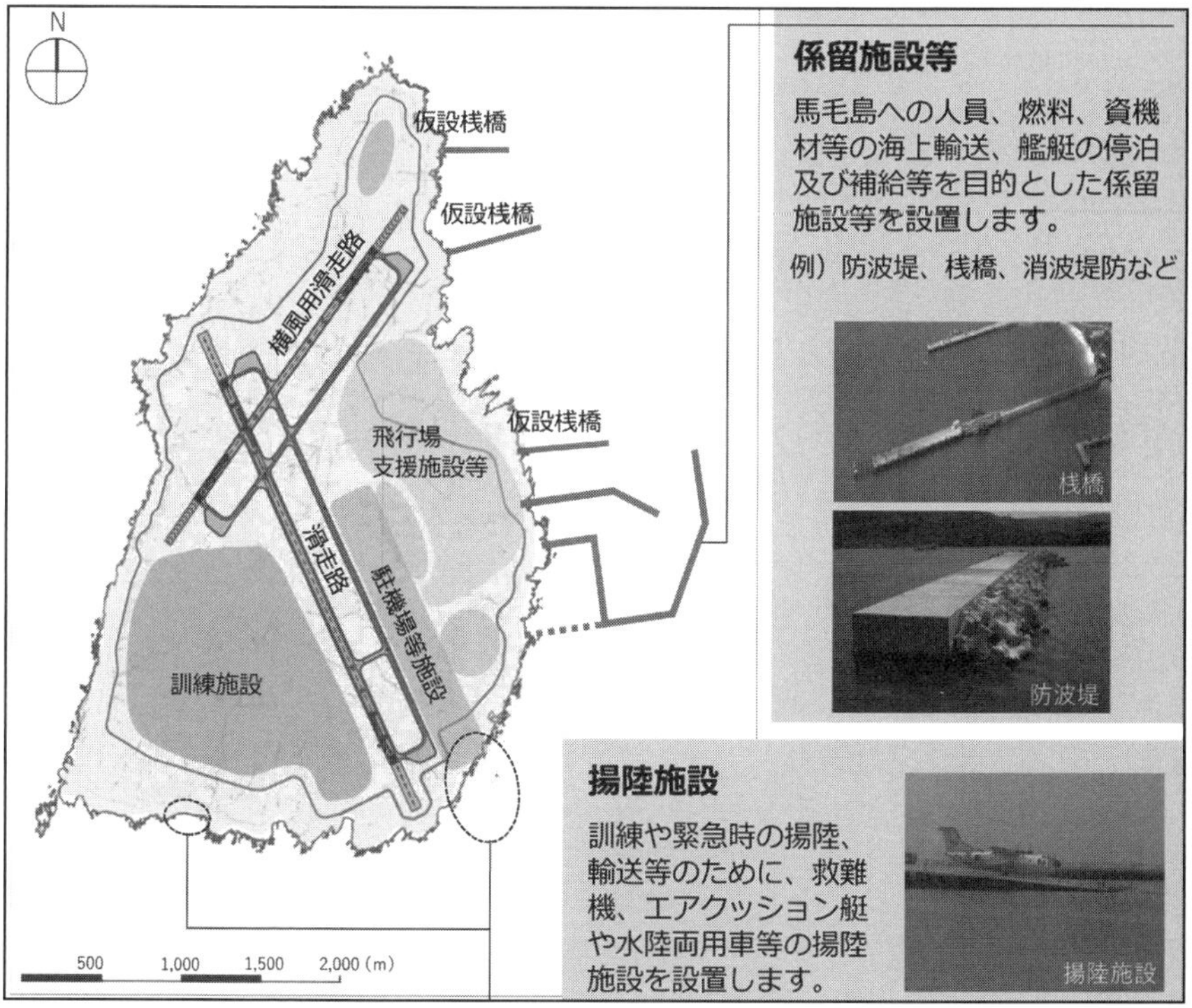

N
仮設桟橋
仮設桟橋
横風用滑走路
仮設桟橋
飛行場
支援施設等
滑走路
駐機場等施設
訓練施設
500
1,000
1,500
2,000（m）
係留施設等
馬毛島への人員、燃料、資機材等の海上輸送、艦艇の停泊及び補給等を目的とした係留施設等を設置します。
例）防波堤、桟橋、消波堤防など
桟橋
防波堤
揚陸施設
訓練や緊急時の揚陸、輸送等のために、救難機、エアクッション艇や水陸両用車等の揚陸施設を設置します。
揚陸施設

が図示されているだけであった。ところが、翌2021年8月6日、防衛省がネットで公開した「港湾施設の整備について」（正式文書名は、「海上ボーリング調査」の資料。わずか2頁）では、「自衛隊馬毛島基地では港湾施設の整備を予定」している、として、「馬毛島への人員、燃料、資機材等の海上輸送、艦艇の停泊及び補給等を目的とした係留施設等を設置」するとし、島の東側に「長さ500～700メートルの架設栈橋」（3本）を造るほか、「沖合1キロの防波堤・消波堤防」などを造るとしている（前頁図）。

つまり、2020年8月の「自衛隊の馬毛島基地における港湾施設の整備について」では、簡単な「仮設栈橋」、「係留施設」の図（楕円）が示されているだけであったが、ここに至って、その具体的施設や建築物を出してきたというわけだ。

これらの描かれている栈橋などの大きさを見ると、当初説明されていた、馬毛島と種子島を行き来する自衛隊員らの「通勤用船舶」というものではなく、自衛隊の大型艦船はもとより、空母部隊の寄港・停泊も可能な港湾に拡大されるという代物だ。実際に、馬毛島は、米軍の艦載機や、自衛隊の「いずも」に搭載する艦載機F35Bの運用についても、この馬毛島を「作戦拠点」として使用することを目論んでいるのだ。実際、米軍艦載機の岩国基地と、F35Bが配備される予定の空自・新田原基地と馬毛島は、至近の距離である。

馬毛島配置人員のウソ

さらに、「説明資料」は、「自衛隊馬毛島基地（仮称）の部隊配備計画」として、自衛隊としては初めてという「**陸海空の統合基地**」として「自衛隊馬毛島基地」が造られることを明記し、種子島に「ベースキャンプ」を造るとしているが、２０２０年12月の防衛副大臣の説明では配置人員は１００名程度としていたものを、なし崩し的に「１５０～２００人程度」に、全く何の説明もなしに増員している。

だが、見てきたような巨大な施設――訓練・演習拠点基地であると同時に、南西シフト態勢下の兵站施設を、この程度の人員で維持・運営できるわけがない。いきなり数百、千人以上の部隊配置を明言したとするなら、反対運動を刺激しかねないという理由から、最少人員に見積もったにすぎない（人口３万５千人の島に、いきなり大人数の自衛隊員が常駐したのでは島がもたない）。

実際、琉球列島において、有事に利用・展開する航空基地の少ないことを問題にしている自衛隊にとって、「馬毛島基地」という航空要塞が、訓練・演習だけの基地であるはずがない。宮古島・下地島空港などと同様、有事使用どころか平時から馬毛島は、戦闘機などの常駐基地として使用されるだろう。宮崎県の新田原基地は、Ｆ35Ｂ20機の常駐基地として決定されたが、残りの常駐基地は、これから決定される。間違いなくこの戦闘機の配備は、馬毛島が第１候補になることは疑いない。

また、馬毛島——種子島には、常駐人員ばかりか、見てきたような全国の部隊の演習などが頻繁に行われる。ここには、絶えず膨大な部隊・人員が滞在し、行き交うことになる。こうして、馬毛島の軍事化は、同時に**種子島全島の軍事化**として進行するのである。

南西シフト下の演習拠点となった種子島

自衛隊史上初めてという、1つの島の航空基地化・要塞化という状態は、見てきたように馬毛島が、演習・訓練・兵站・機動展開の拠点として運用されるだけではない。この基地の運用は、もっと大きな計画のもとに行われているのである。その証左が、筆者に提出された情報公開文書である。この問題は、「序章」において簡単に説明してきたが、ここで詳しく見てみよう。

統合幕僚監部発行の「自衛隊施設所要の一例」（2012年統幕計画班）と明記されている文書は、わずか1頁であるが、馬毛島軍事化の本当の意図を知られたくないのか、黒塗りばかりだ。しかし、次頁図からは、馬毛島の南西シフト態勢下の作戦・運用方針が、見出しだけでも確かめられる。

まず、「施設所要」は、「**統合運用上の馬毛島の価値**」として、「**南西諸島防衛の後方拠点**（中継基地）」であることが明示されている。統合運用とは、陸海空3自衛隊の統合化された運用のことだ。この後方拠点の「運用概要」「所要施設」の実態は隠されているが、「南西シフト態勢下

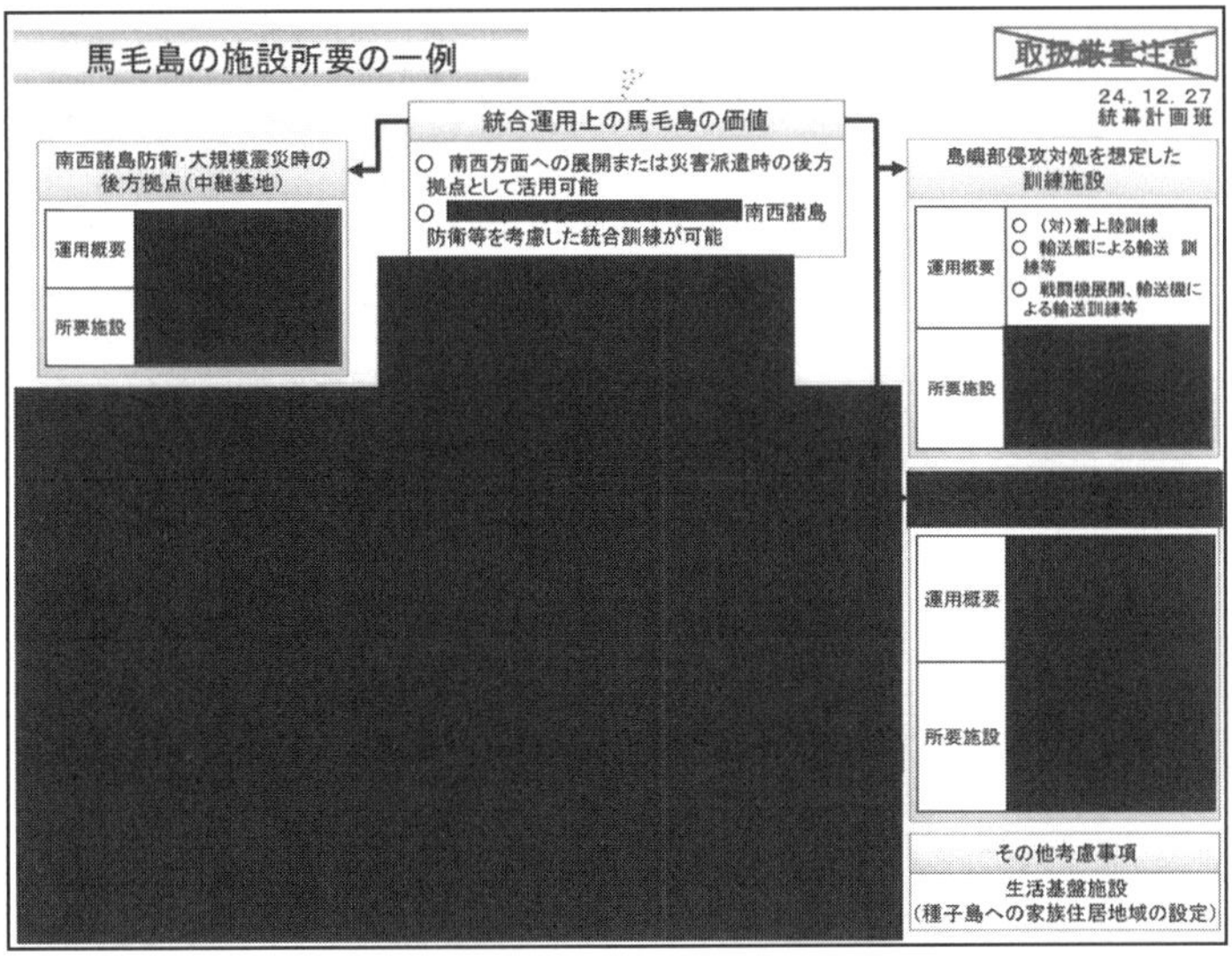
馬毛島の施設所要の一例
取扱厳重注意
24. 12. 27
統幕計画班
統合運用上の馬毛島の価値
○ 南西方面への展開または災害派遣時の後方拠点として活用可能
○ [redacted] 南西諸島防衛等を考慮した統合訓練が可能
南西諸島防衛・大規模震災時の後方拠点（中継基地）
運用概要 [redacted]
所要施設 [redacted]
[redacted]
島嶼部侵攻対処を想定した訓練施設
運用概要
○ （対）着上陸訓練
○ 輸送艦による輸送訓練等
○ 戦闘機展開、輸送機による輸送訓練等
所要施設 [redacted]
[redacted]
運用概要 [redacted]
所要施設 [redacted]
その他考慮事項
生活基盤施設
（種子島への家族住居地域の設定）

の「事前集積拠点」＝兵站拠点、および「機動展開拠点」（中継基地）であることは明らかだ。

九州・本土から石垣島・宮古島などへは、およそ千キロの距離がある。この距離は、自衛隊が「島嶼戦争」の作戦を行う場合、大きな障害になる。自衛隊では、このために１９８２年のフォークランド戦争（イギリスとアルゼンチンの戦争）の教訓を研究しているほどである。この距離のハンディは、特に陸自の作戦において重要な意味を持つ。つまり、部隊の増員や兵站支援の問題だ。

したがって、「南西諸島防衛の後方拠点（中継基地）」としての馬毛島が、重要な位置を占めるということだ。

また、馬毛島は、「統合運用上の馬毛島の価値」として――「島嶼部侵攻対処を想定した訓練施設」であると明記される。この具体的な作戦運用概要は、「(対) **着上陸訓練**」「**輸送艦による輸送、訓練等**」「**戦闘機展開、輸送機による輸送訓練等**」と記載されている。「着上陸訓練」とは、水陸機動団を中心とする「島嶼奪回」などの敵地上陸作戦訓練であり、輸送艦、輸送機によるその訓練拠点に使用されるということだ。

すでに、この演習・訓練施設としての具体的内容は、種子島当局などに通知されているが（前述）、問題は、これらの演習・訓練が、「**島嶼部侵攻対処を想定した訓練施設**」である、としていることだ。**これは**、馬毛島での演習・訓練が、通常のものと異なり、島嶼部侵攻対処を中心とした特殊な、秘密裡のものであるということだろう。

機動展開拠点としての馬毛島・奄美大島

また、馬毛島は、次頁の情報公開文書「**奄美大島等の薩南諸島の防衛上の意義について**」では、奄美大島と同様、以下のように位置付けられている（この文書は、発行年度、発行部署の記載がないが、２０１２年夏頃に作成された防衛省文書）。

「南西地域における**事態生起時**、後方支援物資の南西地域への輸送所要は莫大になることが予想」され、「薩南諸島は、**自衛隊運用上の重大な後方支援拠点**」であるが、「南西地域において海自輸送艦（おおすみ型）の入港が可能な港湾は、那覇港、名瀬港、平良港、石垣港等に限定」され、「奄美大島の名瀬港は、**海自輸送上重要な中継拠点**」である。

「南西地域における**事態生起時**、本土における陸自部隊の緊急展開は主としてヘリで実施」されるが、「薩南諸島は、**陸自ヘリ運用上、重要な中継拠点**」と明記されている。

さらに、「南西地域における空自通信の確保は、同地域における航空作戦の基盤」であり、「（奄美大島）は、**南西地域と九州を結ぶ重要な通信中継点**」としている。

ここで言う「通信中継点」とは、おそらく空自の戦闘機などとの対空通信であろう。実際、奄美大島では、すでに設置されている通信基地の他にも、もう1つの通信基地が建設中である（湯湾岳山頂）。

この内容を分析すると、薩南諸島の馬毛島（種子島）・奄美大島は、南西シフト態勢の重要な中継拠点、後方拠点であり、兵站拠点として位置付けられているということだ。

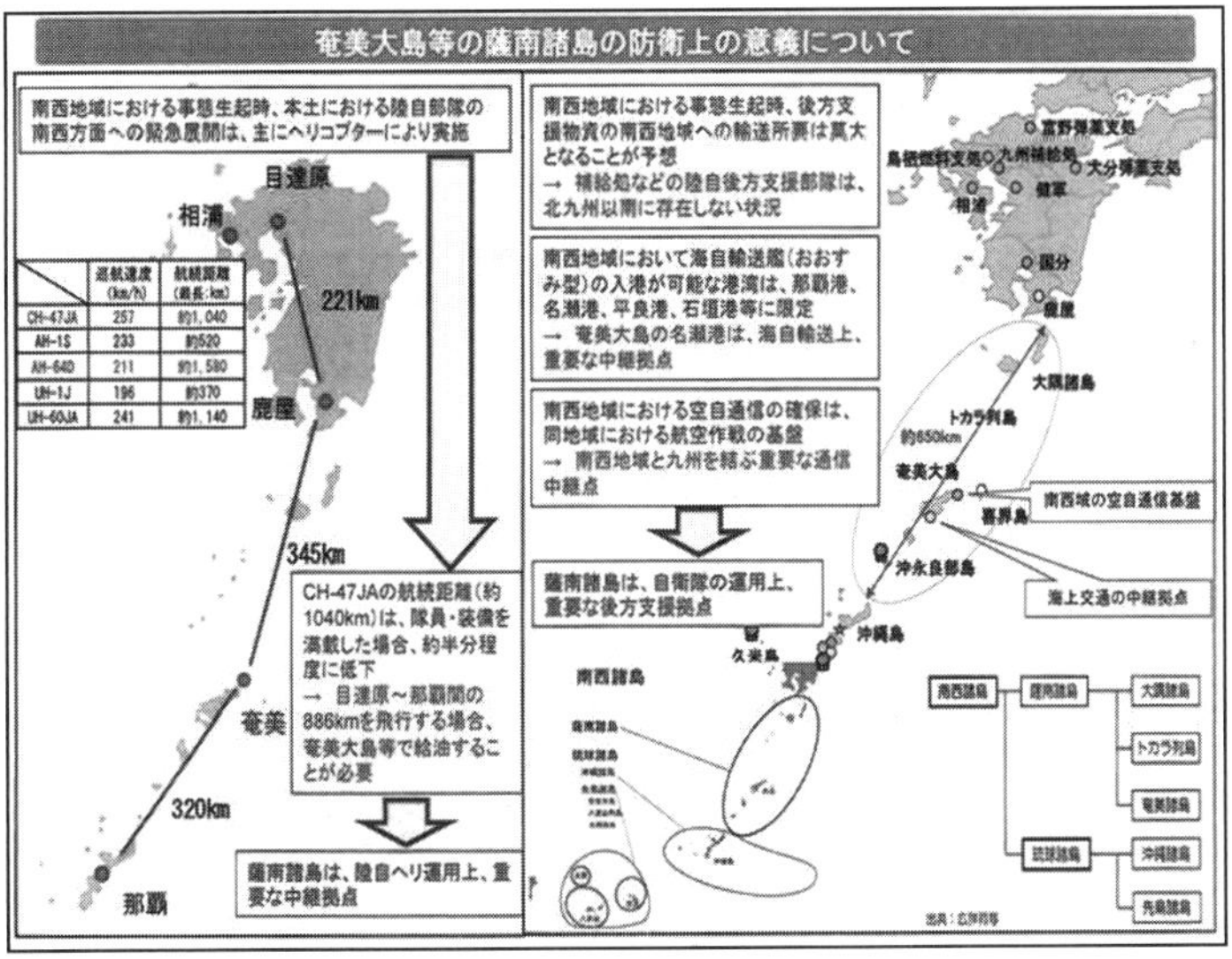

ところで、別章で奄美大島での自衛隊配備――地対艦・地対空ミサイル部隊の配備決定が、宮古島などと異なり、遅れて決定されたことを述べてきたが、この問題は、ここに述べてきた「馬毛島・奄美大島の軍事的位置」と関連しているように思われる。つまり、奄美大島への自衛隊配備――対艦・対空ミサイル部隊配備の目的は、主として、この中継拠点、兵站拠点――後方支援拠点を防御するための部隊であり、主として「通峡阻止作戦」の部隊ではない、ということだ（最近、中国海軍艦隊が大隅海峡を通過したという報道があるが、この海峡は九州の陸海空部隊の完全な制海・制空権の範囲。したがって、有事に大隅海峡を通過する中国軍は想定できない）。

奄美大島・瀬戸内分屯地の巨大ミサイル弾薬庫

ところで、既述のように、奄美大島には、２つの基地が建設されている。同島北部の奄美市大熊《だいくま》地区には、地対空ミサイル部隊と警備部隊の基地（奄美駐屯地）が、また、同島南部の瀬戸内《せとうち》町には、地対艦ミサイル部隊と警備部隊の基地が造られている（瀬戸内分屯地）。

問題は、瀬戸内分屯地の施設内容である。施設面積は、２カ所で48万２７９平方メートルであるが、この中には地対艦ミサイル部隊が常駐するA地区と、「貯蔵庫地区」とされるB地区があり、このB地区の面積は、30万６５６１平方メートルとなっている（筆者への情報公開文書）。

さて、B地区の「貯蔵庫地区」とは、一体何か？

これについて、自衛隊の御用新聞『朝雲新聞』（２０１９年４月11日付）には、以下の記事が掲載された。

「瀬戸内分屯地は標高５００メートル級の山々が連なる山間部の高台にあった。瀬戸内町の市街地から国道58号線を北東に向かい、幾つものトンネルを抜け、曲がりくねった道を20分ほど進むと、緑色に塗られた施設が見えてきた。ここが分屯地だ。

『三日月』のような細長い形の分屯地の総面積は約48万平方メートル（ヤフオクドーム６・９個分）で、広さは奄美駐屯地に匹敵する。ここの敷地の約３分の２が弾薬や武器を保管する火薬庫となっています。完成は来年度以降になりますが、現在導入された装備品の弾薬はすでに配備が完了しています』と菅広報室長」

この記事によると、瀬戸内分屯地Ｂ地区に造られつつあるのは「火薬庫」（約31ヘクタールで宮古島駐屯地の１・５倍）で、「貯蔵庫地区」という表示は、宮古島などと同様、住民らを欺くための常套手段であるということだ。そしてこの完成は、何と２０２４年であり、奄美部隊配備の６年後である（情報公開文書）。

さて、瀬戸内分屯地のＢ地区に造られつつある火薬庫は、情報公開文書によれば、「貯蔵庫Ａ×５棟　各約１０００㎡」と記載されており、他の文書でも５棟（本）のトンネル（約２５０メートル）が確認されている（次頁図参照）。この５本のトンネルが、まさしくミサイル弾薬庫である。

これは、宮古島に造られつつある、「地上覆土式ミサイル弾薬庫」ではなく、もっぱら全国の

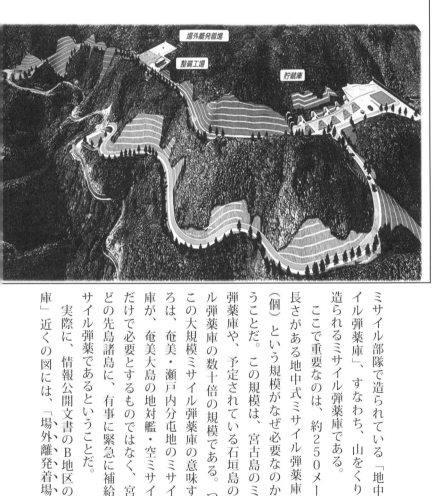

瀬戸内分屯地（貯蔵庫地区）鳥瞰図

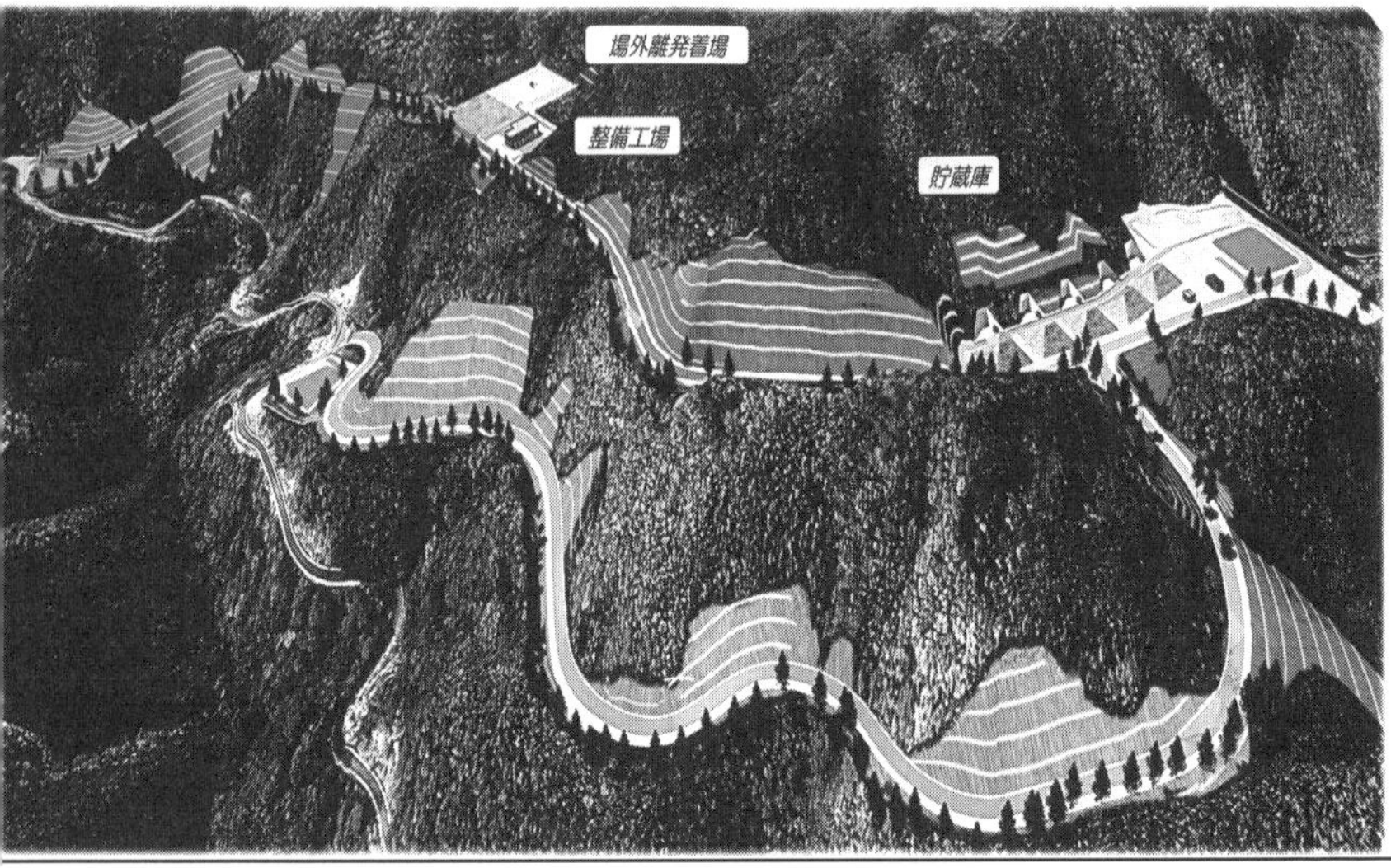

ミサイル部隊で造られている「地中式ミサイル弾薬庫」、すなわち、山をくり抜いて造られるミサイル弾薬庫である。

ここで重要なのは、約250メートルの長さがある地中式ミサイル弾薬庫の5本（個）という規模がなぜ必要なのか、ということだ。この規模は、宮古島のミサイル弾薬庫や、予定されている石垣島のミサイル弾薬庫の数十倍の規模である。つまり、この大規模ミサイル弾薬庫の意味するところは、奄美・瀬戸内分屯地のミサイル弾薬庫が、奄美大島の地対艦・空ミサイル部隊だけで必要とするものではなく、宮古島などの先島諸島に、有事に緊急に補給するミサイル弾薬であるということだ。

実際に、情報公開文書のB地区の「火薬庫」近くの図には、「場外離発着場」＝ヘリパッドが記載されているが（一番上）、このヘリパッドは、緊急時にミサイル弾薬をヘリで空輸するためのものであろう。そうでないとするなら、地対艦ミサイル部隊から遠く離れている、こんな弾薬庫の近くにヘリパッドを設置する軍事的意味はない。

奄美の瀬戸内町が接する大島海峡は、「奄美の瀬戸内海」として知られる、天然の良港である。この瀬戸内町では、２０１８年から自衛隊の誘致運動が始まっている。おそらく、名瀬港の軍事化の進展とともに、自衛隊はこの海峡に海自基地を造ることを始めるだろう。瀬戸内分屯地のミサイル弾薬庫は、この地を訪ねてみれば分かるが、奄美大島の南の山中にあり、ヘリ以外で運搬するには、時間が掛かり、山の直下の瀬戸内に運び、海上輸送を行えば、大量輸送が可能となるからだ。こうして、奄美大島全島の要塞化も、急ピッチで進行しているのである（瀬戸内分屯地の開設日には、地元の瀬戸内町内で、何と歓迎の「自衛隊町中パレード」が挙行された！）。

南西シフトの軍事拠点としての馬毛島

今さら、南西シフトにおける馬毛島の軍事的位置について叙述するのは、屋上屋を重ねることにもなりかねないが、歴史的検証を行う上では非常に大事な問題である。

というのは、この馬毛島の軍事的位置については、東京新聞を始めとしてメディアの全てが、馬毛島の基地化は、米軍のＦＣＬＰのためであると、報道してきたからである（例えば、

2017年1月8日付、2018年10月4日付東京新聞この問題について筆者は、東京新聞などに何度も注意を促してきたが、同紙などは一向に改めることはなかった。

そして、2020年の防衛副大臣の種子島来訪による、その基地の全貌の通知によって、初めてというか、しぶしぶ「自衛隊基地としての馬毛島」について触れ始めたのである（おそらく、この報道姿勢は、地元住民への「忖度」かも知れない。「米軍基地反対」の方が闘いやすいとする、住民が多いからだ。だが、この報道姿勢は、馬毛島基地が、南西シフト下の一連の基地づくりであることを隠蔽する役割を果たした）。

さて、馬毛島基地の建設が、南西シフトによる基地であることは、2011年に防衛省から西之表市に出された説明書「御説明資料」（市サイトに掲載）、そして、防衛省サイトにある文書「国を守る」で、明確に打ち出されている。

というのは、この決定内容は、非公開ではなく2011年の日米安全保障協議委員会（2＋2）による決定であるからだ。もっとも、この決定は、種子島の自治体や住民たちへの、事前の打診もない、完全な頭ごなしの決定であった（全文は外務省サイトに公開）。この文書は——、

「日本政府は、新たな自衛隊の施設のため、馬毛島が検討対象となる旨地元に説明することとしている。**南西地域における防衛態勢の充実の観点から、同施設は、大規模災害を含む各種事態に対処する際の活動を支援するとともに、通常の訓練等のために使用され、併せて米軍の空母艦載機離発着訓練の恒久的な施設として使用されることになる**」

また、２０１９年４月19日、日米安全保障協議委員会でも再確認された。文書は――、

「閣僚は、昨年の厚木飛行場から岩国飛行場への空母航空団部隊の移駐を歓迎した。米国は、**新たな自衛隊施設のための馬毛島の取得に係る日本政府の継続的な取組に対する評価を表明した**。同施設は**大規模災害対処等の活動を支援するとともに、通常の訓練等のために使用され、併せて、米軍による空母艦載機着陸訓練（ＦＣＬＰ）の恒久的な施設として使用されることになる**。米国は、恒久的なＦＣＬＰ施設が米軍の安全な運用及び訓練に大いに貢献することになると改めて表明した。閣僚は、可能な限り早期に当該恒久的な施設の整備を完了させるために、緊密に取り組む意図を表明した」

日米安全保障委員会の決定は、ここには、明確に――、

「新たな自衛隊の施設のため」「南西地域における防衛態勢の充実の観点から、同施設は、大規模災害を含む各種事態に対処する際の活動を支援するとともに、通常の訓練等のために使用され、併せて米軍の空母艦載機離発着訓練の恒久的な施設として使用」と明記されている。

つまり、馬毛島の軍事使用については、自衛隊が主に使用、米軍も使わせて貰う、ということなのであり、自衛隊の使用は「南西地域における防衛態勢の充実」のためであると明言しているのである。

このように、馬毛島要塞化は、奄美大島の軍事化とともに、南西シフト態勢の重要な機動展開・演習・兵站拠点（事前集積）づくりであることを明確に認識すべきである。

種子島――薩南諸島の演習場化

種子島――奄美大島が、すでに10年前ぐらいから、巨大な演習場になっていることを「本土」の人々は全く知らない。もちろん、メディアはこの公開された演習に、多数の「従軍記者」が便宜を受けて参加、取材しているから、十分に承知している。

これらの演習は、言うまでもなく、演習場で行われているのではない。種子島、奄美大島の市街地、人々の暮らす浜辺、公園などで白昼から堂々と行われているのだ。奄美大島の景勝地・江仁屋離島《えにやばなれじま》は、その1つだが、奄美の自衛隊基地建設の説明書（非公開で情報公開文書）には、公然と、この島が「統合演習場」に指定されていることが明記されている。もちろん、奄美大島の住民は、全くこのことを誰も知らされていない。

この市街地での演習・訓練を、自衛隊では「生地《なまち》訓練」と称している。この名称は、陸自教範『対ゲリラ・コマンドゥ作戦』で初めて規定された名称だ。おそらく、自衛隊特有の「偽装名」だろう。「市街地訓練」とすると、刺激が強すぎるからである。

2021年6月18日から7月にかけて、この奄美大島で、日米陸軍共同演習としては恒例の「オリエントシールド21」が始まった。「オリエントシールド」というのは、陸自と米陸軍が2000年代半ばから毎年行っている有名な実働演習である。

陸上幕僚監部の発表によると、訓練実施部隊は、陸自から中部方面隊、第1特科団、中央特殊武器防護隊などの約１４００人、米軍から在日米陸軍司令部、第40歩兵師団司令部、第17砲兵旅団、第28歩兵連隊第1大隊、第38防空砲兵旅団第1防空砲兵連隊第1大隊などの約１６００人、合わせて約３０００人が参加するという規模である。これは、国内において陸自と米陸軍が実施する実働訓練として最大規模の訓練だ。

そして、今回の訓練の特色は、米陸軍のパトリオット部隊が奄美大島に初展開し、陸自・中距離地対空誘導弾（中ＳＡＭ）と共同対空戦闘訓練を実施したことである。また、北海道・矢臼別演習場では、米陸軍の高機動ロケット砲システム（HIMARS）と陸自の多連装ロケットシステムの実弾射撃を行った。このハイマースは、米本土から直接展開したもので、日本国内での実射は初めてという（ハイマースは、ワシントン州の米陸軍第17砲兵旅団所属で、輸送機で運べるよう軽量化、発射台となるＡＴＡＣＭＳ戦術ミサイルを搭載。射程は、約３００キロ。地上から艦艇を狙う対艦攻撃に使用）。

「オリエントシールド」については、他の章でも紹介してきたが、２０１９年の「オリエントシールド19」では、陸自西部方面隊の12式地対艦ミサイル部隊と、米陸軍のマルチドメイン・タスクフォース（ＭＤＴＦ）の共同訓練――地上から艦艇を攻撃する演習を行ってきたのである（熊本県の大矢野原演習場）。この演習を西部方面隊機関紙「鎮西《ちんぜい》」は、米陸軍の「マルチ・ドメイン・オペレーション」（ＭＤＯ）のテストである、と紹介している。すなわち、米陸軍の新戦略である、第1列島線上に配備される地対艦ミサイルの作戦だ。

さて、これら「オリエントシールド」を始めとして、奄美―種子島などの薩南諸島と言われる一帯の演習場化、軍事化は、すでに西部方面隊の毎年の「鎮西演習」を中心とし、恒常的なものとして行われている。

上の写真は、その「鎮西演習」で、種子島の海岸地帯（南種子町の前之浜海浜公園）で訓練する陸自の94式水際地雷敷設装置だ。また、次頁写真は、同演習で種子島の海岸・水際に「戦車壕」を築き、縦横無尽に市街地を利用する陸自だ（いずれも、２０１８年11月中旬）。

例えば、２０１６年の「鎮西28」演習、正式には「平成28年度鎮西演習」では、「島嶼侵攻対処」の最大の演習が、種子島―沖縄などの周辺海空域を含む全域で行われた。ここには、隊員約1万8千人、車両約4千両、航空機約70機という、かつてない部隊が動員配置され、対着上陸戦闘、水陸両用戦闘などの「島嶼戦争演習」が演練されたのである。

これらの部隊は、西部方面隊を中心に北海道・本州からも動員され、連続して陸海空の統合演習へ、そして米軍との共同演習へと広がっていったのだ。

こうして現在、種子島――奄美大島一帯は、全自衛隊および米軍をも動員した一大演習場となっているのであるが、この凄まじい実態は、メディアでは全く報じられないのだ。

臥蛇島のミサイル実弾演習場化と新島闘争

臥蛇島《がじゃ》といっても、ほとんど人々は場所さえも知らないだろう。屋久島から南南西に約50キロ、トカラ列島に属する４キロ㎡ほどの小さな島だ。

島には1970年までは、人が住んでいたが、多くの過疎の島と同様、それ以後は無人島になった。

南西シフト下の薩南諸島の演習場化で、この島に目を付けたのが自衛隊である。自衛隊の実弾演習場は全国にあるが、長距離射撃のできる演習場は少ない。特に空爆演習やミサイル実弾射撃となると、グアムやアメリカの演習場にまで毎年出かけているほどだ。

こうして白羽の矢があたったのが、前記の臥蛇島だ。2018年9月16日付産経新聞によれば、「防衛省が本格的離島奪還作戦を行える初の訓練場を整備する検討に入った」と伝えられ、「実戦に即して訓練できる候補地として臥蛇島」が候補に入ったという。もっとも、述べてきたように、すでに馬毛島・江仁屋離島——薩南諸島の全てが演習場とされてきているから、この演習場は、文字通り「実弾演習場」だ。

そして、産経報道から2年後の2020年10月下旬、日米共同演習「キーン・ソード」の一環として、陸自水陸機動団と米海兵隊の演習が臥蛇島で行われた。

「演習では、臥蛇島沖の艦船から海兵隊のオスプレイや自衛隊のヘリが飛び立ち、上空から部隊が島に展開した。海上からもボートで上陸し、島を占領した敵を想定した戦闘訓練を行った。訓練では空砲を使用したという。一連の訓練で、米軍普天間飛行場（沖縄県宜野湾市）に配備されているオスプレイ4機が整備などのために海自鹿屋基地を拠点とし、臥蛇島にも複数機が展開した」（11月2日付朝日新聞）

自衛隊のミサイル試射場が置かれている「防衛省技術本部新島試験場」

自衛隊は、長距離射撃の行える実弾演習場を喉から手が出るほど欲しがっているが、臥蛇島とともに、すでにミサイル実射場をとなっているのが、新島である。周知のように、伊豆七島の伊豆大島の南（東京から約１５０キロ）に位置する新島が、自衛隊の知られざるミサイル射撃場として現在も使われていることを、平和運動を担っている人々さえ聞いたことはないだろう。

しかし、この新島ミサイル基地問題は、長沼裁判、百里裁判、小西反軍裁判などとともに、自衛隊の違憲訴訟という事件にまで発展したのである。１９７８年版「防衛白書」によれば――、

「新島ミサイル試射場入会権訴訟

１９６０年に国が村から伊豆七島新島の用地を買収してミサイル試射場を建設したこと

をめぐり、基地反対派村民が、入会権の存在を主張してその確認と引き渡しを求め提訴した。１９７８年3月22日、東京高等裁判所は、国に対して山林の一部の引き渡しを命じた一審判決を取り消し、国側を全面勝訴とする逆転判決を言い渡した。

この中で、国がミサイル試射場の設置など近代的武器を開発・維持することが憲法第９条に違反するか否かについては統治行為に関する判断であり、裁判所が判断すべき性質のものではなく、しかも、合憲、違憲の見解が対立するので、これを一見極めて明白に違憲無効とすることはできない旨を述べている」

始まりとなった、１９５７年10月5日付朝日新聞では、「誘導弾試射基地　伊豆の新島に決る地元も承諾　港の拡張が魅力で」と報じられたが、試射場予定地は新島の南端の端端《はばた》地区で、

新島の南、端端地区にあるミサイル試射場

試射場の危険地域は、試射場を中心に２００万坪の土地と、島から南30キロの扇型海上で、年間30発を発射する予定であると伝えられた。

そして、この報道を皮切りに、地元では教職員組合が反対の声を上げ、これに村民の８割の署名で「新島ミサイル試射場設置反対同盟」が結成された。以後闘いは、東京の教職員組合を筆頭に全国に支援が広がり、砂川闘争と並ぶ闘いに発展したのである。そして、１９６０年１月から始まる防衛庁調査団の来島や、約１カ年の測量調査に対して、反対派は実力闘争を展開した。この年の６月からは、防衛庁建設部隊は、上陸用舟艇を使って島の数カ所に上陸、反対派も各地域で海上封鎖し、大量の逮捕者も出たのである（11人起訴、有罪判決・新島３・17事件）。

ところが、１９５９年の村議会選挙や村長選挙で賛成派が多数を占めたことを皮切りに、賛成派の巻き返しもあり、１９６２年には試射場は完成した。そして、１９６３年７月８日11時４分、試射場からミサイル第１弾が発射されたが、反対闘争が激しかった式根島の漁師たちは、漁船を繰り出し、「立入禁止水域」を告示されていた海域では、「強行操業を敢行」するという実力闘争に出たが、反対運動は次第に後退していった（式根島では、この過程で女性たちの素晴らしい反対運動が創られたことを記す。以上は『新島村史』新島村発行１９９６年３月31日を参照）。

現在、「防衛省技術本部新島試験場」は、国内唯一のミサイル発射試験場であり、２００４年の組織改編により試験場から「航空装備研究所新島支所」となった。試験場は、管理地区と射場

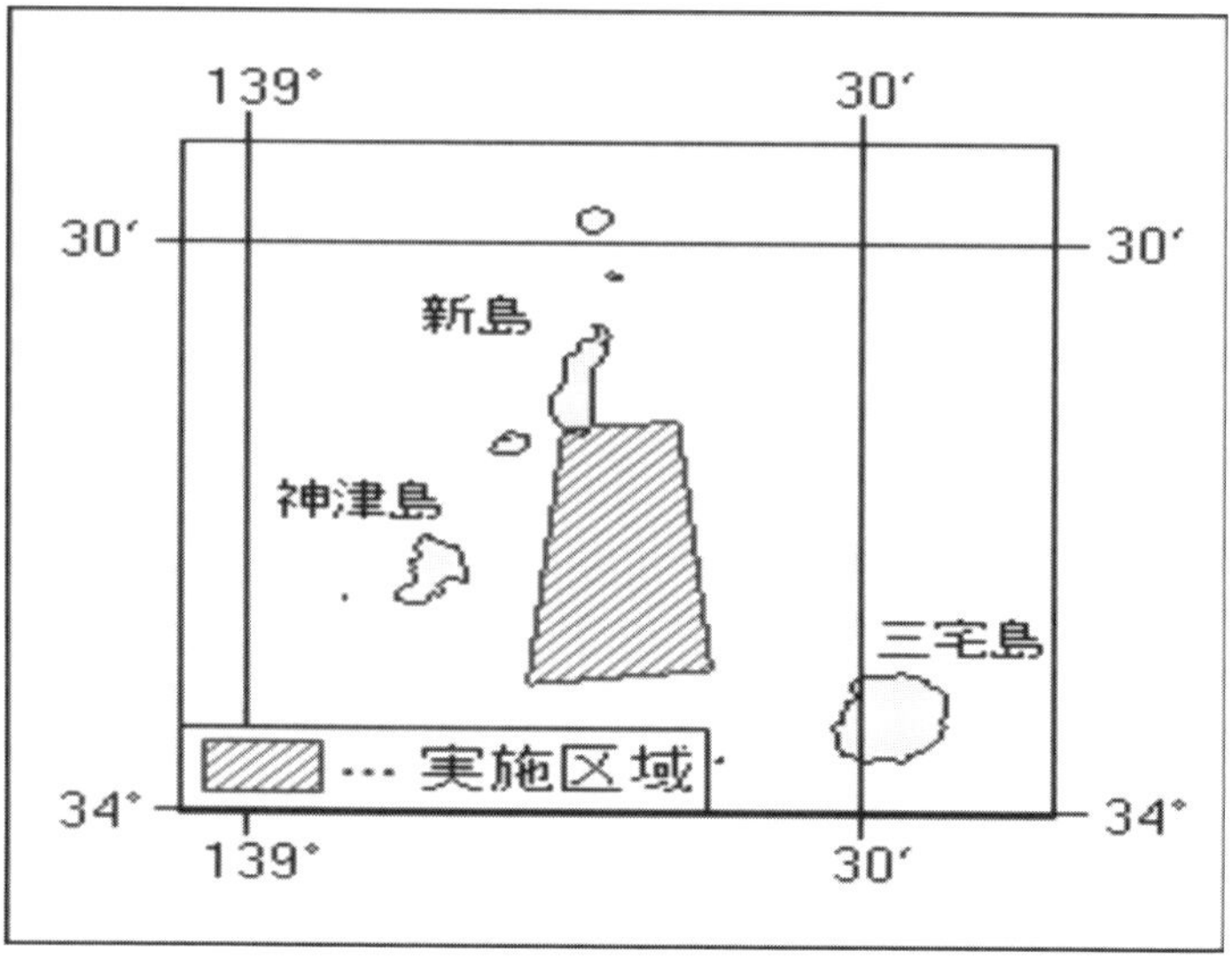

地区で構成されている。ミサイルの試射は、今なお行われており、ミサイル発射試験をする際、海面の最大距離約25キロ、高度4000メートルを試験範囲に設定するという（上図は、2017年10月16日～11月4日に告知された発射海域・防衛装備庁）。

しかし、臥蛇島と同様、新島もまた南西シフトが本格化する中、試射だけには留まらないだろう。

かつて、1969年、当時の在日米軍司令官と防衛庁長官の合意（第10回日米安全保障協議委員会）で、水戸射爆場を新島に移転するという共同コミュニケが発表されたことからも明らかだが、防衛省・自衛隊は、新島を始めとする国内でのミサイル実弾射撃場を虎視眈々と狙っているのである（この時は、新島村議会は全員一致で射爆場設置を拒否）。

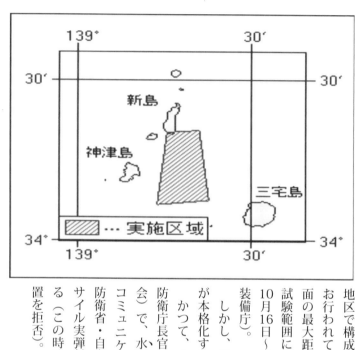

「南西有事」への民間船舶の動員

「機動展開拠点」としての馬毛島・奄美大島の項で、有事・戦時における先島などへの兵員・兵站物資などの輸送は、巨大な物量になること、そのための「事前集積拠点」が必要とされていることを述べてきたが、この「拠点」からの輸送のために、自衛隊は海自、陸自の輸送艦（陸自は新輸送艦導入）だけでは足りず、民間船舶の動員態勢を敷いている。もっとも、有事に全ての民間船舶が徴用されることは、法律上規定されている（自衛隊法第１０３条）。

このために自衛隊は、「自衛隊の機動展開能力向上に係る調査研究」（防衛省統合幕僚監部・２０１４年）という文書を発行しているが、これは南西シフト態勢下の「機動展開のあり方」を全面的に調査したものだ。

この調査は、民間船舶の平時・有事動員の実状調査、先島―琉球列島の港湾の調査、民間船舶への「予備自衛官補」の動員調査など、南西シフト態勢下の、船舶による実戦的機動展開の全面的調査として行われた。

この結果、翌年には、海自に「予備自衛官補」という制度が新たに導入されるとともに、民間フェリーなどを平時動員した「ＰＦＩ船舶」という制度も実現した。ＰＦＩ船舶（＝Private Finance Initiative）とは、民間が事業主体としてその資金やノウハウを活用して、公共事業を行う方式で、民間フェリーを所有する特別目的会社（ＳＰＣ）が設立されている。そして、この会社が運航・管理する民間フェリー2隻も正式決定された。所有する船は、津軽海峡フェリー（北海道函館市）の「ナッチャンＷｏｒｌｄ」と（下）、新日本海フェリー（大阪市）の「はくおう」である。つまり、この2隻のフェリーは、自衛隊の専用船として平時から自衛隊によって借り上げられているということだ。

２０１６年、海自に予備自衛官補を導入する制度については、「全日本海員組合」が猛烈に反対したが、この自衛隊法改定案は、強硬成立した。また、民間の船舶や船員の有事動員については、海員組合は現在も反対している。

ところで、この予備自衛官補などが運航する民間船舶は、「調査研究」によると、「本土」から「近接地域（鹿児島等）［航路②］」、そして、「近接地域」から「前線基地（先島諸島）［航路①］」までを運航するという分担になっている（次頁

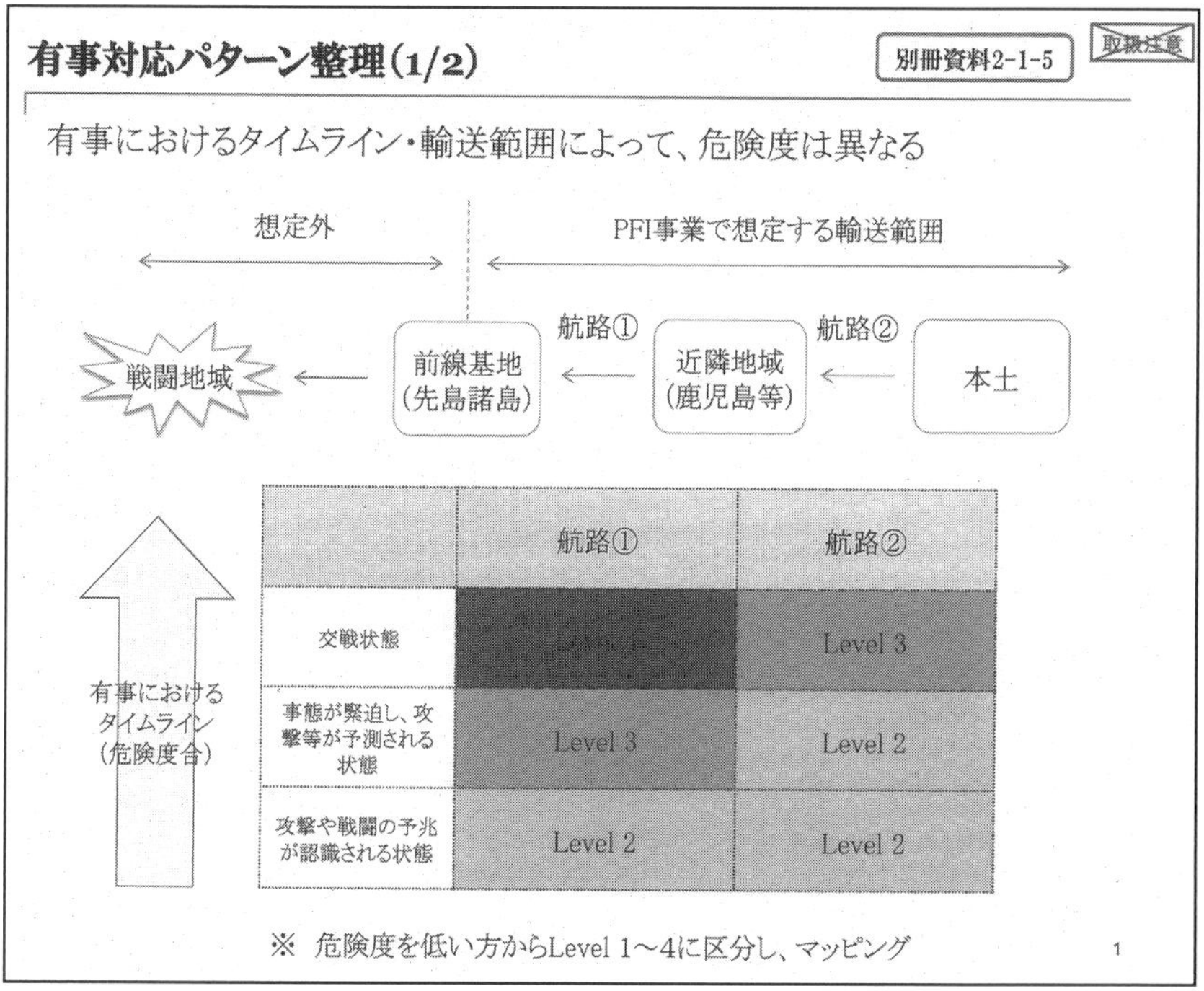

図「ＰＦＩ事業で想定する輸送範囲」)。その先の「戦闘地域」は「想定外」として記されているが、民間船舶は、この先の輸送を避けるということなのか、それとも「想定外」で不明ということなのか？

あのアジア太平洋戦争において、民間船員の戦死者は、約6万人と言われ、日本海軍の戦死者を遥かに超えている。

こうして、再び民間船舶・船員らが戦時動員される態勢が、平時から作られつつあることに危惧を覚えるのは筆者だけだろうか。見ての通り、この統合幕僚監部作成の文書には、自衛隊が想定する「島嶼戦争」の「地域」が特定され、明記されている。「前線基地」(先島諸島)と。

この統合幕僚監部文書は、現在、全てが実戦的に活かされており、鎮西演習、統合演習などで活用されているのだ。

「統合衛生」という戦時治療態勢

自衛隊が、どのような「有事」を想定しているのか。それを示す具体的文書がもう1つある。次頁に掲載している「島嶼部における治療後送・態勢（イメージ）」図を参照してほしい。これは筆者に情報公開された文書だが、この図では、自衛隊の南西シフト態勢づくりが、ついに、戦傷者を治療する「統合衛生」として始まっていることを示している。

ここでは、まず「離島における大量傷病者」を一旦、戦場に置かれた「連隊収容所等」に収容し、これをヘリで「島嶼部」（離島）に置かれた「師団収容所　野外病院等」に輸送し、そして、「本島」（沖縄）、さらには「本土」の九州―東京周辺に航空機等で後送する態勢が描かれている。

これが、自衛隊が南西シフト態勢下に打ち出した、「統合衛生」と称する態勢である。

要するに、自衛隊の琉球列島での「島嶼戦争」においては、必然的に多数の兵士の傷病者が続出する。このための緊急医療態勢が必要とされるのだが、これら医療態勢は、民間の医療態勢とは決定的に異なるのだ。つまり、軍隊の「戦闘地域」での医療とは、「第一線救護」として負傷兵の応急処置による「再戦力化」であり、これが「連隊収容所等」（最前線の野戦病院）の治療として図示されているのだ。また、戦時治療として次に必要なのは、応急処置による「再戦力化」（時

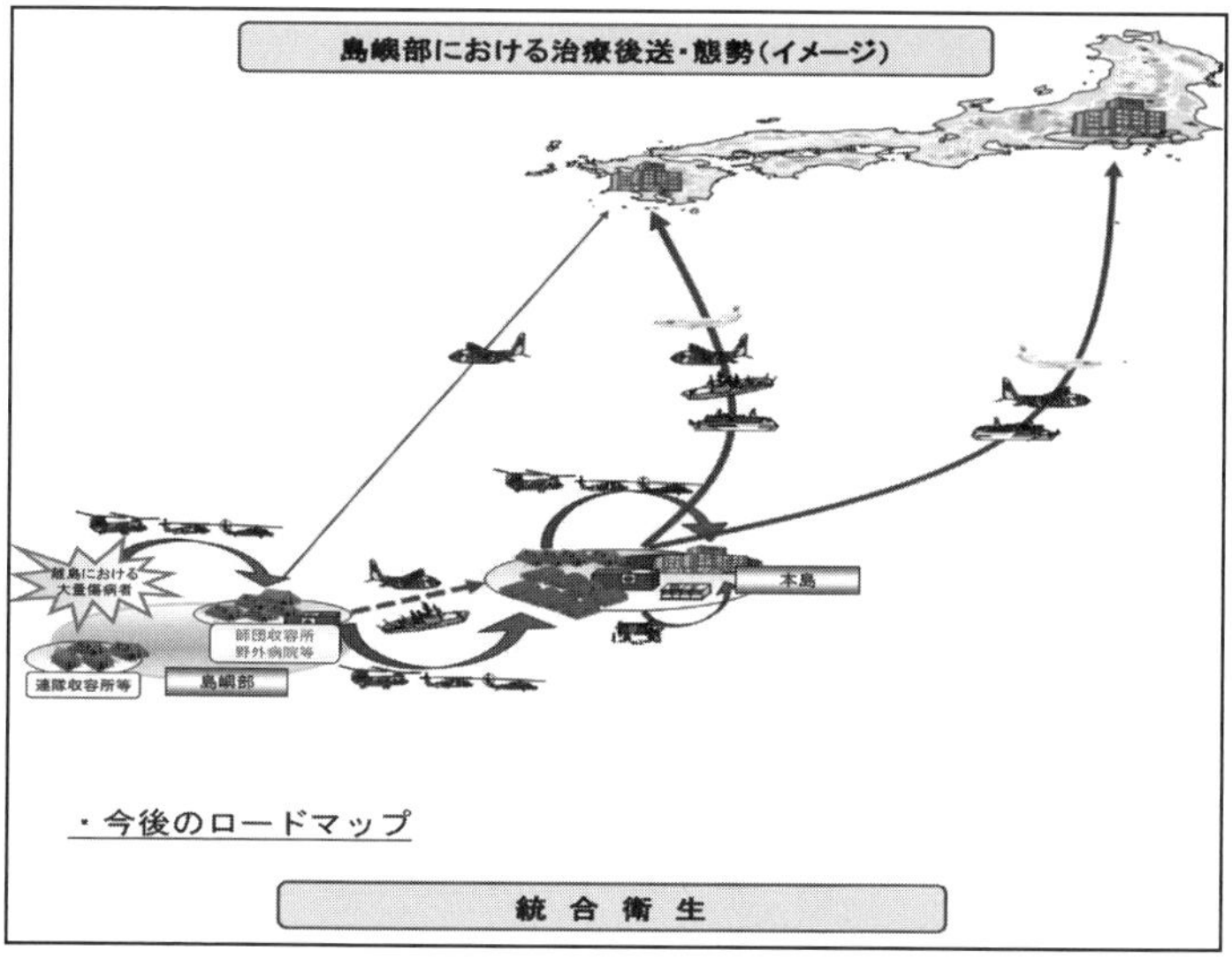

間をかけた）「野外病院等」（野戦病院）の治療である。そして「本島」「本土」での、複雑な戦闘傷病による、本格的治療（病院治療）が必要となるのである。

　この戦争下の「戦傷者」の本格的治療のために、新たに空自・入間基地側に「自衛隊入間病院」が、開設されようとしている（入間市東町側留保地で２０２１年度末。防衛医大とは別）。

　こうした「統合衛生」と名付けられた計画は、すでに２０１０年の「中期防衛力整備計画（中期防）」で、「多様な任務への対応を強化するため**統合後送体制等を整備**するとともに、海外派遣部隊等に対する医療支援機能を強化する」とされ、このため、「統合幕僚監部における衛生機能の保持要領と島嶼部における事態対処での治療・後送態勢について**統合衛生の課題**と捉え検討を実施している」と決定された。

つまり、「統合衛生」とは、陸海空自衛隊を総動員した戦時治療態勢づくりであり、「島嶼戦争」下での野戦病院づくりである。この態勢は、こうしてすでに本格的に始まっているのだ。

２０２０年11月２日、陸自は、徳之島で、この統合衛生の訓練を初めて行った。訓練は、徳之島の防災センターに「野戦病院」を設置し、ヘリによる戦闘地域で負傷した人たちの輸送などを行ったという。

報道では、「離島に野戦病院、初訓練　陸自、徳之島で負傷者治療　中国の進出念頭、急ぐ備え」として、「中国の海洋進出を念頭に南西諸島の部隊増強が進むなか、戦傷への構えが急ピッチで進められていた」としている（11月２日付朝日新聞）。

だが、この野戦病院づくりの決定的問題は、「島嶼戦争」下で、大量に負傷する島々の住民らは、全く対象にされていないことだ。「住民避難」対策が欠如しているのも大問題であるが、ここでは、戦場におかれる島民らの治療など、全く考慮されていないのである。ここに、自衛隊の「島嶼戦争」の根本問題が露骨に現れている。

第8章　アメリカのアジア戦略と日米安保

「太平洋抑止イニシアティブ」（PDI）

日本のマスメディアでは、あまり強調されていないが、2021年は、アメリカのアジア太平洋戦略にとって、歴史的に重大な意味を持つ年である。

というのは、同年1月に成立した2021会計年度（20年10月～21年9月）の「国防授権法」において、「太平洋抑止イニシアティブ（Pacific Deterrence Initiative: PDI）」という新たな基金が、アメリカの基本予算のなかに盛り込まれたからである。このPDIという新たな制度は、インド太平洋地域に特化した米軍の能力向上を目的としており、今まで叙述してきた対中戦略、つまりA2／AD戦略下での軍事力、軍事態勢の飛躍的増強を目指しているのである。

このPDIの予算について、インド太平洋軍司令部（デービッドソン司令官！）は、同年3月1日、議会に予算報告書を提出し、21年度の22億ドル（約2351億円）の要求に加えて、22年度には47億ドル（約4916億円）、そして、今後6年間（22～27年度）に274億ドル（約3兆円）という巨額を投じる計画を立てるよう提示した。

このインド太平洋軍司令部の提示後、バイデン政権初となる大統領予算要求が、2021年5月28日に公表された。国防費は、対前年度執行予算比1・6％増の7150億ドル（約78兆5000億円）が計上され、PDIとしては、21年度予算の約2倍以上の51億ドルが計上、この結果、インド太平洋軍には、PDIを含めて約660億ドルが投じられることになった（デービッドソン司令官の、「今後6年以内に『台湾有事が勃発』」という発言の意図は、インド太平洋軍の予算獲得であった！）。

少し補足すると、PDIというのは、2014年のウクライナ危機を受け、オバマ政権下において始められた「欧州抑止イニシアティブ」(European Deterrence Initiative: EDI)、に着想を得て作られたが、ここでは初期から6年で、約224億ドルが投入された。

このような新たな軍事費投入プランは、中国とロシアとの「大国間の競争」に焦点をあてた2017年12月の「国家安全保障戦略」（NSS）、翌年1月の「国家防衛戦略」（NDS）による、「アジア太平洋重視戦略」から生じたものである。

さて、このPDIの構想を、もう少し具体的に見てみよう。「米国国防授権法（NDAA）――国家防衛戦略の実施のための投資計画（2022～2026年度）」では、インド太平洋軍の新構想の「重点分野」として、①統合部隊の攻撃効果、②軍の設計と態勢、③同盟国とパートナーの強化、④演習、実験、革新を挙げ、さらに「国家防衛戦略の最も重要な行動は、グアムに高度な持続的統合防空能力を導入すること」と明記している。

そして、インド太平洋軍は、この①の統合部隊の統合能力に加えて、「第１列島線上に生存性の高い精密打撃ネットワークを必要」としており、「このネットワークは、海軍、航空、電子戦、宇宙、サイバー、そして地平線上のレーダー能力のサポートを必要とする」としている。ここでいう「精密打撃ネットワーク」とは、巡航ミサイル・トマホーク、スタンドオフ・ミサイル、高機動ロケット砲システム（HIMARS）などである。

また、「ネットワークは、西太平洋の島々に地理的に分散して運用」すべきで、「国土防衛グアム（HDS-G）は、第2列島線から３６０度の固定的かつ持続的な航空ミサイル防衛を提供」し、「将来的には、このシステムは第１列島線に長距離精密攻撃能力を提供する」としている。

この結論として、「米国にとっての最大の危機は、通常兵器による抑止力の低下」であり、「そのためには、第1列島線では陸上の対艦・対空能力、第２列島線では統合された対空ミサイル防衛、そして第３列島線では、分散可能な強化された兵力配置を備えた統合部隊を展開する必要」があると、まとめている。

ここにいう「第3列島線」とは、アリューシャン列島やハワイ、南太平洋の米領サモアを経てニュージーランドに至る線である。なお、中距離ミサイルについては、ＰＤＩからの資金を今後6年間に33億ドル（約３６００億円）を充当することも決定された。

このＰＤＩにおいて、もう１つ特筆すべきことは、将来的にはグアムなど「第2列島線」にも、第1列島線内を攻撃する長距離ミサイルを配備するとしていることだ（「長距離精密攻撃能力を提供」とあり、配備予定の「中距離ミサイル」なども予定）。

グアムは、中国本土から約3千キロの位置にある。ここを対中戦略上の前線拠点であり、「西太平洋における最も重要な活動拠点」と位置づけるのである。

ＰＤＩではまた、インド太平洋軍は、グアムの防空とミサイル防衛の性能を向上させるとして、今後6年間で約44億ドル（約４８００億円）を投入するとしている。そして、その一部として米軍の衛星レーダーおよびパラオに設置する地上レーダーの両方に新システムを導入するとしている。デービッドソンによると、グアムにイージスアショア施設を建設する計画もあり、これによって3隻の誘導ミサイル駆逐艦が、ミサイル防衛から解放され、他の海軍作戦に利用できるようになるという。

アメリカの西太平洋へのリバランス

既述のように、アメリカは、２０１０年ＱＤＲとその直後、アメリカの外交・安全保障政策の新たな方針「アジア太平洋地域へのリバランス」（再均衡）を発表した。

この「アジア太平洋地域へのリバランス」とは、オバマ大統領が２０１１年11月、中東地域からの米軍兵力の削減に伴い、その戦略的重点をアジア太平洋地域に転換する、というものだ。この象徴的戦力再編が、「米海軍艦艇の約60％を西太平洋に配備する」という政策である。もっとも、オバマ政権下のこうした軍事力のリバランスには、アジア太平洋地域で急速に台頭する中国を牽制し、アジアへの輸出拡大を通じて、アメリカ経済を回復させる狙いもあったと言われる。

オバマ政権による、アジア太平洋へのリバランス政策が具体化していくのが、すでに叙述してきた「21世紀の海軍力のための協力戦略」（２０１５年３月）である。ここにおいては、中国によるA２／AD環境下での、アジア太平洋での軍事力増強を一段と強化する具体的態勢が打ち出された。

これには、米海軍は今後、３００隻以上の艦船を保有し、このうち２０２０年までにアジア太平洋に派遣できる艦船について、２０１４年の平均97隻を上回る約１２０隻を前方配備するとしている。この配置先がグアム、日本などの海外前方配備の海軍部隊である。

前方配備先は、日本では空母打撃群、空母航空団、水陸両用即応群を維持するとし、グアムにすでに配備されている部隊に、攻撃用潜水艦1隻を追加し、シンガポールに前方配備された沿岸戦闘艦（ＬＣＳ）の数を４隻に増やす、としている。

（注　２０２０年12月17日、米海軍・米海兵隊などが、５年ぶりに「海上における優位：統合された全領域海軍力による勝利」という新戦略を提示した［２０１５年版の改訂版］。この戦略は、既述の「協力戦略」や「海兵隊作戦コンセプト」に踏まえて、「前方防衛戦略」「紛争環境における制海の重要性」を提言し、特に「全領域海軍戦力」の必要性と「多数の分散可能な能力重視」［後述］を打ち出している）

この米海軍・海兵隊の新戦略の公表と同時期、米海軍は今後30年間の新艦建造計画を発表した（20年10月23日「バトルフォース２０４５」）。エスパー国防長官が発表した海軍の艦隊再編計画）。前述の「協力戦略」において米海軍は、約３００隻としていた艦艇数を２０１６年には３５５隻までの増強という計画を立てていたが、この新建造計画ではそれを具体化していく。

これによると、米海軍は、２０３１会計年度までに艦艇３５５隻を保有し（２０１６年計画）、２０５１会計年度には４０５隻に増強するとしている。この内訳は、正規空母、強襲揚陸艦などの保有数に変化はないが、無人プラットホームについては、２０４５年までに１４３隻を調達するという。内訳は、「無人水上艇」１１９隻、「無人潜水艦」24隻である。２０５１年には、有人・無人の艦艇数は合計５４６隻に増強される。

さて、このような米軍、とりわけ米海軍のアジア太平洋へのリバランスの中で、特に注目すべきは、いわゆる「**ライトニング空母構想**」と言われる海軍・海兵隊の計画である。この計画は、米海兵隊による、２０１７年の海兵隊航空計画（2017 Marine Aviation Plan）で発表されたもので、具体的には、２０２５年までに１８５機のＦ35Ｂを運用し、7隻全ての最新鋭強襲揚陸艦にそれを搭載・配備するというものだ。

つまり、強襲揚陸艦にＦ35Ｂを搭載した多数の「小型空母」を揃え、既存の大型の攻撃型空母に替わる、「安上がりの空母」を大量に配備するという計画だ。

そして、この構想は、すでに実施されつつある。米海軍佐世保基地には、現在、最新鋭の大型強襲揚陸艦「アメリカ」（写真上・全長約260メートル、約4万4000トン）が配備されている。この「アメリカ」には、すでに米軍・岩国基地のＦ35Ｂを搭載し、運用する訓練が行われている。岩国基地には、2017年に16機のＦ35Ｂ（第121戦闘攻撃中隊）が、すでに配備され、以後、16機プラスして32機態勢へ増強されるという。これで、2～3個の「強襲揚陸艦・空母部隊」が作戦態勢に入るのである。

明らかなように、すでに述べてきた海自のＦ35Ｂ導入と、「いずも」型護衛艦の改修による「空母保有」計画は、この米海軍の「ライトニング空母」構想と連動し、一体化して進行しているのだ。というか、すでに発表されているように、「いずも」の改修後の米海軍との共同運用の始まりは、露骨なまでの「**日米ライトニング空母**」**計画**である。つまり、日米共同作戦による「西太平洋の海上・航空優勢の確保」（制海・制空権）である。

ところで、これらのライトニング空母計画の背後にあるのは、米海軍の新たな作戦構想である。それが、「分散型海上作戦」(Maritime Distributed Operations: ＤＭＯ」として２０１８年に発表された。

同構想を発表した、リチャード海軍作戦部長の「海上優勢維持のための構想（ADesign for Maintaining Maritime Superiority, Version 2.0)』では、大型艦船、小型艦船、戦闘艦、揚陸艦、無人艦艇などの戦力を分散して、さまざまな水上艦艇に長射程の対艦・対空ミサイル等の攻撃力を持たせて分散配備するとともに、それらを高度なネットワークで連接する。分散しながらも一体化した攻撃力を発揮する。つまり、敵に攻撃対象を絞らさせず、Ａ２／ＡＤを広く強化するということである。

なお、既述の米海兵隊の「遠征前方基地作戦」（ＥＡＢＯ）、「紛争環境における沿海域作戦」（ＬＯＣＥ）においての「**分散型海上作戦**」（ＤＭＯ）では、「分散した海兵隊小部隊」の作戦を主としている。

アメリカの「国家安全保障戦略」（ＮＳＳ）

２０２１年３月３日、バイデン政権は、外交・安全保障政策の基本方針となる「国家安全保障戦略」（暫定版）を発表した。この内容は、バイデン政権もまた、インド太平洋地域での米軍のプレゼンスを最重視する方針を示し、特に、中国については、「国際システムに対して持続的に挑戦する能力を秘めた唯一の競争相手」と位置づけ、長期的に対抗していく方針を明らかにしたということだ。

しかし、バイデン政権の「暫定版」は、従来のアメリカの「国家安全保障戦略」のような、新たな安全保障政策を打ち出したものではなく、事実上、トランプ政権下の国家安全保障戦略を引き継ごうとしているので、トランプ政権下の「国家安全保障戦略」（ＮＳＳ）を、ここでは検討しよう。

このトランプ政権の安全保障政策であるが、周知のように、これは「新冷戦」を宣言したものとして解釈されている。この内容は、オバマ政権と違い、中国、ロシアの脅威を全面に打ち出している。

「国家安全保障戦略」は、冒頭でアメリカはテロとの戦いよりも「国家間戦略競争」を最重要課題にすると宣言する。すなわち、戦略競争の第１は中国、ロシアとの長期的戦略競争であり、第２は朝鮮、イランの抑止であると。

具体的には、「米国は、われわれが世界で直面している政治的、経済的、軍事的競争に対応する」として、「**修正主義の大国である中国とロシア**」と表現・規定し、「中国は、インド・太平洋地域で米国にとって代わろうとしており、その国の範囲を拡大しようとしており、経済モデルを駆使し、地域を自分の好みに合うよう再秩序化している。ロシアは、大国の立場を回復させ、ロシアの国境の近くで影響を及ぼすことができる領域を確立しようとしている」と名指しで批判する。

さらに、中国に対しては、特に厳しい批判を行っている。少し長くなるが重要なので引用しよう。

「**インド・太平洋**　自由と世界秩序を弾圧するような展望の地政学的競争が、インド・太平洋地域に起きている。インドの西海岸から米国の西海岸に至る地域は、世界の中で最も人口密度が高く、経済的に生き生きとした地域である。開かれた自由なインド・太平洋地域における米国の国益は、われわれの建国の時代にまでさかのぼる。米国は、中国との協力を継続したいと求めているが、しかしながら、中国は、経済的誘惑と罰則を使用し、他国の活動に影響を及ぼし、そして、軍事的脅威により、他国を説得し、中国の政治的かつ安全保障上の課題に留意させている。中国のインフラ投資及び通商戦略は、中国の地政学的願望を強固にしている。南シナ海における中国の前進基地建設及びその軍事化は、通商の自由を危険にし、他国の主権を脅かし、そして、地域の安定を蝕んでいる。中国は、地域への米国の接近を制限し、その地域での中国のフリーハンドを提供することをもくろんだ、急速な軍近代化を開始している」

この中で、アメリカは、軍事力を再建し、最強の軍隊を堅持するとともに、宇宙やサイバーを含む多くの分野で能力を強化するほか、インド太平洋、欧州及び中東において力の均衡が米国を利するものになるよう努めるとしている、としている。

さて、この「国家安全保障戦略」を受けて、２０１８年1月、「国家防衛戦略」（ＮＤＳ）が、マティス国防長官（当時）によって公表された。ＮＤＳは、毎年、連邦議会の指示の下に策定する文書で、国民にも開示されている。

この「国家防衛戦略」では、アメリカの安全保障上の主要な懸念は、テロではなく、「**中国およびロシアとの長期にわたる戦略的競争**」であり、中国とロシアは、アメリカが築いてきた自由で開かれた国際秩序を害していると断罪している。その脅威を取り除くために米軍は、主要な優先事項を取り上げている

１つ目は、「決定的な攻撃力を有する戦力の構築」、２つ目は、「同盟の強化および新たなパートナーの獲得」、３つ目は、「より大きな成果と予算活用のための国防省改革」である。

この中の第1の「決定的な攻撃力を有する戦力の構築」については、「戦時においては、１つの主要国による侵攻を打ち破り、他の地域において機会主義的な侵略を抑止」しつつ、「機動力、抗湛性および即応性を有し、柔軟性がある戦力態勢や運用方法を構築する」としている。また、「核戦力、宇宙・サイバー戦能力、ミサイル防衛、統合作戦能力、前方機動展開能力、先進的な自律型システム、兵站・補給能力などにおける能力の近代化を推進する」としている。

（注　アメリカの新冷戦態勢では、ロシアが中国とともに「修正主義」として規定され「仮想敵」とされている。ところが、周知のように安倍政権時代から日本政府は、対ロシア外交を積極的に推進し、安倍はプーチンと20数回も首脳外交を重ねている。この理由を自衛隊制服組は、新冷戦において日本・自衛隊は「二正面作戦」を避けるべきであり、中国とロシアの矛盾を利用し、ロシアを引き離すべきであるとしている。しかし、ロシアは、こういう日本政府の動揺を見据え、しかも既述のような「オホーツク海の防衛戦略」下の、千島列島の「地対艦ミサイル防御態勢」を加速させつつある。日本の南西シフトの逆バージョンだ。下図「21年防衛白書」参照。）

「インド太平洋戦略報告」による
対中国・台湾戦略の始動

２０１７年、２０１８年の「国家安全保障戦

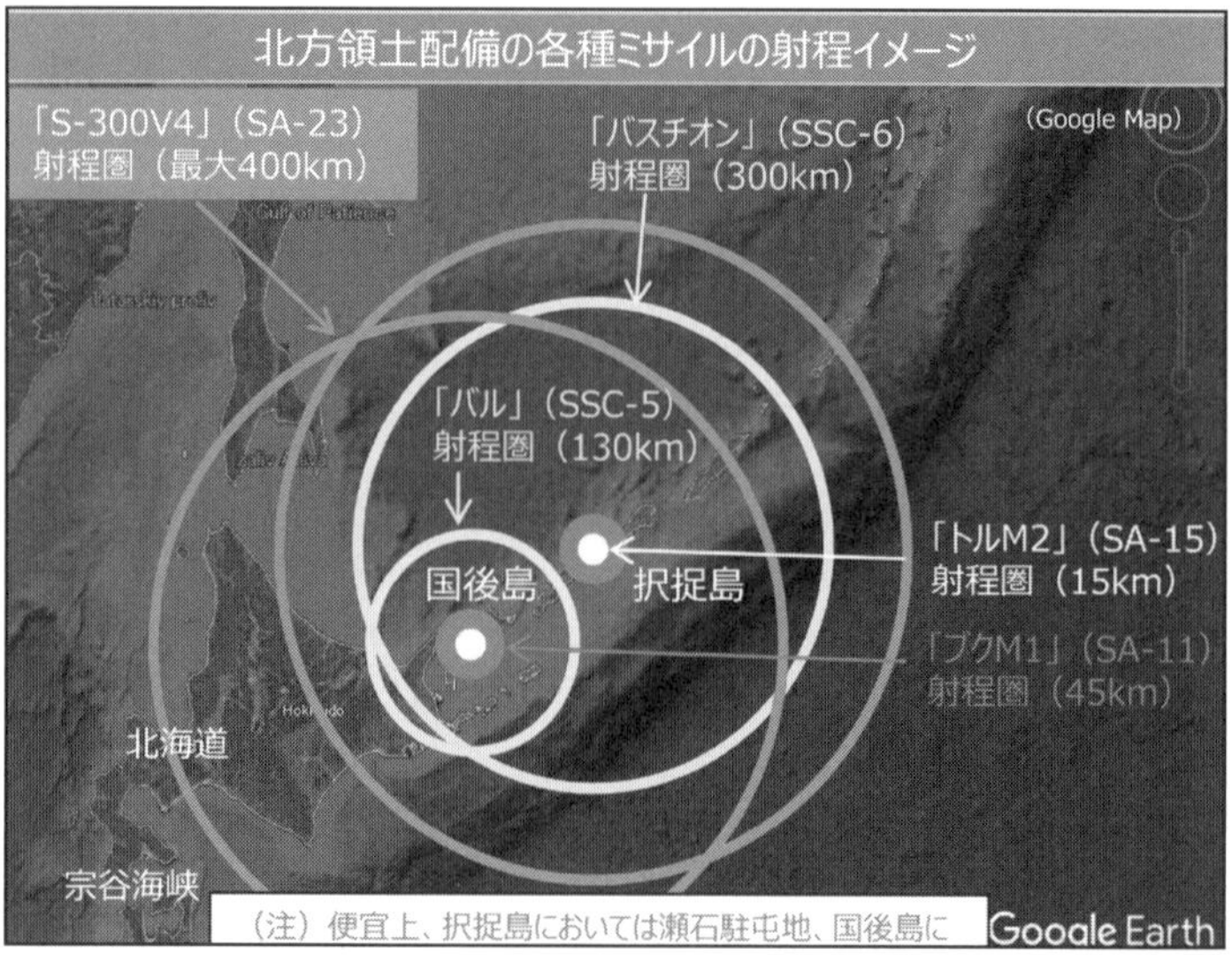

略」、「国家防衛戦略」の発表に続いて、２０１９年6月1日、アメリカ政府は、「インド太平洋戦略報告」を発表した（シンガポールのアジア安全保障会議）。この「戦略報告」は、短い報告ではあるが、アメリカ政府のアジア太平洋の軍事政策全般を扱った最新の重要文書である。この内容を少し詳しく検討してみよう。

「インド太平洋戦略報告」(Indo-Pacific Strategy Report Preparedness, Partnerships, and Promoting a Networked Region June 1, 2019) は、全文64頁で、冒頭から中国批判を全面的に展開する激しいものになっている。

「インド太平洋は、国防総省の最優先軍事地域である。米国は太平洋国家であり、歴史、文化、通商、価値観を共有することで、インド太平洋の隣国とは断ち切れない絆で結ばれている。自由な世界秩序と抑圧的な世界秩序のビジョンの間の地政学的な競争によって定義される**国家間の戦略的競争**は、米国の国家安全保障の主要な関心事である。特に中国は、中国共産党の指導の下、その利益を搾取すると同時に、ルールに基づく秩序の価値観と原則を侵食することで、国際システムを内側から蝕んでいる」と。

さらに、「戦略報告」は、中国に対して厳しい批判を続ける。

「中国は南シナ海の軍事化を続けており、係争中のスプラトリー諸島に対艦巡航ミサイルや長距離地対空ミサイルを配備したり、他の国との海上紛争に準軍事部隊を投入したりしている。空の世界では、人民解放軍が台湾周辺とその周辺で、爆撃機、戦闘機、偵察機を使って台湾へのパトロールを強化している。中国は経済的・軍事的に台頭を続ける中で、短期的にはインド太平洋地域の覇権を、長期的には世界的な覇権を目指している」と。

そして、2017〜18年の「国家安全保障戦略と国防戦略は、このような環境で競争し、抑止し、勝利するためのビジョンを明確にしている」とし、紛争初期からの勝利に向けて準備された戦力が必要であるとして、戦闘力の高い戦力をインド太平洋地域に配備するとともに、高度の軍事力を有する敵に、決定的な攻撃力を与える態勢整備に向けて優先的に投資するとしている。

そして、このビジョンを達成するためには、より致命的な統合軍と、同盟国やパートナーのより強固な位置を組み合わせることが必要とし、国防総省の取り組みの例として、具体的に次のようなものを挙げる。

1つ目は、どのような戦闘にも対応するアメリカと同盟国による「統合軍」の編成。2つ目には、米中衝突に備えて日米同盟を始めとする同盟国、友好国との重層的ネットワーク構築。3つ目には、中国と対抗する上で台湾の軍事力強化とその役割の重視である。

この中で、軍事態勢として、わざわざ強調しているのが、新しい戦略構想としての陸軍の「多領域任務部隊」と、海軍・海兵隊の「遠征前方基地作戦」である。

さらに、「戦略報告」は、「力による平和の達成のため」には、「マルチドメイン作戦構想の一環として、米陸軍はマルチドメイン・タスクフォースをテストし、複数の領域にまたがって一時的な優勢を作り、統合軍が主導権を握り、保持することを可能にする」としている。

そして、「米海軍と海兵隊が新たに考案した作戦構想——遠征前方基地作戦（ＥＡＢＯ）は、主要な島嶼の地形をコントロールし、敵の標的を複雑にする場所から活動することで、統合軍の航空・海上優勢を支援することを目的」にしているとしている。

さて、この「戦略報告」で、特記しているのが台湾についてだ。これは、他のアジア太平洋諸国への言及とは切り離し、個別に明記されている。

「米国は、強く、繁栄し、民主的な台湾を含むルールに基づく国際秩序を維持することに重大な関心を持っている。米国は台湾との強力なパートナーシップを追求しており、インド太平洋の安全保障と安定への広範なコミットメントの一環として、台湾関係法を忠実に実施する。中国が台湾に対する圧力運動を続けていることを考えると、われわれのパートナーシップは極めて重要である。台湾は２０１８年に３つの外交パートナーを失い、一部の国際フォーラムでは台湾の代表者の参加を否定し続けた。中国は台湾との平和的統一を提唱しているが、中国は軍事力の行使を放棄したことはなく、潜在的な軍事作戦に必要な高度な軍事能力を開発し、展開し続けている」

この台湾への表記は、アメリカ政府の公式文書としては、おそらく初めてのものではないだろうか。報告書は、インド太平洋地域の広範な取り組みの一環として、「台湾関係法を忠実に実施」するという。また、「強くて安全な台湾は、侵略を抑止し、台湾の人々とその民主主義を守り、中国と独自の条件で戦うことができる」とし、以下のように言う。

「台湾との国防関係の目的は、台湾が安全で、自信を持ち、強要から解放され、平和的かつ生産的に独自の条件で戦うことができるようにすることである。国防総省は、台湾が十分な自衛能力を維持できるようにするために必要な量の防衛物資やサービスを台湾に提供することを約束している。国防総省は台湾の防衛ニーズを継続的に評価し、台湾が機動性があり、生存可能であり、武力行使や他の形態の強制に抵抗するために効果的な能力を特定できるように支援している。2008年以降、米政府は台湾のために220億ドル以上のFMSを議会に通告している」

（注　FMSとは、有償軍事援助）

急激に進むアメリカの台湾への武器売却

このような、2019年のアメリカの「インド太平洋戦略報告」による、「台湾有事」キャンペーンと前後して、現在、アメリカが台湾に向けて急ピッチで進めているのが、大量の武器売却である。これについては、ほとんどのメディアは、沈黙しているのに等しい状況だ。これを具体的に見てみよう。

＊2019年7月、「M1A2エイブラムス戦車」108両、地対空ミサイル250発など総額22億ドル（約2447億円）の売却。

＊2019年8月、F16の新型66機を総額80億ドル（約8900億円）の売却。

＊２０２０年10月21日、空対地ミサイル（ＡＧＭ）など総額18億ドル（約１９００億円）強の武器売却。
＊２０２０年10月26日、米ボーイング社製の地対艦ミサイル「ハープーン」４００発と、発射用車両である沿岸防衛システム１００基など、計23億7千万ドル（約２５００億円）分の武器売却（台湾海軍用）。
＊２０２０年10月12日、トランプ政権は、以前から準備を進めていた7種類の武器の台湾向け売却計画のうち、３種類の武器売却について議会に通知。３種類の武器とは、移動式ロケット砲システム「HIMARS」（11基）と（台湾陸軍用）、空対地巡航ミサイルSLAM-ERなど。

このように、台湾への主要な武器売却は、トランプ政権後、一段と加速しており、なんと総額で約１７４億ドル（約１兆８０００億円）。に上っている。台湾の年間の国防予算が、約３５００億台湾ドル（約１兆２８００億円）であるから、これを大きく上回る規模だ。

なお、地対艦ミサイル「ハープーン」（改良）の大量売却は、言うまでもなく、台湾海峡だけでなく、台湾とフィリピンの間のルソン海峡を封鎖するためである。つまり、第１列島線南の封鎖作戦の完結のためだ。

このような、アメリカの台湾への大量の武器売却という事態を見れば、中国側の対抗措置も不可避となることは明らかだ。日本のマスメディアでは、台湾海峡での中国空軍などの「防空識別圏」への侵入や「領空侵犯」を、一方的にキャンペーンしているが、アメリカ側こそが、まさしく中国を挑発しているのである。

この理由が、見てきたように、第1列島線完結のために、台湾を日米共同作戦態勢下に組み込むことであり、中国軍の東・南シナ海への封鎖態勢をつくり出すためである（これはまた、アメリカの産軍複合体制のビジネスでもある）。

安保法制定の目的とは

さて、筆者はここまで、日米の南西シフトについて述べてきたが、この南西シフトは、もともとは、「自衛隊の南西シフト」として策定された。もっとも、２０１０年のエアーシーバトル以来、その自衛隊戦略の背景に、米軍の戦略構想があったであろうことは明らかである。

ここでは、このような日米関係を整理するために、まずは２０１５年に改訂された「日米ガイドライン」の内容から検討しよう。

日米ガイドラインは、まず「日本に対する武力攻撃が発生した場合」の「整合のとれた対処行動のための基本的考え方」として、「日本に対する武力攻撃が発生した場合、日米両国は、迅速に武力攻撃を排除し及び更なる攻撃を抑止するために協力」として、以下のような日米分担を明記する。

「日本は、日本の国民及び領域の防衛を引き続き主体的に実施し、日本に対する武力攻撃を極力早期に排除するため直ちに行動する。自衛隊は、日本及びその周辺海空域並びに海空域の接近経路における防勢作戦を**主体的**に実施する」。

そして、「米国は、日本と緊密に調整し、**適切な支援**を行う。米軍は、日本を防衛するため、**自衛隊を支援し及び補完**する。米国は、日本の防衛を支援し並びに平和及び安全を回復するような方法で、この地域の環境を形成するための行動をとる」とし、「米国は、日本に駐留する兵力を含む前方展開兵力を運用し、所要に応じその他のあらゆる地域からの増援兵力を投入する」と。

特に、この日米の作態態勢の中での「陸上攻撃に対処するための作戦」を取り上げてみると、以下のように明記している。

「自衛隊及び米軍は、日本に対する陸上攻撃に対処するため、陸、海、空又は水陸両用部隊を用いて、**共同作戦**を実施する。自衛隊は、島嶼に対するものを含む陸上攻撃を阻止し、排除するための**作戦を主体的**に実施する。必要が生じた場合、自衛隊は島嶼を奪回するための作戦を実施する。このため、自衛隊は、着上陸侵攻を阻止し排除するための作戦、水陸両用作戦及び迅速な部隊展開を含むが、これに限られない必要な行動をとる」

ここには、「(日本は) 領域の防衛を引き続き主体的に実施」し、「防勢作戦を主体的に実施」し、また、「島嶼防衛作戦を主体的に実施」すると、「主体的」という言葉がやたら目に付く。この意味は何か。

さて、改定前の１９９７年ガイドラインでは、「日本に対する武力攻撃がなされた場合として、「日本は、日本に対する武力攻撃に即応して主体的に行動し、極力早期にこれを排除する。その際、米国は、日本に対して適切に協力する」とし、そして、「自衛隊及び米軍が作戦を共同して実施する場合には、双方は、整合性を確保しつつ、適時かつ適切な形で、各々の防衛力を運用する。その際、双方は、**各々の陸・海・空部隊の効果的な統合運用**を行う。**自衛隊は、主として日本の領域及びその周辺海空域において防勢作戦を行い、米軍は、自衛隊の行う作戦を支援する**。米軍は、また、**自衛隊の能力を補完するための作戦**を実施する」と明記する。

さらに、「航空侵攻」「日本周辺海域の防衛及び海上交通の保護」「日本に対する着上陸侵攻に対処」するための作戦においては、「米軍は、自衛隊の行う作戦を支援するとともに、**打撃力の使用を伴うような作戦**を含め、自衛隊の能力を補完するための作戦を実施する」と。

さて、この97年ガイドラインと、15年ガイドラインの違いをどのように見るべきか。結論からすると、いわゆる「矛と盾」の役割が、97年ガイドラインでは、明確であったが、15年ガイドラインではなくなったということだ（「打撃力の使用」とは、米軍による戦略的爆撃などの攻撃力）。つまり、南西シフトによる対中戦争（「島嶼戦争」）は、「日本防衛」として、自衛隊が「主体的に作戦」を行うことが策定されたということである。

南西シフトについて、このように分析すると、いわゆる「巻き込まれ論者」から異議の声が聞こえてくるかもしれない。「自衛隊は、あくまで米軍の指揮下の軍隊である」と。戦後一貫して戦争を遂行してきた米軍と、全く戦争の経験のない自衛隊では、「共同作戦」は成り立たないのではないか、と。

おそらく、有事下の実際の作戦では、米軍と自衛隊の「共同作戦」は、米軍の「基本的な指揮」として行われることになろう。ただ、実際はともかく、２０１５年の日米ガイドラインでは、初めて自衛隊が「主体的」に作戦する態勢が作られたことに注目すべきである。

これは、言い換えると、対中戦略の最前線（「島嶼戦争」）に自衛隊が立たされたことを意味するのであり、日本と自衛隊、そして、何よりも沖縄と「本土」民衆を犠牲にする戦争態勢が、作られつつあるということだ。アメリカは、アフガン・イラク戦争後の戦略をこのように採り始めたということである。

（注　アフガン、イラク戦争で人的にも財政的にも疲弊したアメリカは、オバマ政権の時代に「オフショア・バランシング戦略」を採用しつつあった。これは、東西冷戦終了以前のアメリカの戦略でもあったが、要するにアメリカは、例えばアジアでの戦争に初めから介入せず、日本などの前線国家に一旦任せて、必要な時に介入するという戦略である。このオフショア・バランシング戦略は、トランプ政権下でも初めは維持され、日欧での「軍事費２倍化」の要求になって表れたが、２０１７年の「国家安全保障戦略（ＮＳＳ）」などで修正されつつある）

ところで、２０１５年４月改訂の日米ガイドラインでは、「存立危機事態」の概念が、安保法成立（同年9月）以前に、そのままガイドラインに明記された。この国会無視という状況が、今日の日米安保体制の実態を見事に表している。

ここで重要な問題は、２０１５年制定の安保法が、何を目的として制定されたのかということだ。当時、政権をとっていた安倍は、安保法の対象を「朝鮮半島有事での邦人救出」（図まで作成）であるとか、ペルシャ湾でのエネルギー確保など、さまざまな内容を挙げていた。安倍のこれらの主張が、まさしくフェイクであることは、当時から筆者は指摘していたが、メディアも野党もこの主張を認識できずにいたのだ。

その原因は何か？　事はここに至れば明確になっている。この安保法制定の基本的目的は、「対中戦略」下の日米共同作戦態勢の形成にあったということだ。つまり、現在、日米の戦略として露呈してきた「安保態勢下の南西シフト」（海洋限定戦争）を策定するためであったのである。

したがって、安保法の改定――武力事態対処法、改定自衛隊法の主な改定事項である「存立危機事態」――「我が国と密接な関係にある他国に対する武力攻撃が発生し、これにより我が国の存立が脅かされ、国民の生命、自由及び幸福追求の権利が根底から覆される明白な危険がある事態」の想定する事態とは、「対中国」との「島嶼戦争」＝「海洋限定戦争」であったということである。

もちろん、この安保法の想定する事態・対象が、対中戦略を突破口に、日米の「インド太平洋戦略」を媒介にしたグローバルな軍事態勢づくりにあることも明らかだ。戦後日本の、自衛隊初の海外の常駐基地として設置されたジブチ基地は、まさしくその世界大の軍事強国に乗り出す日本の実態を表している。

日本の「インド太平洋戦略」

安倍政権（当時）が、２０１６年に提唱した「インド太平洋戦略」（のちに「構想」に修正）は、２０１８年、アメリカもトランプ政権下で「太平洋軍」を、わざわざ「インド太平洋軍」に呼称替えし、歩調を合わせてきたことで知られている。つまり、日本主導の「インド太平洋戦略」というわけだ。だが、この安倍政権の「インド太平洋戦略」は、関係者の間では、アメリカの軍事研究論文からの「盗作」であったことが知られている。つまり、彼の国の研究論文に目を付けた安倍政権のブレーンが、ちゃっかり借用したということだ。

そもそも、この「インド太平洋戦略」の発表は、２０１２年である。これは「セキュリティーダイヤモンド構想」と言われており、当時の安倍首相が、国際ＮＰＯ団体で英語論文として発表したものである。

「セキュリティーダイヤモンド構想」は、日本、オーストラリア、インド、アメリカ・ハワイの連携を強化することで、中国の東シナ海、南シナ海への進出を牽制する構想であり、まさに、対中国包囲網形成に関する構想であった。いわば、アメリカのアフガン・イラク戦争後の「力の低下」という中、アメリカの戦略に合わせ、それを補完するとともに、日本がグローバルな「軍事外交」へ乗り出すという戦略を採り始めるという提言である。

この安倍政権の「英語論文」の発表に際し、日本の全てのメディアは、完全に沈黙し、無視した。おそらくこの事態は、同戦略が中国を刺激し、中国との対決に向かうことを恐れたということだろう。

しかし、このメディアの沈黙（野党の沈黙でもある）をよそに、安倍政権は、着々とこのインド太平洋戦略の実体化を推し進めていった。

早くも2007年には、「日豪安保共同宣言」が出されたが、これは、定期的な日豪外務・防衛閣僚協議（2＋2）に発展し、現在では、「日豪円滑化協定」（地位協定に替わるもの）の締結交渉の最終段階に至っている。オーストラリアが日本と「軍事準同盟」体制に入ったということである。

このオーストラリアに続き、日本は、インド、イギリス、カナダ、フランス、ドイツなどとの間でも定期的な「2＋2」会合を行っている。

こうした戦略のもとに、日米ACSA（物品役務相互提供協定）に加え、日豪ACSA（2013年締結）、日英ACSA（2017年締結）、日仏ACSA（2018年締結）、日加ACSA（2019年締結）、日印ACSA（2021年締結）と、続々と続いている。

ACSAとは、2国間の「物品役務相互提供協定」であり、「補給、輸送、修理若しくは整備、医療、通信、空港若しくは港湾に関する業務、基地に関する業務、宿泊、保管、施設の利用又は訓練に関する業務（これらの業務にそれぞれ附帯する業務を含む）」を、相互に提供することである。

これはまた、２０１５年に成立した安保法を踏まえ、それ以前に発効していたＡＣＳＡも改正され、日本が直接攻撃を受けていなくても、日本の平和と安全に重要な影響を与える「重要影響事態」において、自衛隊による他国軍への後方支援で、弾薬提供などが可能となった。

これらのＡＣＳＡについては、各国との締結後、自衛隊法の改定が行われ、順次同法に明記されている（自衛隊法第百条の六～十七）。なお、２０２１年の日印ＡＣＳＡの締結、自衛隊法改定については、立憲民主党、日本共産党が反対したことを付記しておきたい。

激化する対中演習と新冷戦態勢

さて、周知のように、このような日米、日豪、日印、日英、日仏、日加のＡＣＳＡ締結によって、急ピッチに加速しているのが、日本とＡＣＳＡ締結国との共同演習である。ここ数年において、頻繁に行われているこれらの演習を取り上げるときりがない。

例えば、２０２１年10月2日から3日にかけて実施された、南シナ海での日・米・英空母を中心とする6カ国軍の共同演習には、米海軍カール・ヴィンソン空母打撃群、ロナルド・レーガン空母打撃群と、英海軍のクィーン・エリザベス空母打撃群、海自の「いずも」「かが」を軸とす

日米共同実動演習「キーン・ソード21」（2000年11月9日〜）

る17隻の大艦隊が集結・参加した。海自については、同3日、ヘリコプター搭載護衛艦「いずも」に、米軍海兵隊所属のステルス戦闘機F35Bが発着する訓練を行い、日米の「ライトニング空母」構想の一端を公開したのである。

この日米をはじめ、南シナ海での六カ国艦隊の共同演習に対して、10月4日、中国軍機56機が台湾防空識別圏へ進入し、対抗措置をとったが、日本の報道はこの六カ国の挑発的な共同演習については報道せず、中国側の対抗措置だけを「台湾有事」とばかりに報じている。

東シナ海・南シナ海では、このように日米の「航行の自由作戦」という対中国への威嚇行動に、イギリス、フランス、オーストラリア、カナダなどが参加し、急速な中国包囲体制を構築しようとしている。

これに、アメリカは、日米豪印（QUAD・クワッド）などの対中の軍事的枠組み（2021年3

月12日設置）に続き、米英豪軍事同盟（ＡＵＫＵＳ・オーカス）の成立を発表した（２０２１年9月15日）。この中で重要なのは、オーストラリアがフランスとの潜水艦建造契約を破棄してまで、米英との原子力潜水艦の建造計画に乗り出したことだ。ここには、すでに本論で述べてきた、オーストラリアの対中戦略への徹底した動員（日本と同様の役割）があるのである。

見てきたような、すさまじい対中包囲網、対中対決政策は、かつての太平洋地域へ植民地を保有していた主要な「旧宗主国」全てを動員し、アメリカの対中対決戦略を補完する態勢づくりが始まったと言えよう。

これが、２０１７年のアメリカの「国家安全保障戦略」（ＮＳＳ）で打ち出された「新冷戦」態勢である。

問題は、米ソを中心とするかつての「冷戦」は、戦後の世界支配体制、つまり、戦後世界の「東西」による、相互分割支配――「相互対立・相互浸透」と言われる、「安定」した体制であったが、米中対立は、アジア太平洋地域をめぐる覇権争いの渦中にある。もっとも、この覇権争いの核心は、戦前・戦後アメリカが「膨大な血と汗を流して獲得」してきた、アジア太平洋地域を絶対に護持するというもので、そのために中国を東シナ海の内部に封じ込めるという体制である。

この新冷戦は、一部には冷戦ではなく「ウォーム・ウオー」(暖かい戦争)と言われている。つまり、相互分割体制による「平和」ではなく、戦火が飛び散る「小戦争」だということだ。

しかし、この「ウォーム・ウオー」は、「小戦争」を幾度か繰り返しながら、次第に中規模戦争、大規模戦争に広がっていくだろう。これは、次第にアジア太平洋地域を巻き込む、通常型の大戦に、らせん的に広がるのである。

この米中対峙の戦争の渦中に乗り出し、南西シフトによる琉球列島のミサイル要塞化――対中攻撃拠点づくりに乗り出す、日本政府・自衛隊の愚かさ、そして暴挙を厳しく批判しなければならない。

結語　アジア太平洋の軍拡競争の停止へ

メディアの「台湾有事」キャンペーン

２０２1年3月の、米インド太平洋軍司令官(当時)・デービッドソン発言以来、性懲りもなく「台湾有事」キャンペーンが、連日のように繰り広げられている。デービッドソンの上官であるミリー統合参謀本部議長が、その発言を修正して以降も、この発言は一人歩きしている。というか、「台湾有事」——戦争を待望する戦争屋どもが、わが国にはゴロゴロしているということだ。

例えば、退官後も自衛隊の南西シフトを強力に推進する、元西部方面隊総監・用田和仁などは、「今年以内に台湾有事で衝突が起こる、来年は本格的戦争になる」と、ネットメディアに嬉々として書いている。こういう軍事評論家だけではない。中国通と称する評論家らも同様。始末に負えないのは、本来、こういう問題では検証した報道をすべきメディアが、全く何の検証もせずに「台湾有事」論に与しているということだ。

この「台湾有事」キャンペーンの意図・目的については、本論で繰り返し検証してきた。結論からいうと、第1列島線防御態勢の完結のために、台湾を日米の南西シフトに組み込むことであり、台湾とフィリピンの間の、ルソン海峡の封鎖態勢づくりである。

それにしても、「台湾有事」論者というのは、現実認識、歴史認識の全てが根本から欠落している。本論でも触れてきたので繰り返しはしたくないが、例えば、中国の原油はその90％がマラッカ海峡を通過しなければならない。つまり、「世界の工場」である中国自体が、「海洋の平和」なしに、国の存立さえできないのだ。

歴史認識と言えば、これらの「台湾有事論」は、中国軍の台湾侵攻が前提となっているが、こうした世界貿易で成り立っている中国が、中国を含む世界経済の崩壊に直結する「台湾侵攻」の暴挙を行うと主張するというのは、完全に思考力が停止している。おそらく、新型コロナ禍で世界中がパニックになっているが、そのパニックに日本中のメディア、知識人なども汚染されてしまったのではないか。

例えば、中国の「環球時報」の胡錫進編集長は、「台湾への武力行使は米国との全面的な武力衝突を覚悟しなければならず、『直面するリスクと挑戦に冷静に対処すべき』」として、武力統一論を戒める文章を寄せたという（『虚構の新冷戦』東アジア共同体研究所 琉球・沖縄センター編、岡田充執筆論文）。

ここでは、逆説的に「武力統一」が可能な条件として「①中国軍が第1列島線周辺で圧倒的優勢に立ち、米軍が容認できないほどの代償を払うまでの実力を有すること。②中国の市場規模と経済競争力が米国を越え、米国や西側の経済制裁を無力化する実力を備える」という2条件を上げたという。

ここで重要なのは、「経済制裁を無力化する実力」というものが、果たして可能なのか、ということだ。統計数字から見てみよう。

日米中の経済的相互依存と戦争

2019年の日本の輸出先の第1位は、アメリカで19・8%、第2位は中国で19・1%、輸入の第1位は、中国で23・5%、第2位は、アメリカで11%である（財務省貿易統計）。また、2020年の日中の貿易総額を双方の輸入ベースで見ると、3402億ドルであり、日本の輸入貿易総量の25・7%が中国である（ジェトロ）。そして、2020年のアメリカの輸出先は、中国が8・7%、日本が4・5%で、輸入は中国が18・6%で、日本が5・1%である（米商務省統計）。すなわち、日本の中国との貿易額は、すでに2009年にアメリカを抜いてトップに立っており、アメリカもまた現在、中国との貿易は、世界の中でトップを占めている。

このような中でバイデン政権は、トランプ政権の対中貿易政策を基本的に踏襲し、中国とのデカップリング（分離）を行いつつある。しかし、アメリカを始め、世界の国々に広がっている、中国に全面的に依存したサプライチェーン（供給連鎖）の再構築は、ほとんど不可能である。

貿易総額でもそうだが、さらに、アメリカの存立に関わる「米国債保有残高」についても、中国は、1兆961億ドルという世界最大の米国債を保有しており（2021年統計で、日本の1兆2767億ドルと並ぶ保有額）、仮に中国が米国債全ての売却を行えば、一挙にドル恐慌が爆発し、アメリカ経済の全面的崩壊、ひいては中国を含む世界経済の完全崩壊へと陥っていく。

私たちは、歴史の教訓を思い起こさねばならない。あの第2次世界大戦に突き進んだ根本には、世界経済の崩壊があったのである。29年恐慌から始まる世界経済危機は、1930年代には、その大不況を乗り切ろうとして世界各国の「経済ブロック化」を引き起こした。イギリスの「ポンド・ブロック」に始まり、アメリカの「ドル・ブロック」、日本の「円・ブロック」と。これらは、域外に対して差別的な高い関税を維持するなど、排他的な経済圏を形成したのである。つまり、「経済制裁を無力化」する以前に、「世界経済は分断」されてしまっていたのだ。

こうしてみると、「還球時報」の編集長が挙げた「中国の武力侵攻」の条件には、米中日などの「世界経済のブロック化」という、もう1つの重大な要件を付け加える必要がある。

このような、現実的、歴史的認識を検証することなしに、無責任に「台湾有事」を煽る政治屋、メディア、売文屋などの煽動については、厳しく批判しなければならない。

「朝鮮半島有事」を煽り、「国難突破選挙」とまで言い放って解散総選挙を行った安倍。「朝鮮からミサイル飛来」と言って、子どもたちに、防空頭巾を被させ、漫画的な避難訓練をさせた政府・自治体。イスラム勢力などからの「テロ襲撃」と言って、駅のホームのゴミ箱まで点検させた、メディアを含む「テロ脅威論」の煽動――いずれもその後、その煽動の責任、結果の責任を、誰もとらないうちに、うやむやにされたのだ。

その責任をとらないどころか、その煽動に与しないジャーナリストや社会運動を敵視し、社会から排除しようとさえしたのである。

沖縄を再び戦争の最前線にするのか？

このような、「台湾有事」キャンペーンを始めとした政府・自衛隊の意図・目的は、すでに繰り返し本文で検証してきたように、日米共同の対中対決政策——新冷戦体制づくりにある。そして、特に私たちが認識すべきは、日本政府・自衛隊は、アメリカの戦略に沿って、あるいはそれを利用して、自らを世界大的な軍事強国として実現しようとしていることだ。言い換えれば、軍事大国の実現ということである。

このような、軍事強国・大国の武器が、空母の保有であり、日本型海兵隊の新編であり、敵基地攻撃能力の保有である。言い換えれば、軍事強国としての「砲艦外交」を実現——「夢よ、もう一度」という、あの旧日本軍の再来である（戦前の日本は、世界有数の軍事大国！）。

こういう日本・自衛隊にとって、対中対決政策を中心とする南西シフト態勢づくりは、軍事強国へ突き進む、重大な水路となっているのである。というのは、「尖閣危機」「台湾有事」、あるいは「領土」問題などでの国家主義を煽ることができるからである。

ミサイル弾薬庫の着工以来、２年以上工事現場で座り込む宮古島・保良の人々

こうして現在、琉球列島——東・南シナ海は、厳しい、重大な戦争の危機が生じつつある。もちろん、この琉球列島に生じている危機は、中距離ミサイル配備問題で明らかになったように、九州から日本本土の危機へ直結していく。

私たちは、この危機を打開するためには、今、何が必要なのか？

結論から言えば、全平和勢力、平和を望む全ての民衆が、日本と中国の軍拡競争の即時停止——軍縮交渉に直ちに入るべきことを、アジア—世界世論に訴え、日本と中国の政府に要求することだ。

そして、言うまでもなく自衛隊の「島嶼防衛戦」は、平時から有事へとシームレス（切れ目なく）に発展することが想定されている（防衛白書など）。これは何を意味するのか？　つまり、平時と有事の切れ目、区別がないということは、先島―沖縄の民衆らは、戦火を避けて島外へ避難する時間的余裕は全くない、ということである。

確かに、制定された国民保護法では、住民避難が定められている。だが、同法では、政府が「武力攻撃事態」「武力攻撃予測事態」などを認定（有事事態・戦争宣言）することが必要であり、平時から緊急事態へ、有事事態へと切れ目なく移行するこの戦争では、住民避難は、全く不可能である。

現実に、自衛隊制服組の島嶼防衛研究では、「島嶼防衛戦は軍民混在の戦争」になり、「避難は困難」としている。だから、この研究の一部では、避難は困難だから、イスラエルのように各家に地下サイロを造るという見解も出されている。

そして、実際の「島嶼戦争」でも、作戦面からして住民避難は困難だ。この戦争の初期には、自衛隊は宮古海峡などの主要なチョーク・ポイント、中国軍の予想上陸地点や港湾に、大量の機雷をばらまくことになる。

このような事態の中で、先島諸島だけで10万人を超える住民らを避難させる輸送手段はない。民間輸送においてもだが、自衛隊による輸送においても、その手段は全くない。実際に、国民保護法による住民避難の法律上の実施責任は、自治体であるが、先島などにはその輸送態勢は全くない。自衛隊にしても、「作戦上支障ない限り協力する」としているが、自衛隊の第一義的任務は戦闘行動である。

（注　既述の統合幕僚監部『統合運用教範』および「防衛省・防衛装備庁国民保護計画」［2005年］には、有事下の自衛隊による国民保護に関して、以下の記述がある。双方とも同文。

「防衛省・自衛隊は、武力攻撃事態等においては、我が国に対する武力攻撃の排除措置に全力を尽くし、もって我が国に対する被害を極小化することが主たる任務であり、この防衛省・自衛隊にしか実施することのできない任務の遂行に万全を期すこととなる。このため、防衛省・自衛隊は、その機能及び国民からの期待に鑑み、主たる任務である我が国に対する武力攻撃の排除措置に支障のない範囲で、国民保護等派遣を命ぜられた部隊等又は防衛出動・治安出動を命ぜられた部隊等により、可能な限り国民保護措置を実施する」（『統合運用教範』第3章「武力攻撃事態及び存立危機事態における行動、第11款「国民保護のための措置」、傍点筆者）

このような、島民・住民の避難が不可能という状況下で、見てきたように「島嶼防衛戦」は、対艦・対空ミサイル部隊が島中を移動し、戦場と化する。また、島嶼間の高速滑空弾や、島嶼間の巡航ミサイルなども、雨霰のごとく降り注ぐのである。琉球列島の小さな島々は、この中では、焼き尽くされ、破壊し尽くされるだろう。

ワシントン海軍軍縮条約による島嶼要塞化の禁止

今日のアジア太平洋地域の軍拡競争は、１９２０~30年代の軍拡競争に類似しているが、しかし、この軍拡を阻み、軍縮へと導いた貴重な経験を、私たちは持っている。

第1次世界大戦直後、アジア太平洋地域は、激しい軍拡競争へと突き進み始めていた。だが、この時代の中で、なんと日本政府の提案によって、1921年、ワシントン海軍軍縮条約による「島嶼要塞化の禁止」条約が締結されたのだ。

そして、決定的に重要なのは、この条約では米・英・日は、軍艦の保有数を制限した軍縮条約を締結（主力艦の対英米比6割、いわゆる5・5・3への制限）したが、この中にアジア太平洋地域の「**要塞化禁止条項**」が、取り決められたのである。

条約は、太平洋の各国の本土、および本土にごく近接した島嶼以外の領土について、現在存在する以上の「軍事施設の要塞化」が禁止された。日本に対しては、千島諸島・小笠原諸島・奄美大島・琉球列島・台湾・澎湖諸島、サイパン・テニアンなどの南洋諸島の要塞化を禁止した。アメリカに対しては、フィリピン・グアム・サモア・アリューシャン諸島の要塞化を禁止した（1921年12月13日、日米英仏が調印、22年8月5日批准、23年8月17日公布の四カ国条約。正式には「太平洋方面ニ於ケル島嶼タル屬地及島嶼タル領地ニ關スル四國條約」。条約の締結により日英同盟は廃棄）。

しかし、1930年代に至り、戦争の危機が深まってくるにしたがい、日本は、日本統治下のサイパンのアスリート飛行場（現サイパン国際空港）を始めとして、秘密裡の軍事基地建設を進めて行くのである。

こうして日本は、１９３４年12月、ワシントン海軍軍縮条約の破棄を決定し、アメリカに通告、１９３６年、ロンドン軍縮会議からの脱退も通告した。軍縮条約は実行力を失い、第２次世界大戦に雪崩をうって突入していくのである（１９４４年には、沖縄・与那国・石垣島・宮古島などの先島で、基地建設が始まる）。

琉球列島の「非武装地域宣言」

このような、アジア太平洋戦争の時代の軍縮の努力は、いかなる意義を持つのか？　これは私たちに、歴史の教訓をリアルに残しているのではないのか。

現在、日本において、アジア太平洋で激しく広がっている軍拡競争を、軍縮に導く動きや努力は、どのようになされているのか。南西シフト下の先島―琉球列島への自衛隊配備を、ただただ傍観したり、見過ごしているだけではないのか？

例えば、ＳＮＳなどには、「日中の経済相互依存関係の中で、戦争など起きるわけがない」、「核戦争の時代に島嶼占領・奪還はあり得ない」、あるいは、「大国・中国を敵にして地対艦・空ミサイル配備など空論だ」という、政治的・軍事的現実を見ようともしない、無責任な主張が溢れている。こういう無責任な言動や傍観から、私たちは脱するべきだ。

それは、先島―琉球列島において、政府・自衛隊が進めようとしているこの自衛隊配備＝「島嶼防衛戦」に対し、世界に向かってそれを拒む「非武装地域宣言」を行い、一切の軍隊の配備・駐留を阻むことだ（現在の「戦力」の凍結から始まる）。

この宣言は、ハーグ陸戦条約第25条に定められた「無防守都市」であることを、紛争当事者に対して宣言することであり、国際的にも認められたものだ。この宣言によって、琉球列島などへの攻撃は国際法違反となるのである。かつて、フィリピンのマニラを始め、この宣言を行った都市は、歴史的にも数多くある。

そして、周知のように、**戦前の先島—沖縄は、国際法上の「無防備地域」であった**。1944年3月、沖縄本島、先島諸島への日本軍上陸までは、軍隊・基地は全く置かれていなかったのである。

私たちは、このような歴史に学び、先島—南西諸島の無防備地域宣言を、確固としてアジアと日本—世界に発信しなければならない。

日中平和友好条約に立ち返れ

今日、日本では、「歴史修正主義」が蔓延《はびこ》り、「嫌韓・嫌中」がウイルスのように広がっている。

この先頭に立っているのが、政府・自民党であり、右派メディアだ。

この状況を見ると、アジア太平洋戦争において、日本が中国を侵略し、2千万人とも言われる中国民衆を虐殺してきた歴史などは、全くなかったかのようだ。だが、「足を踏んだ者は忘れても、踏まれた者は一生覚えている」。あのアジア太平洋戦争への深い反省は、私たちの世代にとっても、忘れてはならない。戦後世代には、「戦争責任」はないが、それを放置してきた「戦後責任」はあるのだ。中国語には「血債」という言葉がある（人民を殺害した罪、血の負債）。この「血債」を全く忘れてしまい、中国脅威論を語る人たちを、私たちは信用してはならない。

なるほど、現在の中国の軍事力増強や、南シナ海の行動（対抗的なものも含めて）は、許容できるものではないだろう。しかし、中国の歴史を考えれば、その行動の論理は理解できる。すなわち、中国は、アヘン戦争以来、１８０年以上にわたり、帝国主義各国に侵略され、蹂躙され、膨大な民衆を殺戮されてきたのである。このような国が、「過剰防衛」という行動をとっても不思議ではない。

その国に対して、アメリカは「東シナ海内」に閉じ篭もることを要求しているのである。つまり、アジア太平洋の**覇権**を、アメリカは絶対に譲り渡さないということだ（米軍のＡ２／ＡＤ戦略）。だが、戦争国家・アメリカの後追いをいつまでも続けておく必要はない。日本は、１９７８年、中国との間で、日中平和友好条約を締結し、相互に「武力による威嚇および覇権を確立」することを禁止するという歴史的確認を行った。

この歴史的約束を今こそ、しっかりと確認し、相互の軍拡の停止——軍縮と平和外交を押し進めるべき時である。

現在、日中間には、厳しい軍拡競争の始まりによる危機が生じている。しかし、危機の時こそ、物事は本当に試される。この危機を、今、日中の平和に導くことは可能である。

（注　日中平和友好条約（1978年8月12日）

第一条1　両締約国は、主権及び領土保全の相互尊重、相互不可侵、内政に対する相互不干渉、平等及び互恵並びに平和共存の諸原則の基礎の上に、両国間の恒久的な平和友好関係を発展させるものとする。

2　両締約国は、前記の諸原則及び国際連合憲章の原則に基づき、相互の関係において、すべての紛争を平和的手段により解決し及び武力又は武力による威嚇に訴えないことを確認する。

第二条　両締約国は、そのいずれも、アジア・太平洋地域においても又は他のいずれの地域においても覇権を求めるべきではなく、また、このような覇権を確立しようとする他のいかなる国又は国の集団による試みにも反対することを表明する。〔以下略、傍点筆者〕）

https://www.mofa.go.jp/mofaj/area/china/nc_heiwa.html

社会批評社・軍事関係ノンフィクション

●土と兵隊 麦と兵隊（火野葦平 戦争文学選 第1巻）

火野葦平／著　　四六判 219 頁　本体 1500 円

あの名作の復刊。—厭戦ルポか、好戦ルポか！　アジア・太平洋戦争—中国戦線の「土地と農民と兵隊・戦争」をリアルに描いた、戦争の壮大な記録が、今蘇る（全 7 巻＋別巻『青春の岐路』）

●日本軍事史（戦前篇上巻 363 頁・戦後篇下巻 333 頁）

藤原 彰／著　　四六判各巻　本体 2500 円

明治・大正・昭和を経て日本軍はどのように成立・発展・崩壊していったのか？　この近代日本（戦前戦後）の歴史を軍事史の立場から初めて描いた古典的名著。本書は、ハングル版・中国語版・トルコ語版など世界で読まれている。＊日本図書館協会の「選定図書」に指定。電子ブック版有り。

●オキナワ島嶼戦争

——自衛隊の海峡封鎖作戦　　小西誠著　本体 1800 円

あなたは、南西諸島への自衛隊配備を知っていますか？　マスメディアが報道を規制している中、急ピッチで進行する先島—南西諸島への自衛隊新基地建設・配備。この恐るべき全貌を初めて書いた本。戦慄する南西シフト態勢の実態が刻銘に描かれる。

●要塞化する琉球弧

——怖るべきミサイル戦争の実験場！　　小西誠著　本体 2200 円

約 300 枚の写真でリポートする南西諸島の島々の軍事化・要塞化！　メディアが報じないこの琉球弧への恐るべきミサイル基地建設・配備の実態を暴露する。著者は、この事実を防衛省への情報公開請求数百点で明らかにするとともに、与那国島・石垣島・宮古島・奄美大島・馬毛島などの全域を歩いてその実態をリポートする。

●自衛隊の島嶼戦争（Part1）

——資料集・陸自「教範」で読むその作戦　　小西誠編著　本体 2800 円

自衛隊の南西シフト態勢の初めての陸自教範『野外令』、『離島の作戦』『地対艦ミサイル連隊』など、自衛隊の「島嶼戦争」の実態を陸自の教科書で読み解く**（part2 は電子ブックで販売中）**

著者略歴

小西 誠（こにし まこと）
1949年、宮崎県生まれ。航空自衛隊生徒隊第10期生。軍事ジャーナリト・社会批評社代表。2004年から「自衛官人権ホットライン」を主宰し事務局長。
著書に『反戦自衛官』（社会批評社・復刻版）、『自衛隊の対テロ作戦』『ネコでもわかる？ 有事法制』『現代革命と軍隊』『自衛隊 そのトランスフォーメーション』『日米安保再編と沖縄』『自衛隊 この国営ブラック企業』『オキナワ島嶼戦争』『標的の島』『自衛隊の島嶼戦争―資料集・陸自「教範」で読むその作戦（part1）』『自衛隊の南西シフト―戦慄の対中国・日米共同作戦の実態』『要塞化する琉球弧』（以上、社会批評社）などの軍事関係書多数。『自衛隊の島嶼戦争―資料集・自衛隊の幹部用教範が定めるその作戦（Part2）』、電子ブック・キンドル版で発売中
また、『サイパン＆テニアン戦跡完全ガイド』『グアム戦跡完全ガイド』『本土決戦 戦跡ガイド（part1）』『シンガポール戦跡ガイド』『フィリピン戦跡ガイド』（以上、社会批評社）の戦跡シリーズ他。

●ミサイル攻撃基地と化す琉球列島
――日米共同作戦下の南西シフト

2021年12月8日　第1刷発行

定　価　（本体2200円＋税）
著　者　小西　誠
装　幀　根津進司
発　行　株式会社　社会批評社
　東京都中野区大和町1-12-10小西ビル
　電話／03-3310-0681　FAX／03-3310-6561
　郵便振替／00160-0-161276
URL　https://s48758.wixsite.com/my-site
Facebook　https://www.facebook.com/shakaihihyo
E-mail　shakai@mail3.alpha-net.ne.jp
印　刷　シナノ書籍印刷株式会社